U0135958

搶救文物

九二一大地震災區文物研究報告

竹山鎮莊宅 敦本堂 / 東勢鎮 善教堂 劉氏宗祠 / 大里市 林大有宅

An Exhibition of Artifacts Rescued from Sites Ruined by the "921 Earthquake"

Research Report

國立歷史博物館
NATIONAL MUSEUM OF HISTORY

序

　　去年九月廿一日凌晨，一場突如其來強度規模高達七級的地震，造成台灣地區無數的人員傷亡及財物損失，亦使得中、南部多處家宅建築一夕之間坍塌崩壞，遭受嚴重毀損。尤其是傳統民宅菁華集中的台中縣東勢、大里、及南投縣竹山、草屯等地區，因遇上這場百年來首見的大震，使得一幢幢擁有近百年歷史、曾是地方上傳統藝術文化具體表徵的家宅、祠堂、廟宇，剎時間與這塊相互依存的土地及人民分離。隨著建築結構的瓦解，其上所裝飾的傳統工藝文物也遭到大量的支解破壞，這對於台灣傳統藝術的保存與維護，無異是一場無情的浩劫。

　　震災發生後，國立歷史博物館即刻動身於中部災區勘查蒐集並搶救崩塌受損的傳統文物，進行傳統建築構件及歷史文物之清理維護與修復加固等工作。傳藝中心籌備處為推動傳統文物的保存維護觀念，並加強本土傳統建築之研究，特別與史博館共同籌辦於九二一震災週年之際，舉辦災區文物專題展覽，期待透過影像、文字及受災文物展示等方式，具體呈現台灣傳統文物與建築物件之歷史性、文化性、生活性及其藝術性。

　　傳統文物具有重要的文化價值，即在於文物本身所承載的文化紀錄與集體歷史記憶，它可說是文化發展脈絡的縮影，而其獨一無二與無法再造的特殊性質，亦使得每一件文物的破壞，均是文化上無法彌補的嚴重損失與缺憾。本次籌劃的災區文物特展，最主要的有來自台中縣大里林宅、東勢善教堂、南投縣竹山敦本堂以及莊宅等所即時搶救出的文物，以展現台灣傳統文物及建築木構件的造型、色澤與觸感之美。藉由這批受損文物的見證，我們期待國人能更深刻體認傳統藝術保存與維護的重要，同時並重新賦予傳統文物嶄新的藝術生命。

國立傳統藝術中心籌備處主任
柯基良

PREFACE

The tragic earthquake that struck Taiwan on 21 September 1999 caused enormous damage to local lives and fortunes. Hundreds of residences and other structures located in middle and southern Taiwan collapsed during one night, particularly, in Dong-shi(東勢鎮) and Da-li(大里市) in Tai-zhong County(台中縣), and Zhu-san(竹山鎮) and Cao-tun(草屯鎮) in Nan-tou County(南投縣) where many typical and traditional residences are located. Those cultural symbols were suddenly separated from their familiar residents. Traditional decorative parts of the architecture were as well greatly damaged and dismantled along with deconstruction of architectural components. It posed a challengeable catastrophe to preservation and maintenance of Taiwan's traditional art.

Soon after the earthquake, the staff of the National Museum of History carried out various field investigations. They collected and rescued damaged artifacts and dedicated themselves to clean, restore, and strengthen architectural fragments. Now, in preparation for the one year anniversary of the "921 Earthquake" and for the purpose of promoting artifact preservation and research on local traditional architecture, the National Traditional Art Center has cooperated with the museum to organize a research exhibition with artifacts from the ruined sites. We hope that Taiwan's history, culture, livelihood and art can be displayed by showing the integration of local traditional artifacts and architectural components.

The cultural value of traditional artifacts is inherent in cultural facts and integral to our historical memory. They can be regarded as miniatures of our cultural development. In terms of each of their own unique characteristics, their injury is an unrecoverable loss to our cultural assets. The main exhibited objects are from the Lin residence in Ta-li Town, Tai-zhong County, Shan-jiao Hall(善教堂), Dun-ben Hall(敦本堂) and the Zhuang residence(莊宅) in Zhu-shan Town, Nan-tou County. Those artifacts were rescued in time from the ruined sites and they show us the beauty of their form, color and texture of Taiwan's traditional artifacts and architectural timbered components. We expect that our people can perceive the importance of preservation and maintenance of traditional art and revive those artifacts with brand-new artistic lives.

Ji-liang Ke
Director
Preparatory Office of the National Traditional Art Center

館長序

　　去(八十八)年九二一大地震造成空前大災難，除了為死者哀，生者憂，我們更看到文化和歷史的傷痕。本館跟隨著每一股投入搶救和重建的力量，肩負著文化工作者的責任。當救難人員在瓦礫堆中搜尋可能的生還者時，我們同樣在文化領域發掘及保存所傳來文化歷史生命尚存的驚呼。希望一次大傷害之後，不要再有更多的後悔。

　　一年來，本館執行「搶救文物專案計劃」共分為三階段，和一遠程目標。第一個階段，本館迅速組成「搶救文物小組」進行文物蒐集工作。以竹山鎮、東勢鎮、大里市為主要的地點，在坍塌全毀的傳統建築中蒐集文物。從88年10月初到88年12月底為止，共計調查了，水里、集集、鹿港、大里、竹山、石岡、東勢等七個災區地點；由竹山鎮、東勢鎮兩處蒐集約六百件文物與建築構件；連同其他地點搶救文物總計約八百件左右。

　　第二階段，本館持續進行文物清理、維護、修復及加固、修補等必要措施，以避免文物持續遭受損害。第三階段，也就是現階段的主要工作，在於挑選出不同類型、材質的文物和建築構件，匯整成具系統性的脈絡，提供社會大眾對歷史文物的保存觀念。展覽中，我們強忍震災之後的悲傷情緒，在哀悼亡者犧牲和坍塌損毀的文化生命激勵之下，希望台灣的歷史與文化能夠更加穩固地留存下來。在未來，我們仍將持續地展現具體的行動，延續對本土歷史文物的維護與保存的決心。因此，下一階段的工作，正積極與國立傳統藝術中心密切合作，期使這批文物得到最佳的照料。

　　展覽之前，本館研究人員展開系統性的研究工作，包括從政策面積極地尋求保存維護歷史建築的關鍵課題；從歷史面與文化面，對竹山鎮、東勢鎮災區作背景考察；文物的個案研究以水里陶瓷和災區彩繪為主；搶救文物所運用的工序與工法的論述和檢討。國外經驗的研究，則有探討日本阪神地震對文化資產的處理實務，作為對照參考。就專案計劃執行過程的實務經驗，經由學術研究的程序，轉換可供參考的資料。

　　就本館現階段館務發展而言，不僅止於單純的學術研究，在同位性考量時，仍然以回歸社會教育的定位和責任為主要政策。在各界的關心與期許之下，對台灣本土歷史文化的相關研究將持續推動。

　　本館積極參與震災之後的文化重建行動，並曾經深切地反省及檢討，博物館在參與地震後歷史文化保存工作的角色、定位及其所可能產生的影響。值此週年，舉國紀念之時，本館相信，這次行動是值得繼續堅持下去的。

國立歷史博物館館長 黃光男 謹識

PREFACE

The massive earthquake measuring 7.3 on the Richter Scale struck at Ji-ji Town(集集鎮), Nan-tou County (南投縣) on 21 September, 1999, causing enormous injury and prompting increased scrutiny of Taiwan's society. We mourn the over 2,200 dead and worry about the survival of the injured, and, in the meantime, the wounds to our culture and history. Without hesitation, this museum joined the rescue effort and dedicated itself to the emergency restoration work by our conscientiousness and obligations as cultural undertakers. Whenever the rescue team searched for each of the possible survivors, we were as well astonished and perceived a fragile scream by our culture and history from the ruined sites.

During the past year, our museum has been carrying out restoration and maintenance of the salvaged artifacts. The project was divided into three stages with one long-term objective. In the first stage, the museum organized the Team for Rescue and Restoration of Artifacts to collect damaged artifacts. From early October 1999 to late December 1999, we carried out field investigations in seven areas: Shui-li(水里), Ji-ji (集集), Du-gang(鹿港), Da-li(大里), Zhu-san(竹山), Shi-gang(石岡), and Dong-shi(東勢). We collected six hundred artifacts and architectural components from Zhu-san and Tong-shi counties, including other artifacts from the above-mentioned ruined sites. A total of approximately eight hundred pieces were amassed.

In the second stage, the museum's staff undertook restoration work in order to preserve the artifacts. In the third and current stage, we have selected typical artifacts and architectural components in order to arrange them systematically so as to impress the public with the importance of the preservation of artifacts. Within the exhibition, we do not emphasize the grief and sorrow that the disaster brought, but we naturally lament that sacrifice and are encouraged by the struggling of our injured culture. We sincerely hope that Taiwan's history and culture can continue steadily forward. In the future, our museum will devote even more efforts to the preservation and maintenance of local history and artifacts. During the next stage, therefore, we will cooperate with the National Traditional Art Center in order to preserve such artifacts in their best possible condition.

While the project has been underway, we have tried to adopt the mode of "Cooperation between Construction and Education" in order to integrate the resources of schools and society. From early this year until the opening of the exhibition, we have had six intern students participating in the registration, cleaning, restoration, catalogue compilation and floor plan designing of the exhibited items. The interns have come from graduate schools of Museum Study and Artifacts Restoration of the National Tainan Art College; the graduate school of Ethnology, Gottingen, Germany; the graduate school of Art Management of Nanhua University and two students from the department of Historic Architecture Preservation of the Shu-de Technology University. They consistently worked longer hours than those expected of an intern and brought into play their own particular skills as they worked on this noble mission.

In advance of the exhibition, the museum staffs have undertaken research in a systematic way which included the point-study of practical approaches to preservation of traditional architectures. Staff carried out various filed investigations of ruined areas in Zhu-san Town(竹山鎮) and Dong-shi Town(東勢鎮) in terms of history and culture. The research artifacts themselves included ceramics from Shui-li(水里) and painted objects from the ruined sites; the citing and examination of the salvage technique and process. Reference to the practical experience of artifact preservation following the Han-shin Earthquake (阪神大地震) in Japan on 17 January, 1995, was also of benefit. We have derived much practical experience and knowledge by undertaking academic research of the process of carrying out the Project of Rescuing Artifacts from Areas Hit by the 921 Earthquake.

The Museum is not limited to academic research. It also concentrates on the provision of social education. With support from all concerns of society, the museum will continue to promote and undertake research into Taiwan's history and culture.

We have carefully observed and examined our experiences of participating in historical cultural preservation and we believe that the museum has played an essential role and brought decisive influence to bear Taiwan's history and culture. Meanwhile, on this the first anniversary of the "921 Earthquake", we believe that the occasion merits increased awareness of our insistence on cultural reconstruction.

Director
National Museum of History

目　次

CONTENTS

由九二一震災文物搶救談保護歷史建築

陳永源

一、前言

　　大地震對台灣百姓而言，原本就不是件陌生的事，至少在台灣歷史上每隔個十來年都會出現較大規模的地震，像一九〇六年三月十七日有規模七點一級的嘉義民雄大地震，造成3，643人死傷。一九三五年四月二十一日有規模七點一級的新竹關刀山大地震，造成15，329人死傷，它曾被稱為是台灣史上空前的大地震。之後，一九四一年十二月十七日發生在嘉義中埔的大地震，其地震規模也達七點一級，也造成1，091人死傷。七年之後的一九五一年十月二十二日在花蓮東南東方外海又發生七點三級大地震，雖然死傷人數較少，但也將近千人。其後，直至一九七二年間也發生過六次超過七級以上的強烈地震，傷亡人數大多在幾百人或幾十人之間，影響地方僅僅是局部地區。以上皆不像去年（一九九九年）九月二十一日凌晨一時四十七分十二點六秒，台灣地區百年來陸上規模最大的南投集集七點三級大地震，帶給台灣百年來最大的世紀災難。很多人每天守在電視機前，緊盯著來自災區災情報導，不斷增加的死亡名單（逾1，712人以上），不計其數被地震震毀的建築（甚難統計），及持續不斷令人驚悚恐懼的餘震（九月二十一日當天餘震逾1，558次以上），天災肆虐之慘重為百年所僅見。

　　從新聞媒體報導中我們看到大地震對台灣百姓施加最嚴酷的一次試煉，看見很多平民百姓和救難人員從斷垣殘壁中試圖救援傷亡的血淚鏡頭，在生命攸關的每一個時刻，每一個人所顧念的唯有家人的生命安危，在步步皆是險境危域的災區，很多人奮不顧身助人為先，救災濟困的人性昇華實在令人感動。震災期間，不論是政府公部門或民間團體全力投入災區賑災、重建、復原的艱鉅工作，全台灣地區可說是進入救災全民總動員的狀態。政府為了儘速讓災民遠離地震災害，避免傳染病流行，積極進行災區廢棄物加速清運，加緊災區重建腳步。

　　在震災地區雖然有一群關懷地方文化資產保存的學者、專家、地方文史工作者投入災區文物建築的搶救工作，也許因為政府緊急的政策措施，許多原本尚可搶救保存作為人類生命共同圖像的歷史建築，因時空環境的急迫需要被當成廢棄物清理掉。類似攸關自己先民的歷史文化資產快速流失的諸多問題在災區一再出現，令人覺得有股必須趕緊掌握搶救文物的迫切感。因為每晚一個鐘頭，也許某一個具有傳統文化特色的傳統建築會被清除剷平，或許某個具有歷史性意義的聚落被當成廢墟推埋地下，先民的文化資產隨著時間流逝被掩埋失落。從震災現場情況看，令人不得不認真思索文化工作者應該如何善盡維護保存文化資產的職責。

　　一九九九年十月八日國立歷史博物館研究組在館長黃光男博士指示下配合年度「台灣文物研究展」計畫成立「九二一搶救文物小組」，分赴中部災區搶救文物及影像記錄工作，善盡歷史博物館保存文化資產的專業職責。整個小組成員有胡懿勳、吳國淳、成耆仁、郭長江、郭祐麟、羅煥光、張婉真、等七位研究人

員，由研究組主任陳永源擔任小組召集人。以下本文是針對台中、南投災區幾個重要歷史建築的災情記述，並從震災的實際觀察瞭解中，試從國外保存歷史建築經驗探討分析國內歷史建築的保護問題。

二、筆記歷史建築浩劫

（一）霧峰林家宅園成了廢墟

霧峰林家宅園經歷九二一地震浩劫，昔日滿載林家詩人墨客足跡的萊園，五桂樓、戲台、飛觴醉月亭及宅內宮保第就在這一夕之間被地震夷為平地，震得宅園斷垣殘壁屋倒傾圮瓦礫碎木爛泥成堆，滿目瘡痍宛若一片廢墟，讓素有台灣文化瑰寶台灣歷史縮影之稱的國家二級古蹟幾乎成為泡影。最令人歎惜者莫過於據鄰近的林姓人家所說：「林家宅園政府最近才斥資兩億多元歷經五年整修，原預訂九月二十四日要工程驗收，但這次地震一夕之間震垮了它，要復原恐怕是不可能了，要重建恐怕也遙遙無期。」宅院裡的管理員也說最近常常有人趁火打劫盜取珍貴文物，情況已到防不勝防的地步。

（二）集集火車站像比薩斜塔

水里集集火車站是台灣最著名古老木造火車站，在這次地震中也難倖免地被地震把整個火車站震歪了，屋脊塌陷，樑柱傾斜（約25度），斜得有點像義大利比薩斜塔。據住在車站附近人家說：「集集火車站雖然沒有類似骨董的珍貴文物。不過這座一九二二年開站的日式木造火車站，其門窗、樑柱、售票櫃台一直未被更換過，是台灣現存還保有古早風味的火車站之一。它雖然沒有被列入國家古蹟保存之列，但卻擁有很多我們集集人的車站情懷，是我們集集鎮的地標。不管火車站未來是否能整修復原都應將它保存下來，即使是一磚一瓦一物一木也要留下，要留下集集人共有的歷史腳印。」根據最近民生報載（2000、07、14）：集集火車站整修復原有望。新企集團董事長葉宏清先生願認養集集火車站整修計劃，要斥資新台幣一千八百萬元於年底完成集集火車站整修復原工程。

（三）水里蛇窯爐坍陶也碎

南投陶在台灣陶業發展史上佔有舉足輕重的地位，南投水里蛇窯更是南投窯業發展的縮影。水里蛇窯源自一九二七年，製陶師傅林江松先生鑑於水里是木材集散地及陶土質甚佳，在今水里水沙連砌窯製陶迄今。蛇窯窯身成圓管形，長105台尺（約31.8公尺），窯身伏臥逆坡而上（約15度），遠望宛若一條巨蛇，是當今台灣最古老最具傳統特色的柴燒窯場之一。小組走訪蛇窯時，工人忙著整修被震毀的窯爐，主人林國隆先生信心的說：「他等不及政府震災救濟要自力更生堅強的站起來，要在最短時間內恢復生產。」指著用被震碎的陶片鑲嵌而成的壁

畫說：「它是我們窯場員工為紀念九二一大地震震毀蛇窯的集體創作。」

（四）明新書院厝塌書聲杳

　　集集明新書院是南投三大書院之一，是國家列管的三級古蹟。從清光緒十一年（西元1883年）設塾迄今書院已有一百四十年的歷史，土磚木造，燕尾正身，廟貌堂皇，是一座紅瓦綠樹環繞古意盎然的書院。震央在集集的大地震把書院震得厝塌牆倒大門毀，「德齋」廂房裡收藏的古董文物，也被震得七零八落。住持蕭月登先生說：「書院是列管古蹟，政府勘災人員和書院管理委員到現在還沒來過，我不敢擅自做主進入廂房整理。震災的集集人大家都各忙著自家的傷心事，還沒有人有時間來關心明新書院的災情。」

（五）東勢客家文化還給歷史

　　東勢是台灣中部客家人最早的初墾地，在東勢處處可以看到客家文化特色。鱗次櫛比的客家伙房，一直是東勢客家文化的重要文化資產。初墾（西元1810年）以來建立的本街，是東勢歷史最悠久的一條老街，沿街有長達一公里長的傳統建築群，九二一大地震摧枯拉朽般地把所有古宅都震垮了。鎮內客家大夥房幾乎倒了大半，一向是東勢客家人精神支柱的劉氏宗祠也無力抵擋地震威力被震垮成了廢墟，推土機正等著清理震災現場。劉氏家族的人說：「這是配合鄉公所排定清運廢棄物作業時間。」建廟於一九零一年奉祀關聖帝君的善教堂，廟堂內壁飾畫棟雕樑匠藝十分精采。大地震把廟堂屋脊震塌成了廢墟，只剩下隨時還可能倒下來的拜亭。廟方江錦秀主委說：「善教堂原本計畫在今年十月底要舉行慶祝建廟一百周年，這下辦不成了，期待政府能早日協助廟方重建。」小組在廟方徵詢並取得協議下，用專業的施作技法謹慎地拆卸下拜亭的建築構件，如大小木作、木雕花窗、剪黏及儀示器物、瓦磚等，由博物館暫時保管維護這批在地文物，待廟方重建有了進展再將這批文物送回廟方保存。

（六）竹山敦本堂風華不再

　　位於南投竹山鎮菜園路的林宅敦本堂，是一座採四合院配置的傳統建築，雕樑畫棟，白灰壁彩繪，花式窗櫺，全部採用台灣檜木造屋的建築極品，極具台灣民間傳統工藝之美，其藝術性、欣賞性、文化性堪稱是台灣傳統建築中的經典之作，素有台灣十大名宅之美譽。外界對敦本堂的一磚一瓦長期以來就有高度興趣，學界楊仁江教授曾研究出版《敦本堂》一書特別加以介紹，之後觀光訪客絡繹不絕，影響了林宅安寧，也從此林家大門深鎖拒絕外來訪客參觀，外界的人也就很難再進入宅院窺其堂奧，欣賞敦本堂傳統建築工藝之美，大多只能從建築外觀去欣賞它。九二一大地震把敦本堂震成一幅破敗殘象，震得林宅上上下下手足無措，竊賊也伺機偷走了不少珍貴文物，雖然現在每天有狼犬看守著，仍然無法嚇止竊賊行徑，林家後代林篁園先生無奈的說著。面對毀損泰半的宅院，在林家

兄弟無意復原或重建的堅持下，四處求助學者專家幫忙，希望有個專業專責的文物保存機構來拆卸殘餘的建築文物。國立成功大學建築學者徐明福教授特別荐舉國立歷史博物館有此專業能力與條件，建議由國立歷史博物館擔起重任。今敦本堂在搶救文物小組全力搶救下終於保存了絕大部分的建築構件及些許文物。

（七）竹山莊氏家祠朱顏變調

位於竹山鎮社寮的莊氏家祠，是一擁有極為豐富的台灣傳統建築彩繪的家祠，其傳統彩繪均出自一代匠師柯煥章先生所作，用色明亮相當精彩。可惜地震把屋脊震塌開了大天窗，屋簷下樑柱搖搖欲墜，庭外入口山門樑柱被地震撕裂垮成一堆小垃圾山，屋內屋外到處是碎磚破瓦。主人莊人和先生說：「大地震之後，四周門戶洞開，竊賊趁機偷走不少傳世文物，像拜堂神案上的神龕、雕工精美的太師椅、建築木作彩繪，只要家祠內可以移動的重要傳世文物幾乎被偷個精光。」坍塌開天窗的古厝屋頂，由竹山鄉公所緊急撥款補助了二十萬元，用速成預鑄的紅色鐵皮把屋頂換了妝，遠看近看都非常突兀。主人莊人和先生落寞地說：「震災使得莊家子孫已無力整修家祠也只好因陋就簡。」門前正等待清運的廢棄物，小組在徵得主人莊人和先生同意下，在廢棄物堆裡仔細翻找尚可作研究保存之大、小建築構件、文物百餘件。

三、保護歷史建築的幾個課題

九二一大地震使台中、南投等縣市災區之古蹟、古厝及歷史性建築受創嚴重，震災之中未列入古蹟保存的歷史建築、紀念堂榭、傳統古厝，成為民間古董商、私人收藏家及宵小的爭奪戰場，不擇手段地意圖染指取得這些歷史文物。小組在踏踏霧峰林家宅園、竹山敦本堂、莊氏家祠及東勢善教堂、劉氏家祠等等古厝名剎時，許多文物建築的構件、歷史文物，有些已被屋主趁機變賣給舊木材商或古董商，有些尚留在現場待價而沽，有些遭竊而下落不明，或因無知被當成廢棄物清理。這也是為何搶救文物小組在進入災區，歷史建築中比較精彩且具有歷史性、文化性、藝術性、民俗性、社會性的部份文物已很難看到，像雕工細緻的建築構件、各式花雕窗櫺、粉壁彩繪及內飾文物等等，歷史文物流失之嚴重，已散落各處成為私人禁臠。比較幸運的則由博物館或當地文化中心蒐集保存了一些。至於古蹟因受國家《文化資產保存法》列管，史蹟文物登記有案，古物或文物要在坊間流通變賣較不容易，除非甘冒法律風險，一般民眾意圖染指比較會有所顧忌，所以當下個人覺得搶救歷史建築遠比古蹟更為迫切。

（一）、宜儘速修定《文化資產保存法》。

在國內因長期受限於現有《文化資產保存法》的規定，對歷史建築的復原、整建之維護保存事實上有適法性問題，為政府長期所忽視。立法委員李慶安

有鑑於震災文物流失嚴重，歷史建築維護保存工作效果不彰，特別邀集教育部、內政部、文建會於一九九九年十二月四日假立法院召開公聽會，三大文化行政主管部門均咸認非歷史建築的主管機關。教育部以管理的是百年以上古文物，災區歷史建築未必有百年歷史。內政部主管的是古蹟和民俗，災區的歷史建築應該歸地方主管。文建會則言在中央僅僅是一幕僚單位只具協調角色，在現行《文資法》規範下無行政法源依據。

歷史建築就在業務歸屬劃分不清之下成為政府三不管的灰色地帶，也由於因政府長期忽視建立一套完整的歷史建築管理系統，以致面對至今尚未納入《文資法》管理的歷史建築時，因資訊缺乏而無法在第一時間作緊急救災應變處理，犧牲了許多原本尚可搶救的歷史建築。當政府緊急建議緩拆具有歷史意義的歷史建築之同時，卻引來業主不少反彈。民眾的疑慮來自緩拆之後政府將會如何處理？民眾清楚瞭解緩拆的歷史建築是未被政府指定列入保存的歷史性建築，是無法取得政府修復補助經費，故而加以拒絕。因此，為了保護具有歷史保存價值的歷史建築，應儘速推動「歷史建築保存法」，或重新增修訂《文化資產保存法》，或從寬定義「古蹟」。不論「歷史建築」、「考古遺址」、「傳統聚落」、「古市街」、「歷史文化遺蹟」等，只要具有歷史價值的包括、近現代在社會史、經濟史、政治史、科技史、文化史、民俗史、建築史等等領域裡有重要意義的建築都應在指定保存範圍內。

所謂重要意義，它應該是多種多樣：包括記載事件、刻劃過程、代表成就等等。循此，對應該保存的歷史建築准用「假指定」的登錄制度建立管理機制，以達到全面性的保存文化資產。在歐、美、日等先進國家早已建立此種歷史建築登錄制度，登錄的歷史建築再根據其重要性加以分級，像英國目前就有超過50萬幢歷史建築登記入冊，雖然不見得每一幢建築能保存下來，但至少不會不慎重的毀掉。這次大地震終於使國人覺醒學到教訓，終能在學者呼籲及文建會努力下，今年（2000、02、09）立法院正式通過《文化資產保存法》第三條三款及第二十七條之一的增修訂條文，政府才有了保護歷史建築的輔導、獎勵與管理的法源機制，但遺憾的施行細則迄今猶未公佈，政府實在不應該再遲疑，應該儘速研訂即早公佈實施。

（二）、「復原如舊」保存觀念不應拘泥不化。

很多學者專家強調維護古蹟要「復原如舊」以延續古蹟壽命，「復原如舊」就成文化資產保存維護不變的倫理與原則。不過，從九二一大地震所造成古蹟古建築之重創來看，台灣地區傳統建築大多屬於榫接為主的木造建築，安全結構上不耐抗震，這由最近整修中的霧峰林家宅園被地震震毀有如廢墟一般就可明證。因此，過去強調修復古蹟、古建築在材料、工法、行貌上必須遵循「古法」的作法是否適合多地震的台灣，實在值得深入檢討。根據1964年ICOM於意大利威尼

斯召開歷史文物建築建築師、技術人員國際會議，通過保護文物建築的國際憲章，即一般所稱之《威尼斯憲章》，內容共有十六項，其中第十項「當傳統技術不能解決問題時，可以用任何現代的結構技術來加固文物建築，但這種技術應有充份的科學根據。」台灣位處太平洋環狀多地震帶，爲了顧及古蹟、歷史建築結構安全的必要性，其修復作法應該被允許新的施工技法及形貌可以有所權變，以達到延續古蹟、古建築壽命的目地，但切忌「返老還童」「復原如新」的作法。

（三）、就地保存文物不是保存文物的唯一選擇。

古文物、歷史文物應採「就地保存」的概念過去也一直被強調或主張，也是許多文物研究專家一直奉爲工作的準則；但相對於震災地區的歷史文物是否可以被允許因地制宜，許多文物研究專家之間仍存有不同爭議。其實災區歷史文物大多是被地震震毀的歷史建築物的殘骸，基於歷史建築大多未被政府指定列管，它沒有法律地位，不受《文資法》保障，而且多屬宗族共有資產共同持分，因此爭取政府補助修復或整修經費都較難獲得政府奧援，在修復與不修復之間業主常處於不安定的爭執中。同時在震災的救災行動一切以生民之生計爲優先下，業主實際上已面臨無暇顧及僥倖尚存的歷史建築及處理殘骸之窘境，只好任憑被盜取、或變賣、或廢棄、或風吹日曬雨淋。若硬要將這些歷史文物強留在當地文化中心或社區博物館蒐藏，以南投、台中文化中心也是大地震受害者來看，在既無保存文物之專業能力，典藏空間、設備條件又不夠的情形下，對文物保存會是另一種嚴重傷害。誠如行政院文建會諮詢顧問陳益宗先生指出：「地方文化中心沒錢沒有文物維護專業人員又缺乏保存設備，與其任其堆放任其腐朽，不如交由專業博物館保存。」大英博物館館長羅伯·安德遜（RGW ANDERSON）曾說：「博物館是將原來存在他處的古物移開而加以收藏，這是一種矛盾的行爲，可是歷史無法倒回去，站在保存人類文化的觀點，如此做法總比讓其崩壞好得多。」ICOM《威尼斯憲章》第八項亦指出「文物建築上的繪畫、雕刻或裝飾只有在非取下便不能保護它們才能取下。」因此，對於大地震造成歷史建築重創文物毀損，實在應該認真思考何者才是善待文物的最有利環境？「就地保存」果眞是保存文物唯一的選項嗎？持平而言實在值得商榷。

（四）、設置保護歷史建築修復基金。

1964年ICOM威尼斯國際會議中通過保護文物建築的《威尼斯憲章》，其中第九項指出「修復歷史建築是一種極其專業化的工作。它的維護目標是建立在尊重原有材料和可靠的文獻上，以保存原有美學和歷史價值，絕不可以使歷史和藝術見證失真。」所以整修要能「復原如舊」成爲古建築保存的工作準則，建築工法，形式樣貌，材質用料都要能保持與原來一樣，所以其整修復原工作就相當耗資費時，須要有龐大修復資金支持及專業的修復人才投入，才能使人類文化資產

免於危急，有效地延續歷史建築的壽命，這也是為何國內長期以來歷史建築業主一直不願意接受指定而自甘限制自身發展的原因。因此，歷史建築的保存修復工作亟須要有一個由政府、民間、學者專家共同籌組擁有龐大資金的基金來支持，有專款可用來輔導、獎勵、補助整修復原，或有專款價購修復再信託委外經營管理，這在先進國家不乏其例。近者如1985年新加坡牛車水（KRETA AYER）中國城保存再生計畫，遠者如美國波士頓（BOSTON）華盛頓古街活化再利用計畫，都是歷史建築保存成功的案例。

（五）、建立愛護先民文化資產意識。

國內保護古建築起步比較晚，直到1988年《文化資產保存法》才正式通過，其中保存歷史建築法令更遲至2000年三月正式納入《文資法》第三章加以規範。此與瑞典早在1630年就由政府設立專門機構斥資保護古建築；法國1840年開始列表登記歷史文物建築；1931年公佈文物建築法；1980年推動「愛護寶貴遺產年」，對有一定特色的鄉土建築特加保護，並針對二十萬幢傳統建築開始調查，使法國傳統建築保護活動達到巔峰，政府也開始啟用修復之古老建築，促使法國今天保存有大批古建築的作法，顯然我們遠遠落人之後。從此次被地震震垮的歷史建築來看，很多已是樑柱被蟲蛀、蟻噬而空朽，粉壁彩繪風化失修斑剝不堪，內飾文物錯置雜陳塵封廂房，寺廟殿宇文物建築更是層層金身再塑，在在顯示國內對保護歷史建築之忽視與膚淺，國民維護文化資產意識之低落。震災期間，從古董商覬覦古建築、歷史文物到竊賊盜取文物事件層出不窮，國人保護文化遺產的道德觀實已面臨重重的隱憂。今天我們要保護歷史建築除了政府立法管理之外，民間保存意識的覺醒更是重要。日本妻籠宿保存計畫就是一個很值得學習的案例，它先起自住民自覺自組成立「愛妻籠之會」的居民團體（1967年），到自發性的起草「住民憲章」（1971年），直到1973年町議會制定《妻籠宿保存條例》，每年以約十棟建築的進度進行修復古建築。1983年妻籠更自創「財團法人妻籠宿保存財團」管理中央、縣政府、町公所的修復補助經費。可見居民能否自覺自發性地保護古建築對維護文化遺產是非常重要。法國國立基梅（GUIMET）博物館東方美術部主任嘉柳久說：「破壞文化遺產就是對人類的一種犯罪。這種新觀念要灌輸在每一個人的腦子裡。」所謂徒法不足以自行，住民保護文化遺產的紅十字精神應該推廣深化，正如當年（1980年）法國推行「愛護寶貴遺產年」運動一樣，促使保護傳統建築成為全體住民的共識。

四、結語

今天人類的經濟活動實力已大異於以往強於過去任何年代，現代人類建築活動的成就與速度遠非十八、九世紀或中世紀時期可比擬。吾人若以當年歷經

150年之久建的羅馬聖彼得教堂而言，在今天可能只要用三分之一的時間或更短的時間就可完成。人類生活環境的新陳代謝正處於被快速運作以滿足生活現代化舒適便捷的需求，附著於生活環境品質的文化精神內涵也被要求提升。因此，「保存」與「更新」的矛盾、對立、衝突也就一直未曾止歇過，但也未曾停歇過尋求兩者彼此共存共榮的可能。不可否認，今天古建築、歷史建築、或傳統建築的存在，已印證它能為環境景觀提供最好的環境品質的事實。它的價值不僅在提供一種社會現象，一種科技水準，一項藝術成就，更具有激勵民族自信心安定人們心靈的歸屬感，它更是歷史的連續性城市發展紋理的表徵，有了它人類的生活環境才可讀可感。這也是為何許多古建築所以能夠在面對諸多改朝換代的滄桑之變，還能保留下來的原因。這也是為何日本在阪神震災後要傾力修復神戶異人館（神戶市中心十五番洋樓）之因，在日本如此，歐美各國更是不遺餘力。當下我們有著太多類似阪神地震的震災境遇，日本愛護文化財的用心，保護文化財作法，很值得國人取法借鏡。今天如果我們無法認知「保存歷史建築」是最佳城市景觀營造者的事實，是延續我們先民生命的事實，更遑論談「保護歷史建築」了。

引用書目：

中央氣象局〈台灣大地震年代表〉未出版

文建會《文化資產保存法暨施行細則》台北 行政院文化建設委員會 1988年3月

文建會《文化資產保存法》台北 行政院文化建設委員會 2000年3月

李雄飛著《城市規劃與古建築保護》台北 台北斯坦出版有限公司 1991年6月

夏鑄九、林鍫、顏亮一編著《古市街與傳統聚落保存方式之研究》台北 行政院文化建設委員會 1992年9月

省文化處《地方文化資產保存利用國際學術研討會專集》台中 台灣省政府文化處 1998年6月

李乾朗《台灣傳統建築彩繪之調查研究》台北 行政院文化建設委員會 1992年10月

羅哲文著《羅哲文古建築論文集》北京 文物出版社 1998年3月

圖一　東勢鎮傾倒房屋

圖二　土牛社區客家伙房已經夷為平地

圖三　地震後，莊氏家祠正方屋頂蓋上鐵皮避免淋雨

圖四　敦本堂搶救文物現場

圖五　災區文物運置本館

早期竹山地區歷史與文化

吳國淳

摘要

有見於臺灣社會文化的演進發展受政治因素影響很大，從明鄭到清領階段的文化大抵上是延續中原閩南文化的發展，或是適應新移民環境的特殊性而產生若干文化適應的策略，亦有部份的文化是與原住族群的接觸和互動形成在地文化。而日治時代的臺灣文化發展有相當巨大的變化，大抵上是朝著歐美現代化的趨勢進行社會變遷。本文的重點在於探討大陸閩南文化在台灣的漢人移民社會是如何進行發展及變遷，故研究的範圍為清領時期南投縣竹山地區歷史文化的發展，本文內容有兩部份，第一部份為竹山地區自然環境與居民生活，探討的重點包括自然生態環境、農業及經濟作物、先史及原住族群的分佈及交通運輸等層面。第二部份為竹山地區漢人移墾的歷史及文化，研究的內容包括漢人移墾社會的建立與發展、寺廟與地緣組織、宗族發展等層面。

竹山地區主要地形為丘陵，兩條主要的溪流為濁水溪及清水溪。就整個南投縣而言，可耕地的面積狹小，其中又以旱田為多。竹山鎮的耕地率為14%，佔總耕地面積的7.14%。主要農作物在丘陵地為香蕉及木薯，清水溪河谷及兩岸低丘地區因引水灌溉便利，主要作物為水稻。

南投地區和臺灣其它地區史前文化相似處在使用的工具上皆有石器及陶器；不同的地方是由於不靠海，所以沒有貝塚；竹山地區的史前遺址共有8處。早期，漢人尚未入墾南投縣之前，居住在此地的原住民族群主要為泰雅、布農、曹族（鄒族）及邵族。最早有漢人進入本地約在明鄭時期林圮率眾至此開墾，漢人移民的祖籍主要來自漳洲，不同時期墾拓的地區不同，早期從平原地區開始逐漸進入山區聚落。隨著漢人拓墾所建立的社會文化組織包括寺廟及宗族，而寺廟等地緣組織的建立是早於血緣關係的宗族組織發展。從竹山地區的歷史發展，我們可以看到清代漢人移民生活及開拓的縮影。

　　人類的發展和所居住的自然環境有密切的相關，早期居民生活型態及生計方式受地理生態環境影響很大。竹山地區漢移民的時間至今約300年左右，也逐漸在此地發展閩南文化及在地文化，本文針對竹山地區的發展，首先從人在自然環境中的生活方式談起，其次論及漢人移民文化的特質，以瞭解竹山地區居民，如何運用自然環境以及如何建立社會文化還境的歷史過程。

壹、 竹山地區自然環境與居民生活

一、自然生態環境

　　竹山鎮位於南投縣西南角境內，東西寬十二公里，南北長二十一公里，面積二四七、三三三九方公里[1]。南投縣地形複雜多山區，平地面積佔全縣15%，地形區分如圖1。第一類地形為中央板岩山地，包括脊梁山脈、埔里板岩山地（白狗山脈、埔里陷落區）、玉山山塊。第二類地形為西部衝上斷層山地及山麓地帶，包括大橫屏山脈、集集山脈、鳳凰山脈、南投丘陵、竹山丘陵。第三類地形為台地，包括八卦台地、坪頂埔台地、觸口山台地。第四類地形為平原，主要為台中盆地南投平原段。

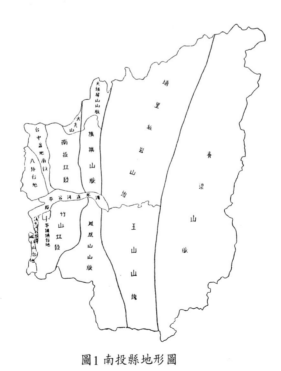

圖1 南投縣地形圖

資料來源：林朝棨（1964），南投縣地理志地形篇稿，南投文獻叢輯第12
輯，頁6。

---

1 林朝棨（1964）：南投縣地理志地形篇稿，南投文獻叢輯第12輯，頁5。

　　竹山地區主要地形爲丘陵，竹山丘陵分布於濁水溪南方，鳳凰山脈西側。丘陵西側以清水溪爲界，與斗六丘陵爲鄰。本丘陵性質與南投丘陵及豐原丘陵完全相同，地質以第三紀新成亞紀頂部之錦水頁岩、卓蘭層、第四紀更新世早期之頭料山群構成，卓蘭層層階地形最發達，並有火炎山礫石層。本丘陵南北長二十三公里，東西寬十五公里，東側比西側高，南部比北部高。最高峰爲東南角之鹿窟山（2287公尺），東北側有大水窟台地，台地標高640至80多公尺[2]。

　　竹山緯度爲N 23°45'，年平均溫度爲22.7°。丘陵地勢海拔100至500公尺，而以300至400公尺居多，坡度約14至30度左右。母岩爲砂岩、頁岩，年雨量約2326公厘，降雨量80%集中於夏季[3]，土壤沖蝕劇烈，多屬幼年土。 100-300公尺的丘陵爲黃色灰化土，土壤質地爲壤質及黏壤質，表土淡黃灰色，底土淺黃棕色，其中常含有碎石。此類地區開墾已久，表土多已流失。目前多栽植樹薯、甘藷、龍眼、相思林、竹林等。水源容易取得的地方闢爲水田，水源較缺乏的地區爲旱田。竹山南之清水溪畔與草屯東之小河階上土層淺，爲灰色砂壤質表土及灰黃色砂壤質底土，質地粗爲雙季稻田，土壤肥力極易減低，高度大需灌溉施肥才能生長良好。[4]灌溉水源爲本地兩條主要的溪流--濁水溪及清水溪。

　　清水溪發源於阿里山，流域面積約有421平方公里，流經嘉義、雲林、南投等縣，支流有田仔溪、加走寮溪、阿里山溪。濁水溪流域經南投縣中段及南段，爲本省流域最廣大，流路最長的河流，流路總長167公里。濁水溪發源於合歡山，其名稱由來因其流水常含大量淤泥，四季混濁，淤泥來源主要爲萬大北溪及丹大溪。流經竹山地區爲濁水溪的中游，在此形成一河階地形。竹山河階群中最低位置爲竹山鎮的廣闊平原，海拔140-160公尺。竹山鎮西方有清水溪所形成的砠磏里河階，階崖高度15-20公尺。竹山鎮南方山麓有高位河階，高度200-300公尺。[5]

二、農業及經濟作物

　　農業的發展受歷史、人文、交通等因素影響。就歷史的因素而言，各地區開發時間早晚對農業影響很大，開發早的通常是地形較佳且易於開墾的，但不一定是適合人居住的，容易開墾的地區多爲低平處，常有洪水氾濫之災。但平原地區交通及生活設施都比較便利，往往成爲人口集中的地方，人口增加必然要積極發展農業。開發早的地區農業的型態多爲移民墾殖，人口自然流動，爲自給自足的小農制，土地利用種類複雜，土地畫分沒有系統，同一塊土地上常常生產主要糧食及副食[6]。

---

2 同註1，頁58。

3 王洪文（1967）：南投縣地理志氣候篇稿，南投文獻叢輯第15輯，頁31。

4 王洪文（1970）：南投縣農業，南投文獻叢輯第17輯，頁36。

5 同註1，頁85-88。

6 同註5，頁38。

南投縣農業發展有若干特徵，首先可耕地的面積狹小，僅佔全縣面積的12%，在耕地面積中旱田的面積相當大，佔63.37%。南投縣主要農產以普通作物（稻米、甘藷）產值最高，佔全縣農產總值53.79%，次為園藝作物（水果、蔬菜），佔全縣農產總值29.53%，特用作物（茶、菸草）再次，佔全縣農產總值13.11%[7]。

竹山鎮的耕地率為14%（可耕地面積/該鎮總土地面積），佔總耕地面積的7.14%。竹山地區主要農作物在丘陵地為香蕉（52%）及木薯（23%）。香蕉產量

表1　林圯埔竹林面積

年　次	全　　　島		林　　圯　　埔		
	實數（公頃）	指數	實數（公頃）	指數	佔全島面積之百分比
1928	37,864	100	12,266	100	32.39
1929	39,368	104	12,295	100	31.23
1930	43,997	116	12,307	100	29.97
1931	43,911	116	13,781	12	31.38
1932	46,142	122	13,748	112	29.79
1933	47,073	124	13,710	111	29.12
1934	46,865	124	13,003	106	27.75
1935	47,405	125	13,448	110	28.37
1936	49,751	131	13,489	110	27.11
1937	49,153	130	13,332	109	27.12
1938	51,093	135	13,389	109	26.21
1939	51,020	135	9,902	81	19.41
1940	46,123	122	15,937	130	34.55
1941	43,968	116	9,395	77	21.37

資料來源：全島之資料引自王子定、郭寶章著台灣之竹林與竹材（1941）。
　　　　　林圯埔之資料根據台中州統計書。

7 同註5，頁66-78。

佔全縣74%，木薯產量佔全縣71%。清水溪河谷及兩岸低丘地區引水灌溉便利，主要作物為水稻，稻田面積佔全縣12%。耐旱作物則分布於低丘地，主要種植甘藷，其種植面積及產量為全縣之冠。蔬菜種植面積約佔全縣10%。竹山地區的竹林業在全省居重要的地位，其種植面積及佔全島面積的比例如表1。

三、先史及原住族群的分佈

（一）史前文化

　　南投地區和臺灣其它地區史前文化相似處在使用的工具上皆有石器及陶器；不同的地方是由於不靠海，所以沒有貝塚。南投全境約有170多個史前遺址，其中兩個標準遺址一為埔里西方的大馬璘遺址，一在集集鎮東的洞角遺址。[8]竹山地區的史前遺址共有8處，分別位於社寮、東埔蚋、後溝坑、頂埔、埔心子、竹山、重慶寺、竹山神社等地[9]。

（二）原住族群

　　早期自大陸東南海岸遷入台灣的原住民族群，多以南投縣境山地為其發祥地及生聚中心，北部山地的泰雅族，與中部的布農族、曹族都是南投山地的拓荒者。[10]南投縣境許多山川名、地名大都以原住族群或社名命名。從史前遺址的出土物及文獻記載所述，例如「諸羅縣誌」、「台海使槎錄」、「台灣縣志」、「重修台灣府志」、「彰化縣志」、「雲林縣采訪冊」、「番社采風圖」等清代史料中多有原住民活動的紀錄。我們都可以證明原住民很早就在這裡生活了很長的時間，主要活動於內陸平原、丘陵及部份海岸。直到漢人大量移墾進入本地，原住族群才漸漸移入內山或遷徙至台灣其它地區。被稱為山番、野番的族群退入山地，被稱為土番、社番、化番的族群留在平地與漢人共居。

　　早期，漢人尚未入墾南投縣之前，居住在此地的原住民族群主要為泰雅、布農、曹族（鄒族）及邵族。[11]南投縣原住民分布如圖2，泰雅族主要分布於仁愛鄉及遷徙至台灣北半島，布農族主要分布於信義鄉、仁愛鄉南邊及遷徙至台灣南半島和東臺灣，邵族主要分布於魚池鄉及水里鄉，曹族（鄒族）分布於信義鄉望美村久美社[12]。從南投縣政府民政局83年的統計（表2），我們可以瞭解目前原住民在各鄉市鎮的人口數。南投地區原住族群皆為父系社會，聚落之間已存在若

---

8 石璋如（1955）：南投縣史前文化，南投文獻叢輯第4輯，頁1-3。

9 石璋如（1955）：南投縣史前文化，南投文獻叢輯第4輯，頁55-63。

10 衛惠林（1969）：南投縣土著族，南投文獻叢輯第16輯，頁1。

11 劉枝萬（1958）：南投縣沿革志開發篇，南投文獻叢輯第6輯，頁6。

12 黃耀能總纂（1999）：南投縣志卷二住民志-人口篇、原住民篇，頁5-6。

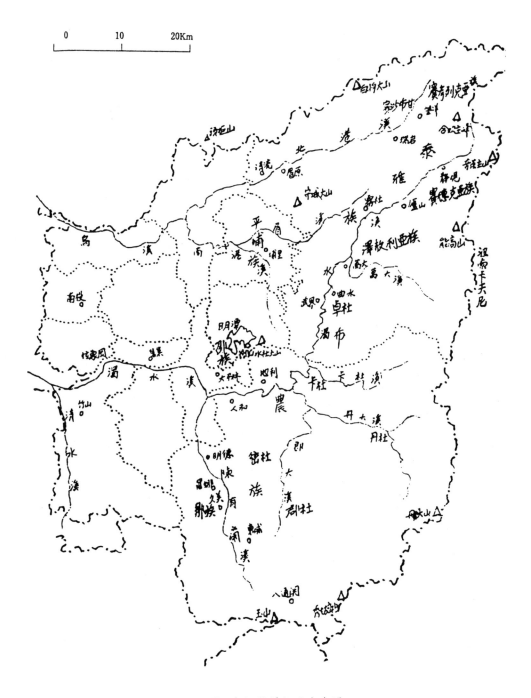

圖2 南投縣原住民分布圖

資料來源：南投縣志卷二住民志——人口篇、原住民篇，頁4。

表2 南投縣原住民各鄉鎮原住民人口數

合計	鹿谷鄉	竹山鎮	信義鄉	水里鄉	集集鎮	魚池鄉	仁愛鄉	國姓鄉	埔里鎮	中寮鄉	名間鄉	草屯鎮	南投市		鄉鎮市別
273	—	2	5	43	4	124	7	—	14	—	11	10	53	男	平地先住民
315	1	7	28	28	4	106	37	—	20	—	9	18	57	女	
588	1	9	33	71	8	230	44	—	34	—	20	28	110	計	
12,137	1	12	4,966	46	2	21	6,327	8	597	1	9	50	97	男	山地先住民
10,459	4	10	4,090	69	4	37	5,265	21	772	1	12	39	135	女	
22,596	5	22	9,065	115	6	58	11,592	29	1,369	2	21	89	232	計	
12,410	1	14	4,491	89	6	145	6,334	8	611	1	20	60	150	男	合計
10,774	5	17	4,118	97	8	143	5,302	21	792	1	21	57	192	女	
23,184	6	31	9,089	186	14	288	11,636	29	1,403	2	41	117	342	計	

資料來源：南投縣志卷二住民志-人口篇、原住民篇，頁7。

干祭儀性質的地域團體和組織。各族的生產型態以山田遊耕和採集狩獵並重[13]。

四、交通運輸

　　早期竹山地區居民日常交通大部份依賴水路，境內主要的兩條河流爲清水溪和濁水溪，清水溪常用竹筏而濁水溪常用渡船作爲交通工具。根據雲林縣采訪冊的記載，清時林圯埔的交通以水路爲主，主要有四個渡口：[14]

　　1.濁水溪渡：在香員腳，爲彰、鹿適沙連要津。岸北屬彰化東螺堡，岸南屬沙連堡。設船一隻。距邑二十五里。

　　2.溪洲仔渡：在縣治東四十里，爲社寮、埔里社廳埔集堡，岸西屬沙連堡。渡船一隻。

---

13 同註10，頁13-16。

14 倪贊元（1959）：雲林縣采訪冊，臺灣文獻叢刊第37種，臺北：臺灣銀行經濟研究室，頁155-156。

3.永濟義渡：在縣東南四十餘里濁水莊，爲沙連適台、彰二邑要津。岸東屬於彰化，岸西屬沙連堡。光緒己卯年，童生董榮華倡議建義渡，鎮軍吳光亮捐俸置義渡租粟。

4.清水溪筏：在縣治東二十里，爲沙連適斗六門要津。

除了居民日常的生活連絡用，本區的產業也靠這些津度向外輸出。例如樟腦、砂糖及茶葉等。主要是沿濁水溪以竹筏順流而下，到達北港，在北港街集中後，再利用竹筏自北港溪南下，到下湖港後再換船運抵安平。如遇溪水乾季，則以牛車從北港運往新港，而後換船運抵安平。從安平輸出往大陸、香港、日本等地。[15]林圯埔往北也可利用濁水、清水兩溪順流而下，運送竹材、龍眼及黃麻絲，到達二水以陸路轉運至彰化、鹿港及大陸等地。

居民日常生活渡過清水溪主要的工具爲竹筏，又稱「竹排」，撐竹筏的季節主要在夏秋溪水高漲時。主要的地點有六個：和溪厝通觸口、過溪通鯉魚、不知春通山邊、木瓜潭，坪頂通瑞竹、桶頭通瑞竹、小旗子通桶頭。[16]竹筏的製作需三年以上的麻竹或孟宗竹約十八支，這些竹子很多來自竹山，清初漢人來此地拓墾時即帶竹種於清水溪流域栽種，經過長時間繁衍，早已茂竹成林，清水溪流域面積最廣最具經濟價值的是桂竹，同時帶動許多相關竹製產業，當時運竹出售的方法是利用溪水來「放竹」。[17]

日治初期居民使用水路還是非常普遍，直到日本政府陸續興建公路、鐵路後，路陸才開始成爲主要的交通方式。1908年鋪設輕便鐵路，1922年從外車埕到二水間集集鐵路支線開始營業，這條鐵路原爲台電公司載運日月潭水電工程材料而設立的，開通之後加強了社寮、後埔仔與二水、台中的連絡。1934年連繫社寮、後埔仔與集集之間的集集吊橋完工。水路津渡正式走入歷史。1941年台西、員林客運開始行駛於集集、二水、林內、鹿谷等地，林圯埔的對外交通往南以斗六，往北以二水、台中爲中心，鐵路及公路成爲居民及產業運輸的主要工具。1961年南雲大橋（今之名竹大橋）完成，林圯埔北上不再經社寮、集集，而從社寮山崇里經由此橋渡濁水溪北上，經南投市而至台中。

貳、 竹山地區漢人移墾的歷史及文化

竹山在清朝年間稱爲林圯埔，1920年以後才改稱竹山。舊地名是爲紀念明鄭時期鄭氏部將林圯率衆至此開墾。由於本地區1600公尺以下的山地、丘陵、河谷及河岸等地，氣溫、雨量適合竹林生長，而且較少強風之害，孟宗竹、桂竹及

---

15 臨時台灣舊慣調查會（1905）：調查經濟資料報告上卷，臺北：臨時台灣舊慣調查會，頁608。

16 塗有忠（1997）：下崁采風錄，南投縣：竹山鎮中和國小，頁232-234。

17 同上註，頁237。

麻竹生長茂盛，竹山因此而得名。

一、 漢人移墾社會的建立與發展

根據清康熙臺灣縣志的記載，臺灣開始出現漢人聚落，約自明顏思齊、鄭芝龍開始，清廷對台灣的行政區域畫分，有不同時期的演變，如表3。清朝時尚未有南投縣，南投地區曾經先後爲諸羅縣、彰化縣及雲林縣的行政治理範圍，清時現在的竹山地區包括沙連堡及鯉魚頭堡，堡內設有各街莊，南投縣境內各堡如圖3。現在的竹山鎮相當於清末的林圯埔街、社寮十莊等地。

清乾隆年間彰化縣山川圖所繪林圯埔及社寮的位置如圖4，當時屬沙連堡，不同時代竹山地區的疆域沿革詳見表4。早期漢人的聚落皆稱爲「莊」，相對地，原住民及平埔族的聚落通常稱「社」，像「社寮」就與平埔族有關（「社寮」原爲台灣各社通事所居住的地方）。清代臺灣約有數百個「社」，一方面是政府的行政單位，一方面形成地區互助的「地緣組織」。

漢人移墾聚落的形成大多分布在清水溪沿岸，濁水溪南岸沖積平原，及東埔蚋溪兩岸的河階地。鯉魚頭堡有桶頭、勞水坑、山坪頂、福興、鯉魚尾、鯉南及田子等主要聚落，是屬於清水溪流域的山區聚落。沙連堡境內的聚落較多，屬於山區聚落的有中頂林、大鞍、大坑，這些山區的土壤是灰壤土，適於造林。平原聚落多分布於竹山的西北及東北，林圯埔街、車店子、中崎、硘磘、和溪厝

表3 清代臺灣行政系統變遷

	1684-1722	1723-1787	1788-1874	1875-1884	1885-1895
省	福 建	福 建	福 建	福 建	台 灣
府	台 灣	台 灣	台 灣	台 灣 台 北	台 灣 台 北 台 南
縣（廳）〔州〕	台 灣 鳳 山 諸 羅	台 灣 鳳 山 諸 羅 彰 化 （淡 水） （澎 湖）	台 灣 鳳 山 嘉 義 彰 化 （淡 水） （澎 湖） （噶瑪蘭）	台 灣 鳳 山 嘉 義 彰 化 淡 水 新 竹 宜 蘭 （恆 春） （澎 湖） （卑 南） （埔里社） （基 隆）	彰 化 雲 林 苗 栗 淡 水 新 竹 宜 蘭 安 平 鳳 山 嘉 義 恆 春 （埔里社） （基 隆） （南 雅） （澎 湖） 〔台 東〕

資料來源：陳其南（1975），清代台灣漢人社會的建立及其結構，頁15。

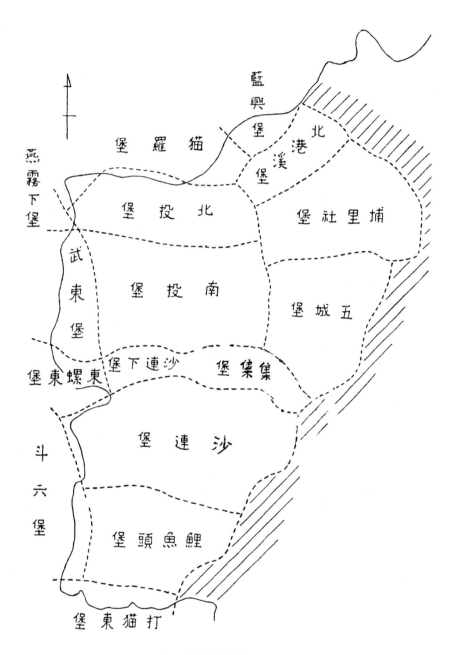

圖3 南投縣堡圖

資料來源：南投文獻叢輯第2輯，封面裡頁。

表4 竹山鎮疆域沿革

光復後	日據時期 台中州				日據時期 南投廳				清代 雲林縣	
現行 里名	郡名	庄街名	大字名	小字名	廳名	區名	堡名	街庄名	堡名	街庄名
竹林里	竹山郡	竹山街	竹山	無	林圯埔支廳	林圯埔區	沙連堡	林圯埔街	沙連堡	林圯埔街
中正里	竹山郡	竹山街	竹山	無	林圯埔支廳	林圯埔區	沙連堡	林圯埔街	沙連堡	林圯埔街
中山里	竹山郡	竹山街	竹山	無	林圯埔支廳	林圯埔區	沙連堡	林圯埔街	沙連堡	林圯埔街
雲林里	竹山郡	竹山街	竹圍子	竹圍子	林圯埔支廳	林圯埔區	沙連堡	竹圍仔庄（竹圍仔	沙連堡	竹圍仔莊
硘磘里	竹山郡	竹山街	竹圍子	硘磘	林圯埔支廳	林圯埔區	沙連堡	竹圍仔庄（硘磘	沙連堡	硘磘莊
桂林里	竹山郡	竹山街	豬頭棕	無	林圯埔支廳	林圯埔區	沙連堡	豬頭棕莊	沙連堡	豬頭棕莊（又名豬嶗棕莊）
下坪里	竹山郡	竹山街	香員腳子	無／下坪	林圯埔支廳	林圯埔區	沙連堡	香員腳庄（下坪	沙連堡	下坪莊／香員腳莊
中和里	竹山郡	竹山街	下崁	和溪厝／枋寮子	林圯埔支廳	林圯埔區	沙連堡	下崁庄～和溪厝／枋寮仔	沙連堡	和溪厝莊／枋寮仔莊
中崎里	竹山郡	竹山街	下崁	柯子坑／中崎	林圯埔支廳	林圯埔區	沙連堡	下崁庄～中崎／柯子坑	沙連堡	中崎莊／柯子坑莊

（續表4）

光復後 現行 里名	日據時期								清代	
	郡名	街庄名	大字名	小字名	廳名	區名	堡名	街庄名	堡名	街庄名
	台中州南投廳								雲林縣	
德興里	竹山郡	竹山街	下崁	車店子、柯子坑	林杞埔支廳	林杞埔區	沙連堡	下崁庄（車店仔、柯仔坑）		車店仔莊、柯仔坑莊
延和里			埔心子	無				埔心仔庄		埔心仔莊
延正里			江西林	江西林				江西林庄（江西林）		江西林莊
延平里			江西林	東埔蚋、籐湖				江西林庄（東埔蚋、籐湖）		東埔蚋街、籐湖莊
延山里			笋子林	鹿子坑、笋子林				笋仔林庄（鹿仔坑、笋仔林）		笋仔林莊、鹿仔坑莊
山崇里			社寮	山腳、社寮				社寮庄（山腳）		社寮街、山腳莊
社寮里			社寮	社寮				社寮庄（社寮）		社寮街
中央里			后埔子	后埔子				后埔仔庄（后埔仔）		后埔仔莊
富州里			后埔子	溪州、水車子				社寮庄（溪洲仔、水車）		溪洲仔莊、水車莊

（續表4）

時期／區分	桶頭里	瑞竹里	坪頂里	鯉南里	鯉魚里	福興里	田子里	大鞍里	頂林里	大坑里
光復後·現行　里名	桶頭里	瑞竹里	坪頂里	鯉南里	鯉魚里	福興里	田子里	大鞍里	頂林里	大坑里
日據時期·台中州　郡名	竹山郡									
日據時期·台中州　街庄名	竹山街									
日據時期·台中州　大字名	桶頭	勞水坑	山坪頂	鯉魚尾	鯉魚尾	福興	田子	大鞍	大坑	大坑
日據時期·台中州　小字名	無	無	無	木瓜潭	無	無	無	無	頂林	大坑
日據時期·南投廳　支廳名	林圯埔支廳									
日據時期·南投廳　區名	勞水坑區	勞水坑區	勞水坑區	林圯埔區	林圯埔區	林圯埔區	林圯埔區	林圯埔區	林圯埔區	林圯埔區
日據時期·南投廳　堡名	鯉魚頭堡	鯉魚頭堡	鯉魚頭堡	鯉魚頭堡	鯉魚頭堡	沙連堡	沙連堡	沙連堡	沙連堡	沙連堡
日據時期·南投廳　街庄名	桶頭庄	勞水坑庄	山坪頂庄	鯉魚尾庄	鯉魚尾庄	福興庄	田仔庄	大安庄	大坑庄〈頂林〉	大坑庄〈大坑〉
清代·雲林縣　堡名	鯉魚頭堡	鯉魚頭堡	鯉魚頭堡	鯉魚頭堡	鯉魚頭堡	沙連堡	沙連堡	沙連堡	沙連堡	沙連堡
清代·雲林縣　街庄名	桶頭莊	勞水坑莊	山坪頂莊	鯉魚尾莊	鯉魚尾莊	福興莊	田仔莊	大安莊	頂林莊	大坑莊

資料來源：台灣省通志卷一土地志疆域篇下，頁586-588。

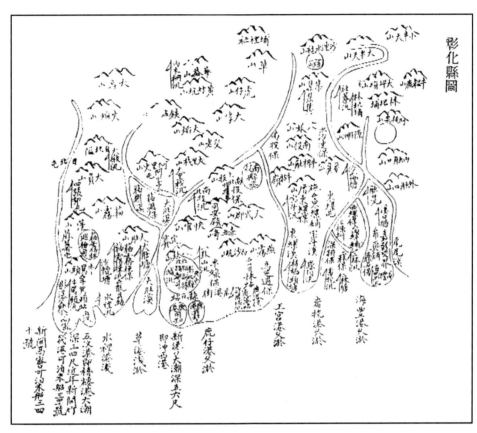

圖4 乾隆年間彰化縣山川圖

資料來源：台灣輿圖纂要第二冊，頁208-209。

表5 林圯埔漢人祖籍分布圖

祖籍	人口	實　數	百　分　比
福　建	漳　州	18,400	84.4
	泉　州	200	0.9
	汀　州	900	4.1
	龍巖州	400	1.8
	福　州	1400	6.4
廣　東	潮　州	400	1.8
	嘉應州	100	0.5
計		21800	100

資料來源：引自陳漢光 1972，頁90。

等聚落屬於清水溪流域。東埔蚋、江西林及下坪等聚落屬於東埔蚋溪流域，山腳、社寮、後埔子及溪洲子是屬於濁水溪流域的聚落。

移民的祖籍主要來自漳洲，佔84.4%（表5），同質性相當高，幾乎沒有不同祖籍人群械鬥的事件發生。根據莊英章於1974年的研究，將清時竹山地區漢人墾殖型態分為三個階段：[18]

1.明鄭至清乾隆（1661-1795）

竹山地區多丘陵及河階地，在前述農業發展中已瞭解種植水稻是主要的生產作物之一，農業灌溉的水利發展成為發展生計很重要的建設，清乾隆年間，漢人移民積極拓墾，在本地區已興建四條主要水圳：猊雅寮陂、東埔蚋圳、和溪厝圳及隆興陂，開築年代及灌溉面積詳見（表6），在這個階段，林圯埔、社寮、東埔蚋已有相當的發展，大規模水利灌溉系統的建立，奠定稻米經濟的發展，帶動人口稠密成長。

表6 竹山乾隆時代開築之水圳

水圳名稱	開圳年代	開圳者	灌　溉　地　區	灌溉面積
猊雅寮坡	乾隆 5 年	葉　初	林圯埔之埔頭、埔尾	80甲
東埔蚋圳	乾隆21年	劉宰予	東　埔　蚋、江　西　林	200甲
和溪厝圳	乾隆28年	不　詳	下崁庄之冷水坑和溪厝等	160甲
隆　興　坡	乾隆年間	不　詳	後　埔　子、社　寮	400甲

資料來源：雲林縣采訪冊，頁156-158。

2.清嘉慶至道光（1796-1850）

這段期間鯉魚頭堡、沙連堡山區聚落開始積極發展，1802年劉玉麟自東埔蚋移入笋子林開拓；1821年林施錦開拓大鞍山北麓。這兩個山區聚落都以竹林為主要經濟作物。平原地區繼續發展，1814年業戶張天球、陳佛照、陳同升及曾石等人在社寮、後埔子的隆興陂舊址重建隆恩圳。

3.清咸豐至光緒（1851-1894）

這個階段臺灣地區由於外資的投入，開始積極發展甘蔗、樟腦、茶葉等經濟作物的種植及外銷。竹山地區糖業發展自日治時期才開始，樟腦業則在日治時

---

18 莊英章（1974）：臺灣漢人宗族發展的若干問題，中央研究院民族所研究集刊 36 期，頁114-115。

達全盛。1874年清廷實施開山撫番政策，解禁番界，鼓勵漢人拓殖，以開發上述各項經濟作物，分三路開鑿中央山脈，通往後山及內山。中路由林圯埔、社寮出發，至大坪頂合爲一路，1875年冬抵台東[19]。林圯埔街成爲斗六門入山口，也是沙連堡貿易活動的中心。1888年清新設雲林縣，建署於林圯埔[20]，但由於清、濁兩溪夏季經常泛濫成災，交通不便，1893年縣城遷往斗六。

竹山地區在清時的人口，根據倪贊元1894年所作的統計爲5萬多人[21]，但1892年清政府爲編纂「台灣通志」，曾規定各縣廳采訪轄內街庄戶數及丁口數，其采訪統計結果在埔里廳部份人口數爲15,614人[22]，1911年日政府的統計竹山地區人口數爲19,267人。竹山人口銳減，固然倪氏的采訪結果史家多有懷疑，另外可能的原因是1893年縣城遷往斗六之後，竹山地區失去了政治的機能，人口的發展會受其影響；日人入台之後，和漢人曾發生衝突也可能造成聚落人口的遷移[23]。

二、寺廟與地緣組織

宗教活動和聚落的發展有密切的關係，有關研究此領域的學者將共同奉祀某一主祭神居民居住的地域稱之爲「祭祀圈」。[24]林圯埔主要祭祀圈的形成是基於自然流域、水利灌漑系統或交通要衝，因此透過祭祀圈所形成的地域組織也就是基於自然流域、水利灌漑系統或交通等因素。在這些地域組織內居民之間的社會、經濟活動特別頻繁。事實上林圯埔若干主要祭祀圈的中心，經常是該地域組織的市場集散中心。若從居民擇偶的範圍來分析，可以看出祭祀圈與婚姻圈有相當大的重疊現象[25]。

林圯埔地區的宗教信仰活動最主要是以連興宮（媽祖）及靈德廟（城隍）爲中心的祭祀圈，其範圍包括整個林圯埔地區。其它分別在不同的平原及山區聚落因特殊生態環境又各有不同的祭祀圈，略如圖5。

---

19 連橫（1955）：臺灣通史，台北市：中華叢書委員會，頁514-519。

20 同註14，頁146。

21 同上註，頁137-146。

22 同註12，頁6。

23 同註18，頁120。

24 莊英章（1977），林圯埔-一個台灣市鎮社會經濟發展史，中央研究院民族所，頁138。

25 同上註，頁175。

（一）祭祀圈

平原地區有三個主要超村際的祭祀圈：

1. 濁水溪南岸的社寮、後埔仔地區：以開漳聖王廟爲中心

2. 東埔蚋地區：以沙東宮爲中心

3. 清水溪下游車店仔地區：以德山巖爲中心

山區聚落有幾個主要超村際的祭祀圈：

1. 清水溪上游：以新興巖爲中心

2. 大坪頂地區：以祝生廟爲中心

3. 清水溝溪下游：以三山國王廟爲中心

（二）竹山地區寺廟發展的程序分爲四種：[26]

1. 從私家神變成村廟：林圯埔靈德廟、大士爺廟、鯉魚尾巖

2. 村廟：後埔仔帝爺廟、林圯埔福德爺廟

3. 從村廟變成超村際的廟宇：車店子德山巖、東埔蚋沙東宮

4. 超村際廟宇：社寮紫南宮、林圯埔連興宮

---

26 同註18，頁121。

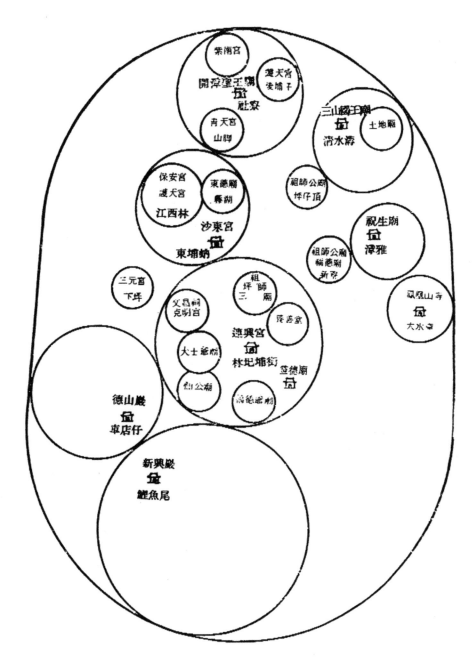

圖5 林圯埔祭祀圈略圖

資料來源：莊英章（1977），林圯埔——一個台灣市鎮社會經濟發展史，頁139。

　　漢人渡海來臺，為祈求墾殖的平安，通常都會建立寺廟。而後待經濟發展
穩定後才會建立宗祠，地緣性的組織發展是早於血緣性的組織。從表7可以發現
竹山地區寺廟的興建多為開拓的第一、二階段，宗祠多為第三階段以後建立，例

如社寮、後埔仔地區約於1670年即已開發，寺廟在開拓後的75年最早出現，而宗祠則到開拓後140年出現。

表7　竹山地區寺廟與宗祠分布及其興建年代

聚落 / 寺廟 / 宗祠	明鄭—清前期 1661-1795	清朝中期 1766-1850	清朝晚期 1851-1894	日據時代 1895-1945	光復以後 1946-
社 寮　紫 南 宮	1745首建		1855重修	1907重修	
社 寮　開漳聖王廟	1795首建	1800擴建 1819修建	1872重修	1925重修	1973修建
社 寮　　　莊 招 貴 堂				1925首建	
社 寮　　　陳佛照公廳				1915首建	1972重修
社 寮　　　張 創 公 廳		1833首建			1956重修
後埔子　帝 爺 廟			1866首建	1898重修	
後埔子　　　曾 氏 祠 堂			1890首建	1931修建	
後埔子　　　莊 招 富 堂				1926首建	
溪洲子　　　陳 氏 家 廟				1921首建	
山 腳　帝 爺 廟				1925首建	1946重修
東埔蚋　沙東宮(開臺聖王廟)		1802首建	1856擴建	1913重建 1937重建	
東埔蚋　　　劉 氏 家 廟		1823首建		1914重修	
江西林　帝 爺 廟				1908首建	1973重建
江西林　保安宮(李勇廟)				1900首建	
藤 湖　東 德 廟			1851首建		
下 坪　三 元 宮				1898首建 1904重修	
林圯埔　連興宮(媽祖廟)	1756首建		1854重修	1916重修	1972重建
林圯埔　福 德 爺 廟		1830首建	1885重修		
林圯埔　靈德廟(城隍廟)		1831首建	1889重修	1904重修	
林圯埔　大 士 爺 廟				1900首建 1915重修	
林圯埔　三坪祖師廟	1789首建			1911重建	
林圯埔　養 善 堂			1855首建	1908重修	
林圯埔　紫 南 宮	1745首建				
林圯埔　仙 公 廟					1962首建
林圯埔　　　林 崇 本 堂	1788首建	1802重修			1968重建
林圯埔　文 昌 祠			1862首建	1895重修	
豬頭棕　　　陳 尊 德 堂			1877首建		
硘 瑤　　　陳五八公詞堂			？		1948重修
硘 瑤　　　廖 五 威 堂				1925首建	1963重修
車店子　德 山 巖		1833首建	1893重修	1911重修	
鯉魚尾　鯉魚尾巖		1835首建	1859擴建	1911重修	1948重建

資料來源：莊英章（1974）：臺灣漢人宗族發展的若干問題，中央研究院民族所研究集刊36期，頁127。

在移墾初期，土地公廟的建立和漢人聚落的形成幾乎是同時間存在的。社寮地區的紫南宮是竹山地區最早興建的土地公廟，首建於1745年，而後陸續有連興宮（供奉媽祖）、開漳聖王廟的興建。乾隆年間的林圯埔已相當繁榮，到咸豐、光緒年間更成爲沙連諸堡的商業中心及政治中心，人口驟增，連興宮、開漳聖王廟、沙東宮等廟宇因位於交通要衝而陸續重修，成爲超村際的信仰中心[27]。隨著平原往山區的開拓，山區聚落也開始興建廟宇。例如1835年興建的鯉魚尾巖，由於其位於農民利用清水溪運送竹材的必經之地，爲祈求觀音佛祖保祐，後於1859年擴建，成爲清水溪流域超村際的廟宇。從竹山地區廟宇興建的年代及地區，我們可以很清楚地發現信仰與移民拓墾及物質生活水準發展有非常密切的關係。日治時代及戰後，因政治及產業、交通型態的改變也造成廟宇的興衰。

三、宗族發展

臺灣漢人移民渡海墾殖很難舉族而遷，例如竹山莊氏集合在同一墾地、同姓、同一祖籍墾民成一宗族，可以看出它無法建立在嚴謹的血親關係上。宗族的形成必須配合其它社會經濟條件，在經過長時間的繁殖才會具一定的規模，在臺灣宗族出現的時間較晚於地緣組織，其組織和結構也與閩粵宗族有很大的不同。

（一）閩南地區宗族組織特質

雖然早期竹山地區的地緣組織發展較早，但傳統中國文化最重要的人際關係還是血緣的。宗族祖織的發達是明清中國農業社會的特點，閩南地區尤其突出。明清時代閩南地區宗族組織特點有二：首先是宗族組織的較大發展和宗族活動的普遍化，其次是宗族內部結構日趨完備。明清時期宗族祖織特別發達的社會歷史原因有四：第一，明清時期閩南地區農業、手工業和商業的發展，在一定程度上促進了地區經濟的繁榮，使得許多宗族組織增強了自己的經濟實力。

該時期閩南地區農業發展的特點是種植經濟作物及農產品商業化的趨勢漸增。第二，明中葉以來商品貨幣經濟的發展，逐漸瓦解農村封建自然經濟，勞動力外移、社會流動增加等現象衝擊傳統農村社會秩序，宗族組織發揮彈性的調節機能。第三，明中葉以來閩南地區多有海寇侵擾，農民以宗族建立自衛組織，發揮互助功能。第四，封建階級和官僚鄉紳的大力倡導，使得閩南宗族活動日益繁盛。鄉紳以其雄厚的經濟力量、科舉功名及與官府的連繫，在宗族組織中占據支配的地位。[28]

---

27 同註18，頁120。

28 莊英章、潘英海編（1996）：臺灣與福建社會文化研究論文集（三），中央研究院民族所，頁29-33。

（二）竹山地區宗族組織

就竹山一個漢人移墾社會而言，地域性宗族的形成是移民發展第二階段的結果。形成宗族的重要基礎有二：稻米經濟的發達以及高度發展的水利灌溉系統，竹山的12座宗祠中有9座位於水利灌溉系統發達的地區。此外，各漢人移民的渡台始祖都係單獨的移民，而非全族遷台，竹山較屬內山，特殊的地理環境下經常受原住族群威脅，借由宗族活動而互相團結成為重要的生存方式。

竹山地區宗族組織的形式有兩類：第一類是純粹基於血緣關係所形成的單系繼嗣群，是由一位渡臺始祖所繁衍下來的一群。這類團體在發展的過程中為追念他們共同的祖先，或由於某位祖先獲得功名、經商致富而興建祠堂，例如社寮陳佛照公廳、張創公廳、後埔仔陳氏家廟。第二類是基於血緣與地緣的基礎所組成的宗親團體，由移民時期來自同一地區的同姓者所組成的團體，透過祭祀遠古的共同祖先而團結起來，例如社寮莊招富堂（頂公）、莊招貴堂（下公）、東埔蚋劉氏家廟。林圯埔的林崇本堂是這種宗族團體的變形，比較偏重地緣關係，只要住在竹山的林姓者均可加入，一旦離開竹山則取消其宗族成員的資格。[29]

（三）社寮莊招富、招貴的宗族活動[30]

社寮莊氏家族共同祭祀的開基祖為莊三郎公，莊三郎（1296-1354）為福建省南靖縣龜洋鄉莊氏宗族的第一代祖，於元末隻身從粵東入贅南靖縣龜洋鄉，經過數百年開拓經營至清末而成望族，該族族風向以「耕讀」傳家，以務農發家，提倡讀書光宗耀祖。莊氏後裔在明末及清代先後出了450多個秀才[31]。

1810年社寮莊媽盛為謀求宗親的和睦團結，發起組織莊姓公業，遠至集集、清水溝等地，凡莊姓宗親都響應參加，並募及款項購置公產。莊姓公業派下有二百多人，集會不便遂議分上下兩公。頂公名「招富」，下公名「招貴」。1811年召開宗親會議，讓派下人自由選擇歸依。頂公設在社寮以北的田中央，派下有六十餘人，水田二甲餘。下公設在社寮，派下一百十餘人，水田五甲餘。兩公均以祭祀祖先及教育子女為宗旨，主要祭典共同在農曆十一月初四，有「吃公」的活動。[32]

1926年頂公管理人莊彩炎倡建家廟，為「一棟一亭」式建築，位於竹山中央里田中巷11號。1925年下公莊訓概在阿里山經營木材業而致富，返鄉後倡建家廟，為一三合院外加一個門亭的合院式建築，位於社寮里集山路254號。其木雕建築及彩繪相當具有特色，曾聘請柯煥章擔任彩繪師。門亭部份建於1919年，由

---

29 同註18，頁122。

30 參考註24，頁183；註18，頁122；林文龍（1998）：社寮三百年開發史，頁207。

31 同註28，頁3-7。

32 林文龍（1998）：社寮三百年開發史，頁207。

郭啓薰擔任匠師。本館這次地震文物展覽有相當多莊氏家廟的建築木構件，由於年代久遠，僅能依稀看見部份繪彩。

　　臺灣社會文化的演進發展，從明鄭到清領時期大抵上是延續中原閩南文化的發展，或是適應新移民環境的特殊性而產生若干文化適應的策略，亦有部份的文化是與原住族群的接觸和互動形成在地文化。漢人移民在竹山地區的墾拓從平原地區開始逐漸進入山區聚落，隨著拓墾所建立的社會文化組織包括寺廟及宗族，而寺廟等地緣組織的建立是早於血緣關係的宗族組織發展。從竹山地區的歷史發展，我們可以看到清代漢人移民生活及開拓的縮影。

參考書目

王子定、郭寶章（1951）：臺灣之竹林與竹材，臺灣研究叢刊第14種。臺北：臺灣銀行經濟研究室。

王崧興（1975a）：濁大流域的民族學研究，中央研究院民族所研究集刊 36期。

李國祁（1975）：清季臺灣的政治近代化，中華文化復興月刊8（12）：4-16。

李奕興（1998）：林圯埔彩繪。南投縣：竹山鎮公所。

周憲文（1957）：清代臺灣經濟史，臺灣研究叢刊第45種。臺北：臺灣銀行經濟研究室。

周鐘瑄（1962）：諸羅縣志，臺灣文獻叢刊第37種。臺北：臺灣銀行經濟研究室。

周璽（1957-1961）：彰化縣志，臺灣文獻叢刊第156種。臺北：臺灣銀行經濟研究室。

林文龍（1998）：社寮三百年開發史。竹山鎮：社寮文教基金會。

林滿紅（1997）：茶、糖、樟腦業與台灣之社會經濟變遷。臺北：聯經出版社。

南投縣立文化中心（1995）：日據時期竹山郡管內概況。

施振民（1975）：祭祀圈與社會組織──彰化平原聚落發展模式探討，中央研究院民族所研究集刊 36期。

徐明福（1990）：台灣傳統民宅及其地方性史料研究。臺北市：胡氏圖書。

莊英章（1974）：臺灣漢人宗族發展的若干問題，中央研究院民族所研究集刊 36期。

莊英章（1977）：林圯埔──一個台灣市鎮社會經濟發展史，中央研究院民族所。

莊英章（1976）：社寮農村的經濟發展與家庭結構，中央研究院民族所研究集刊

41期。

倪贊元（1959）：雲林縣采訪冊，臺灣文獻叢刊第37種。臺北：臺灣銀行經濟研究室。

連　橫（1955）：臺灣通史。台北市：中華叢書委員會。

黃叔璥（1957）：臺海使槎錄，臺灣文獻叢刊第4種。臺北：臺灣銀行經濟研究室。

許雪姬（1997）：台中縣街市發展-豐原、大甲、內埔、大里。豐原市：台中縣立文化中心。

陳文達（1958）：臺灣縣志，臺灣文獻叢刊第103種。臺北：臺灣省文獻委員會。

陳正祥（1950）：臺灣土地利用圖集。臺北：臺大農業地理研究室。

陳其南（1975）：清代台灣漢人社會的建立及其結構，臺灣大學考古人類學研究所碩士論文。

陳哲三（1972）：竹山鹿谷發達史。臺中市：啓華書局。

陳紹馨（1964）：臺灣省通志稿卷二——人民志，人口篇。臺北：臺灣省文獻委員會。

陳紹馨（1979）：臺灣的人口變遷與社會變遷。臺北：聯經出版社。

陳漢光（1972）：日據時代臺灣漢族祖籍調查，臺灣文獻23：1，頁85-104。

陳俊傑（2000）：南投縣傳統民宅調查。南投縣：南投縣立文化中心。

劉枝萬（1953）：蠻煙瘴雨日記（今村平藏原著），南投文獻叢輯第2輯，頁141-201。南投縣：南投文獻委員會。

張勝彥（1984）：南投開拓史。南投縣：南投縣政府。

臺灣大學土木工程學研究所都市計畫研究室（1980）：全省重要史蹟勘察與整修建議-歷史古蹟部份。

臺灣銀行經濟研究室編（1963）：臺灣府輿圖纂要，臺灣文獻叢刊第181種。臺北：臺灣銀行經濟研究室。

竹山古今談

黃春秀

摘要

　　竹山不是赫赫有名的大都會；但是，竹山也不是毫無足取的小市鎮。它是台灣第一條中部橫貫公路——八通關古道，開通西台灣與東台灣的起點，「竹山自古是入番地，通後山東台灣的總通道。」[1]被稱「前山第一城」。它是台灣全島竹子生長最多的地方，日據時期設有「竹細工傳習所」，培育了不少編竹、竹雕等各類竹藝匠師。另外，它在清末製樟業盛極一時，官方特在此地設置「樟腦專賣局」，遠銷海外各地。它又是兵家必爭之地。清朝統治之時的幾次大民變，如林爽文之亂、戴萬生之亂，不是結束就是發生在此地。而劉銘傳奉派擔任第一任台灣巡撫，便親自踏勘，選上竹山做為增設的雲林縣縣治所在地。

　　所以，竹山雖然只是個小市鎮，卻有種種不同於眾的內涵，可以讓人刮目相看。

一、前言－－竹山的定位

竹山不是赫赫有名的大都會；但是，竹山也不是毫無足取的小市鎮。它是台灣第一條中部橫貫公路──八通關古道，開通西台灣與東台灣的起點，「竹山自古是入番地，通後山東台灣的總通道。」[1]被稱「前山第一城」。 它是台灣全島竹子生長最多的地方，日據時期設有「竹細工傳習所」，培育了不少編竹、竹雕等各類竹藝匠師。另外，它在清末製樟業盛極一時，官方特在此地設置「樟腦專賣局」，遠銷海外各地。它又是兵家必爭之地。清朝統治之時的幾次大民變，如林爽文之亂、戴萬生之亂，不是結束就是發生在此地。而劉銘傳奉派擔任第一任台灣巡撫，便親自踏勘，選上竹山做為增設的雲林縣縣治所在地。

所以，竹山雖然只是個小市鎮，卻有種種不同於眾的內涵，可以讓人刮目相看。

二、地理位置與歷史溯源

「南投縣是台灣全島正中央的一縣，是個不濱海的縣份。竹山鎮位在南投縣西南端，北面隔著濁水溪與本縣集集鎮、名間鄉及彰化縣的二水鄉為鄰；西方與雲林縣之林內鄉斗六市、古坑鄉相接；南與雲林縣之古坑鄉及嘉義縣之阿里山鄉毗連；東則接壤本縣之鹿谷鄉與信義鄉。亦即全鎮與三縣九鄉鎮相為鄰。」[2]這是在今天的行政區劃分下所顯示的竹山位置。若往上溯至日據時期，則是「台灣割日，明治二十八年（一八九五年），林圮埔屬台灣縣。次年，設林圮埔警察署，屬彰化民政都雲林民政支廳。再次年，改屬嘉義縣。」[3]後因廢縣設廳，於是「歸屬斗六廳轄。民前三年，斗六廢廳，改屬南投縣，當地設置林圮埔支廳。民國九年，日據地方自治制度改正隸屬台中州，當地置竹山郡役所，同時改稱『竹山』。民國卅四年本省光復，行政區域歸屬台中縣，置竹山區屬。民國卅九年十月，本省實施地方自治行政區域調整，劃歸為南投縣。」[4]這是日據時期到光復初期，竹山的歸屬。從這段文字看來，可見竹山歸屬不定，變動頻繁，先後被劃歸入台灣縣（約今南台灣）、彰化縣、嘉義縣，以及斗六、南投、台中等轄區，最後，總算確定屬於南投縣。

而依照清朝光緒二十年，擔任雲林縣訓導的倪贊元所調查記錄的《雲林縣采訪冊》，竹山地方也叫做「沙連堡」，行政區劃分是「沙連堡，在縣東二十五

---

1 陳哲三撰《竹山開拓史─從水沙連、林圮埔到竹山》

2 《竹的故鄉─前山第一城》，中華民國八十七年度全國文藝季南投縣系列活動成果專輯。蓮翁撰〈竹山一瞥─前山第一城人文軼事〉。頁82。民國87年7月。

3 同註1。

4 竹山鎮公所WWW全球資訊網─竹山歷史。

里；東以濁水溪、龜仔頭山與埔裏社廳集集分界，西以清溪、觸口山與斗六堡分界，南以鯉魚頭堡分界，北以濁水溪、鼻仔頭山與彰化縣東螺分界。東西相距三十餘里，南北相距三十餘里。」仔細追究起來，此處所謂沙連堡，並不是只有竹山，還包括今日之鹿谷及信義兩鄉。但是，從引述的這段文字，可知竹山不僅歸屬迭有變更，界域範圍也一樣，或大或小，不甚固定。而它的名稱，當然更不固定。關於竹山的名稱，自學成功，已成為今日竹山人的驕傲的治史學者林文龍如此說：「古時的竹山，是原住民水沙連社的遊獵之地。今天竹山境內仍有一些地名，如東埔蠟、他里溫、番仔井……等等，都是水沙連社的歷史痕跡。明末，隨著漢人的移墾，而有了一個漢名──二重埔，這是先民因地勢的誘導而為她取名的。不久，為了紀念拓墾領袖人物林驥的殉難，而改『林驥埔』。歸清以後，林驥埔的『驥』字一再被訛寫，由驥而瓛、既、紀、杞，最後終於演變成為兩種比較通俗的寫法──林圯埔或林屺埔。清代的『林圯埔』行政上早期隸屬於彰化縣水沙連保，後期改隸於雲林縣沙連保。因此，文人雅士又取了個雅名叫做『碧沙』。」[5]

概而言之，竹山最初是水沙連番地，而後叫二重埔、林圯埔，卻又可稱為沙連保、碧沙。而在做為雲林縣治所在地之時，也叫做雲林城。一直到「竹山」這個名稱出現以後，才不再更動。所有它這些名稱中，林圯埔之名行世最久，也最為竹山人所樂用。因為它有深沈意涵，既印記著竹山拓墾的艱辛，也旌表一位堅毅不屈的勇者──林驥，（或說是林圯）。林圯的事蹟，出自民間傳說，至今仍未明確。不過，事件基本上就是連橫在《台灣通史》的〈林圯列傳〉上記述的那樣。他率眾開墾拓地，「久之，番來襲，力戰不勝，終被圍，食漸盡，眾議出，圯不可，誓曰：『此吾與公等所困苦而得之土也，寧死不棄！』眾從之。又數日，食盡，被殺，所部死者數十人。番去，居民合葬之，名其地為林圯埔。」

三、開發成長過程中的重要事件

從文獻和遺賢所整理出來的竹山歷史，目前通用的說法就是：明朝永曆年間，林圯開拓了水沙連，後稱之為林圯埔，於是竹山歷史開始（約公元一六六八年）。以下依年表方式，概述自開始開發後至今所發生的代表性重大事件。

雍正八年　一七三○年

廖科應、廖連應兄弟自福建汀州永定移入今硐磋定居，製陶為業。

乾隆二十七年，一七六二年

彰化知縣胡邦翰籲請水沙連已報陞科之沖崩壓壞田園減則，並免舊欠田賦。「兩

---

5 林文龍，《台灣中部的開發》，〈竹腳寮邊戍卒屯─開拓南投縣的第一步〉。常民文化出版公司。民國87年1月。頁165。

甲作一」碑今尚存，惟字蹟半已湮滅。

乾隆二十九年，一七一四年

巡台御史李宜青親勘水沙連後，以水沙連地瘠租重，奏請蠲租。

乾隆五十一年，一七八七年

天地會領袖林爽文起事，清廷派福康安將軍來台剿平叛亂，大軍即駐紮於林圯埔。

乾隆、嘉慶年間，東埔蚋圳、羗仔寮陂及隆恩圳、車店仔陂陸續完成。但隆恩圳溪流湍急，屢遭崩壞。

嘉慶十五年，一八一〇年

彰化知縣楊桂森倡導建敬字亭，一稱聖蹟亭，但此時尚未遍及水沙連一帶。延自咸豐年起，林圯埔始陸續設置。按《雲林縣采訪冊》上的記載，竹山地區一共有五處，分別設置在：福德廟前、天后宮（即連興宮）廟壁、延平郡王廟（即沙東宮）右畔、大坪頂新寮街及社寮街前。今天，僅存社寮一座，新寮則剩殘石。

道光三年，一八二三年

署彰化知縣李振青調處清、濁二溪放流竹木糾紛，勒碑曉諭。諭示碑今仍存於連興宮。

道光五年，一八二五年

社寮張天球設學塾，號「文峰齋」，延師教育子弟。

道光十二年，一八三二年

陳佛照與張天球等鄉紳一同捐助鉅款，興建藍田書院。

本地一名叫「黃城」者，響應張丙起事，自號「興漢大元帥」，奉明正朔。不旋踵，即被剿平。

咸豐四年，一八五四年

郁郁社的訓導陳希亮等諸人開三角潭仔圳

咸豐六年，一八五六年

生員劉漢中倡議建沙東宮於東埔蚋街，旁置兩護廊，計共十間，權充鄉塾之用。

同治元年，一八六二年

文昌祠竣工，最初是舉人林鳳池所倡議。完工後先做為謙謙社、郁郁社等社學會文之所，亦稱會廟。光緒十五年，奉祀孔子於文昌祠內，才成為文廟。民國四十六年，遷建到克明宮武廟後殿，改稱文昌桂宮，主祀五文昌，並奉孔子及倉頡神位。

此年，戴萬生起事。林鳳池會同諸生陳上治、林克安、陳貞元等人設立「保全局」，對抗亂軍。翌年，亂事方平。

同治四年，一八六六年

戴萬生黨殘留部下張阿乖作亂。因為亂軍用紅旗，義軍用白旗，所以又稱為紅白旗之亂。

光緒元年，一八七五年

於同治十三年受清廷任命為「欽差辦理台灣等處海防兼理各國事務大臣」的沈葆楨，從此年起，積極執行漢民移墾、開發山區的「開山撫番」計畫。主要工作是：分南、中、北三路開通後山，奠定後山開發的基礎。中路的開發交由南澳鎮總兵吳光亮負責。吳光亮便將兵士分為二營，自彰化縣林圮埔開路至台東璞石閣（今花蓮玉里），全程共265里。這條路今稱「八通關古道」，也有說它是：台灣第一條橫貫公路。

光緒五年，一八七九年

經營藥材和木材生意，家住濁水莊的董文、董榮華兩代人之努力，「永濟義渡」正式運作。並特請北投保舉人簡化成撰寫「永濟義渡碑記」，鐫於碑上，一式兩塊，分別立於濁水莊福興宮（媽祖廟）及社寮莊紫南宮（土地公廟）。義渡便民無數，一直到民國23年，集集吊橋興建完成後，方才廢止。

光緒十二年，一八八六年

台灣第一任巡撫劉銘傳親自勘定林圮埔的雲林坪做為新設的雲林縣縣治所在地。因為，雲林坪地勢「居中路之心，扼後山之吭，萬峰雙拱，雙水匯流」。十月，斗六門縣丞陳世烈進駐，成立雲林工總局和撫墾局，一面撫番，一面進行築城工事。城立東西南北四門，周圍一千三百餘丈，均寬六尺，並先環植刺竹三重，以鞏固土垣垣基。

光緒十三年，一八八七年

陳世烈於城外建旌義亭，旌表捐款贊助築城的紳民義心。同時命名新築成的雲林縣城為「前山第一城」，並勒碑於旌義亭內，親撰〈竹城旌義亭碑記〉，記述建城始末。此碑與前山第一城碑及捐題官紳姓名碑並立，為現存雲林建城最重要的文獻。

雲林腦務分局成立。

光緒十四年，一八八八年

雲林縣正式成立。

光緒十九年，一八九三年

邵友濂繼任台灣巡撫，奏請移雲林縣治於斗六門。「前山第一城」不旋踵即淪為
耕地，但林圯埔之繁盛如故。

光緒二十一年，一八九五年，明治二十五年

清廷因甲午戰敗之故，將台灣割讓給日本。人心不服，紛紛組成義軍抗日。「鐵
國山」民軍先收復林圯埔，可惜沒過多久就遭到日軍擊退。

明治二十九年，一八九九年

日軍橫掃雲林平原，肆行「雲林大屠殺」。各地義軍「義不忍坐視，揭竿起義」。
林圯埔的陳水仙、林月汀等人同聲響應，接踵而起，對抗日軍。

明治三十一年，一九〇一年

民軍退大鞍山抗日，此一役為南投縣抗日之尾聲。

大正元年，一九一二年

日本統治下的地方當局與三菱會社政商勾結，沒收竹林。致使竹山地方不少本地
人生計無著，群情激憤。殺向派出所，卻遭捕殺，誅連甚多。此事既稱「竹林事
件」，又稱「林圯埔事件」。

大正九年，一九二〇年

日本當局依照地方自治制度，將林圯埔改名竹山，設置竹山郡役所，隸屬台中
州。此後，竹山一名即沿用至今。

昭和二年，一九二七年

台灣農民組合竹山支部成立，首先便是揭露竹林問題。

民國三十六年，一九四七年

二二八事件發生，部分鎮民參與嘉義水上機場之役。

民國七十五年，一九八六年

竹山鎮公所為紀念建城百年，舉行系列的尋根活動。

民國八十七年，一九九八年

南投文藝季的系列活動中，竹山鎮公所在旌義亭原址，重新設立「前山第一城」
石碑。[6]

四、政治、文化、宗教合為一體的社會結構

在本文前言說過，竹山不是赫赫有名的大都會；但是，竹山也不是毫無足

6 此年表主要參照南投縣立文化中心製作的「竹山鎮墾拓相關大事記」，以及林文龍所
  著《台灣中部的開發》書中〈修竹萬竿環古城——前山第一城興廢〉一文等。

取的小市鎮。它是台灣第一條中部橫貫公路的起點；它曾是雲林縣縣治所在地；它又是兵家必爭之地，林爽文及戴萬生之亂都與此地有所關連。它又以竹產量台灣第一而命名為竹山，而中國人一般都認為「無竹令人俗」；所以單單只是地名，它便給與人們「不俗」的印象。此處則擬論述它做為台灣中小型鄉鎮典型的社會結構，即：以宗教為基層力量，並延及政治、文化，三者結合為一體的社會結構。

(一)宗教信仰是社會的基層力量

《竹的故鄉──前山第一城》是中華民國八十七年度全國文藝季裡，輯錄南投縣系列活動成果的一本專書，在書的首頁，有一張繪圖式的「前山第一城」，共列出二十九個具有代表性的處所，既有古又有今，提供給人們做為訪古問今的憑藉。當然，並不是全無遺漏。譬如，可稱培成今日竹山竹藝人材之搖籃的竹山高中，就未出現在此張繪圖上。不過，將它們細做區分，則可分成政治意味、文化意味、宗教意味，以及歷史性、生活性、紀念性的建築或地標。以下即是：

政治──鎮公所

文化──社寮文教基金會、社寮國小、社寮國中、竹山國中、雲林國小、圖書館

宗教──紫南宮（土地公廟）、敬聖亭（開漳聖王廟）、莊氏家廟、陳氏古厝、沙東宮（開台聖王廟）、李勇廟、克明宮（武廟）、靈德廟（城隍廟）、連興宮（媽祖廟）、德山寺、崇本堂、敦本堂

歷史性──永濟義渡碑、前山第一城碑

生活性──社區活動中心、竹藝街、美食區、農特產品展售中心、秀傳醫院、照鏡山

紀念性──林圯墓、九十九坎

生活性的部分，顯而可見，是供應今日，也就是當前這個時刻，竹山人日常生活中，物質的、精神的，以及生理上、心理上的需要；而文化的部分，則針對「今日」竹山人食衣住行育樂這六大民生需求裡的「育」。政治部分當然是做為「今日」竹山鎮行政執行所在的「鎮公所」。所以，二十九個重要地點裡，有十三處純粹著眼於今天。但是，除此之外，其他的宗教場所和歷史性、紀念性的地點，並非就和今天無關。眾所皆知，宗教場所是祈神祀祖之所在，必然也是雕金砌玉，講究可觀、壯觀之所在。故，凡宗教場所，往往即是觀光點。而歷史性、紀念性的事和物，更是為了讓人緬懷過去，以策勵將來。不言可喻，也是觀光的重要資源。既然著眼於觀光，理所當然，是屬於今天最新進的一項無煙產業。

概括言之，有古有今，亦古亦今，是竹山人著重的生活根本。再從另一個角度來說，很顯然，並無宗教城市之稱的竹山這個古老市鎮，卻是以宗教做為基本的、實質的生活指導和精神憑藉。因為，社寮香火最盛的紫南宮，原本是土地公廟，是和人們生活關係最密切的地方神祇；而廟裡設有福德金的借金制度，儼然是公開性的民間銀行，隨時予人方便、救急紓困。至於敬聖亭，即是社寮的聖蹟亭，它是為焚化字紙而設。聖蹟亭別名惜字亭、敬字亭、字紙亭等。雖似和宗教無關，卻依然是一種信仰，告訴人們必須尊崇知識，必須讀書。而家廟、古厝等，都和崇本堂、敦本堂出於同一用意，主要是讓後代子孫不忘本，能夠時時存著慎終追遠、崇敬祖先的心意。其餘不必贅言。因為，連興宮奉祀媽祖、靈德廟奉祀城隍爺；而德山寺從「寺」這個名稱，即可一目瞭然是供奉佛祖和觀音，這些都是開宗明義、眾人信仰的宗教所在地。

從以上概略的說明，可以瞭解到竹山的廟宇宮祠涵蓋面極廣。大致上，中國一般庶民祈求平安福祉所寄語的土地山川、天地神靈都包括了。換言之，中國人日常生活中遵循崇仰以及倚靠寄託的儒、道、釋三種教義、三個層面都有所觸及，而且側重於教義裡面庶民性的一面，也就是，基層化、大眾化的庶民信仰。

(二)移民社會的本質—地緣關係下的宗族和鄉土連繫

雍正三年（公元一七二五年），福建名士藍鼎元上書首任台御史吳達禮，提出開放彰化縣東開墾「番地」的建議。終於經過部議，准許「福建台灣各番鹿場閒曠之地方，可以墾種者，曉諭地方官，聽各番租與民人耕種」。「於是乎彰化縣（雍正元年劃諸羅縣北端之地，在半線地方另成立彰化縣）東近山的各社原住民閒曠土地，開放漢人進入墾耕。水沙連社也在此一歷史背景之下，掀起一股移民浪潮，當然除了由台灣南部及西部平原移入外，也有來自中國的偷渡墾民，而以福建漳州人占了絕大多數。」[7]水沙連社就是仍住著生番時期的竹山。到了光緒二十年，倪贊元在《雲林縣采訪冊》提到竹山時，便改叫做沙連堡了。「沙連堡，舊生番水沙連社。乾隆五十三年（一七八八年），生番獻地歸化，屬彰化縣。」這麼算起來，竹山這個地方從漢人開始移民，到漢人大致安定下來，一共經過了六十三年。

事實上，乾隆之後，台灣的開山撫番工作一直持續著，而清朝政府就這件事所顯示最有決心、最具魄力的一次行為就是：光緒元年，吳光亮總兵開闢橫越中央山脈，起自林圮埔，迄於璞石閣的中路。當然，這項工作主要是為了推進撫番工作到後山，即：打開中央山脈以西的中部地區（前山）和以東的花蓮、台東之間的通路，讓漢人更往東進。

---

7 林文龍，〈先民藍縷遍山陬——南投縣市開拓概要〉，《台灣中部的開發》。常民文化出版公司。民國87年1月。頁145。

　　從以上概舉的這些事例，可以確實瞭解竹山的移民社會性質。第一、竹山主要是漳州人。第二、竹山是南投縣開發最早的地方，並以地理位置之故，成為通往後山的「前山第一城」。既然多數是漳州人，當然很少漳泉械鬥之類的糾紛，便很容易培養成在地性的宗族一體觀念。「林圮埔是一個相當同質的社區，與早期彰化平原的漳、泉、客不同祖籍雜居的情形完全不同，幾乎沒有不同祖籍人群的械鬥事件發生。」[8]再因本身是周邊各地區移民的前哨站，必然非常強調地緣性。也就是，竹山的社會凝聚力主要在於宗族與地緣的連繫。

　　而竹山的宗族組織分成兩類，一是「基於血緣關係所形成的單系繼嗣群。這個繼嗣群在發展的過程中，通常是因某一位子孫中舉或事業特別發達，為了追念祖先的德澤或光耀門楣而組成一個宗族團體，通過宗祠的興建以增強宗族意識。」一是「以契約的方式所組成的。」「漢人在乾隆初期才積極移入林圮埔，而且移民幾乎來自同一祖籍地。到了乾隆末年以後，由於人口的壓力大增，漢人被迫往內山開拓生活空間，同時墾民之間也經常發生糾紛，因此居住在附近的同姓墾民為了抵抗異姓的侵辱，往往組成一種祭祀團體以達到互助合作的目的。這種祭祀團體為了包容更多的成員，通常以唐山祖為共同奉祀的對象。」[9]，於此便可知竹山的村廟和家廟盛行的原因了。同時，這也可以證明，漢人建立的市鎮，往往都是以宗教活動和社會生活連結在一起，做為社會結構的基層動力。

(三)鄉紳體制的典型－政治、文化、宗教三者解不開的環結

　　台灣在清廷眼中是化外之境，因此，雖然從鄭家手裡贏了去，卻沒有積極經營的心意。一直到「牡丹社事件」[10]，日本露出覬覦之心，而且實際有所行動，進兵琅嶠（今屏東縣恆春鎮）之時，清朝才心生警惕，這時是同治十三年（一八七四年），距離康熙二十二年（一六八三年）清廷領有台灣，已經經過一百九十一年。所以，台灣固然在名義上有巡撫、知府，實際上除了沈葆楨、劉銘傳等少數幾位滿腔熱情、辦事熱心者之外，長期以來，台灣幾乎都是官不管的地方。也就是說，台灣的社會體制，實質上是鄉紳共治的局面。因為，鄉紳勢力往往數代相傳，造成不可動搖的權威性；而且，他們在以文化人或實業人的身份與成就立身之後，總是採取積極參與或首倡的心態，投入地方義舉、廟宇興修、造橋修圳、推廣文化之類的地方事務，和宗教活動中。形成當地政治、文化及宗教三者相互關連、不可分離的情況。

　　以下舉社寮張氏公廳和陳氏公廳的張陳兩個家族為例。

---

8 莊英章，《林圮埔——一個台灣市鎮的社會經濟發展史》，中央研究院民族學研究所，專刊乙種第八號。民66年6月。頁178。

9 書同註8。頁180。

10.同治十三年，日本人以同治十年十月琉球人遭風到台，誤入牡丹社境內，為生番劫殺的理由為主，於3月22日、23日出兵台灣，登陸琅嶠，此即牡丹社事件。

　　張氏公廳習稱張創公廳，不言可喻，是張創後人為奉祀他而建。張創有三個兒子，二兒子張天球拓墾有成，張天球的兒子張煥文又選上恩貢生。三兒子，即三房這邊，也在數代之後人才出現，張登邦也考上雲林縣學秀才。因此，張創傳衍下來的張家，長久以來望重社寮，是當地聲名權勢俱重之家。張天球在地方上所做之事有：開濬隆恩圳、築坪仔頂圳等。林文龍說：「隆恩圳的完成，加速了漢人拓荒的腳步。在張天球有計畫的經營之下，坪仔頂、清水溝、永平坑、八杞仙……等地，乃至埔裏社，都成了他再接再厲的目標。」[11]張煥文則是學問有成之後，「家居課授生徒，能以砥礪廉隅，興起斯文為己任。後學多為其所成就，登鄉書者二，列膠庠者六、七子，時人士咸矜式焉。」[12]張煥文學生中最有名的是舉人林鳳池，就是「登鄉書」的人。而「列膠庠」，則是列入貢生或廩生、秀才的意思。顯然，張煥文致力於竹山地方的文教工作，成績斐然。他在未有文祠之前，又曾與志同道合的朋友陳希亮、劉玉章等人共同創立郁郁社，不僅當做會文的場所，也是講學場所。至於光緒年間的張登邦，雖然考上秀才之後便遇上台灣割讓給日本。但是，「社寮張家，在當時本就具備了相當的社會地位，而張登邦又有秀才身份，其地位尤受鄉人推崇，自然成為社寮地區的領袖人物。甚至在整個林圮埔也是舉足輕重的人物，許多地方公益事業，無不躬親參與，如擔任林圮埔文祠『管事』；與社寮陳家重建隆恩圳；倡建北中宮……貢獻卓著。」[13]

　　其次談陳氏古厝所奉祀的陳氏渡台祖陳佛照，以及他傳衍的陳家族人。陳佛照原本是賣「什細」，就是肩挑雜貨、走街叫賣的人。後來在渡船頭開店，做批發生意，因而致富。「陳佛照致富之後，便積極參與拓墾事業，而與社寮莊另一業戶張天球有所合作。兩人之名，往往同時出現於文獻史料，如開濬隆恩圳、捐建藍田書院、捐修彰化儒學等。」[14]陳佛照後代中知名人物是陳克己。他首先恢復了祖業，並且發揚光大。而他對社寮地區的貢獻為：發起重建開漳聖王廟；日據時期，擴建聖王廟左廂，充當林圮埔公學校社寮分校的教室。同時，他也與張登邦一起參與投資，擴充隆恩圳，有功於社寮地區的開發等。

五、自古至今的人文景觀

　　竹山是產竹的地方。「竹子確實是竹山的命脈，三百多年來和竹山人共存

11 林文龍，《社寮三百年開發史》，社寮文教基金會出版。民國87年。頁79。

12 倪贊元，《雲林縣采訪冊》〈孝子篇〉。高賢治主編，《台灣方志集成》（清代篇）。宗青圖書出版有限公司。頁165。

13 林文龍，〈社寮古蹟古厝巡禮〉，《竹的故鄉──前山第一城》。民國87年7月，中華民國八十七年度全國文藝季南投縣系列活動成果專輯。頁55。

14 同註13。頁62。

共榮。竹山所生產的竹子曾經沿著清、濁水兩溪放流到下游，賣給居住在海口的人製作竹筏之用。」[15]如何製作竹筏，連橫在《台灣通史》的〈工藝志「竹工」〉一節裡，說得更詳細。他說：「水沙連之竹，莖大三尺餘，縛以爲筏，可渡大洋，凌波不沒。故沿海捕魚皆用之。」

總之，竹山有史以來便有竹，殆無疑義。而「竹」，「清而不俗」，是中國人自古以來的共識。所以，竹山固然不是大地方，卻有可觀的人文景觀，散發動人的風範。

下面按年代先後，扼要列舉事蹟突出之人物，包括出生於竹山，及曾居住竹山者：

(一)、官員

胡邦翰，浙江餘姚人。乾隆二十七年任彰化知縣。居官實心惠民，以一再籲請朝廷減免田租的減則案，讓竹山人實受恩澤。任內另兩項建樹爲創設留養局及建置義塚。今竹山連興宮後殿奉祀其牌位。

李振青，道光三年任彰化知縣，牌位亦供於連興宮後殿。對竹山的貢獻目前所知爲：協調竹排放運免於遭受勒索的善政。

沈葆楨，同治十三年（一八七四年），奏呈朝廷「台灣後山請開舊禁疏」，並以「開山撫番」之議，奏調原閩粵南澳鎮總兵吳光亮，來台灣擔任中路統領，在光緒元年（一八七五年）以一年時間，分三階段開通自林圮埔到璞石閣的東西橫貫路線，全程二百六十五里。

吳光亮，廣東英德人。除了主持開通中路的大工程之外，並首先奏請解除舊禁，而得到大坪頂等處紳民立碑歌頌。碑正題爲「德遍山陬」，碑內有「視民艱辛，稟撤禁例」等語。

劉銘傳，原擔任福建巡撫的劉銘傳於光緒十二年被派爲第一任台灣巡撫，銳意建設台灣。首先將全台行政區作一番調整，由嘉義縣與彰化縣各劃出一部分，設爲雲林縣，而親自勘察地形，選定林圮埔街郊外九十九崁上的雲林坪做爲縣治所在地，大大提高林圮埔的地位。

陳世烈，廣東人。光緒十二年奉檄補調台灣府經歷，由廈門渡台，劉銘傳委派給他，「設縣分治、度地築城、撫番招墾」等任務。他在新城築成後，立碑命名爲「前山第一城」，另建「旌義亭」於城外，用以旌表捐贈工費的紳民義心，並自撰「竹城旌義亭碑記」一文，記述建城始末。

---

15 黃世輝、林文龍、李秀鳳、陸蕙萍編著，《竹山地區開發三百年史——竹藝竹情在竹山》。民88年7月，竹山鎮公所出版。頁96。

(二)、鄉紳（張、陳二家上一節大致已述）

張氏家族

張天球→張煥文→張登邦→張崇烈

張崇烈生於一八九七年，熱心地方事務，曾任開漳聖王廟主任委員，籌劃改建事宜等。

陳氏家族

陳克己→陳佛照

黃漢生，社寮莊人。以嘉慶十年海寇蔡章滋擾案軍功，賞戴花翎，授四品職銜。是清代社寮地區職位最高的鄉紳，也是唯一在方志上立傳的人。

黃漢，社寮人，乾隆四十六年，任水沙連通事。五十三年，以隨軍打仗擒獲林爽文家眷之功，獲得水沙連化番六社世襲總通事的恩寵。其子黃天惠，承襲通事之職，曾參與埔裏六社的建設。

莊鍾英，清末社寮地區重要鄉紳，同治十二年（一八七三年）任社寮街副總理。他平生事蹟僅知曾於光緒三年與陳玉峰一同勸捐重修開漳聖王廟。也曾捐銀贊助永濟義渡。

陳玉峰，清末日治初期社寮十莊內的活躍人物，熱心首倡或參與地方義舉、廟宇興修等諸事。

莊訓概，年輕時在阿里山經營木材，事業上一帆風順，成就不凡。晚年息商歸園，終老故里。樂善好施，貢獻地方公益良多，如獻地建「莊氏家廟」；也是重建開漳聖王廟的首倡者之一。

(三)、舉子暨文人、學者

總體而言即指讀書人。清以前是科舉得中、秀才以上的人；清以後則是大學生或讀書有成的人等。整個竹山地方參加科舉，得中功名最高的是林鳳池。他是張煥文入室弟子，咸豐五年考上舉人。同治四年（一八六五年）戴萬生起事，他以文人之身率諸生員組成「保全局」，其後便以協助討平亂事的軍功，授任廣東即補同知，賞戴藍翎。他首開竹山地區科第先聲，從此竹山地區科舉人物輩出，文風鼎盛，一直沿續到清末。

其他或選貢生，或考取為生員、或為廩生者，因為人數眾多，僅按照年代先後，列名於下：

劉玉章、陳希亮、陳希白、陳上治、劉漢中、游鳳鳴、楊鴻藻、林克安、林大業、陳宗器、林廷獻、陳次仁、黃錫三、劉士芳、魏林科、李清智、李神庇等人。其中陳上治、林克安曾參加林鳳池領導的「保全局」，保衛鄉里。林大業

以教讀營生，曾設立「青雲齋」，作育英才。黃錫三一生設齋教學，齋名先為「習靜齋」，後改為「持敬齋」。

另尚有武舉人陳安邦、武秀才陳瑞獻、魏盈科等人。

清朝亡後不再有科舉，政府設立新式學校教育。這部分能夠學有所成，博得人們仰慕尊敬的大致有：

莊木夏，社寮地區關心文史的耆宿，曾撰《莊招富公業沿革志》，育有六男三女，個個皆能學有專長，出人頭地。

陳紹寬，陳獻瑞第四子，長榮中學畢業後，赴日本中央大學法科深造，擔任首任竹山初中校長、議員、副議長等。造福桑梓，不遺餘力。

張達修，是日據時期文章最有名者。他追隨新化秀才王則修，潛心研究經籍，著有「醉草園文稿」百餘篇，馳名全省。替南投縣文壇大放異彩。

林文龍，一九五二年出生。年少時迫於現實，自初中畢業後便投入就業市場，當了十餘年車床工人。但自小愛讀書，又跟隨張達修學詩文。從對本土文史開始關注，且勤於田野調查，而成為今日人人尊敬的學者。任職於台灣省文獻會為研究員。

(四)、義行者暨烈士節婦等

義行方面最足表揚的是董文、董榮華父子兩代完成了永濟義渡。烈士方面則是林西輝、林提桑兄弟率鄉里人士對抗叛逆戴萬生，不幸同時遇害。另外尚有劉建成，也是教讀為業，在戴萬生事變中正義凜然，不屈而亡。貞節婦則有吳茂水之妻吳石氏。她未婚而夫卒，誓不改嫁，仍入吳門。節孝婦有劉玉章妻蕭氏；陳榮春妻盧氏、妾洪氏等，皆是丈夫不幸早死，身為弱女子，卻能撫孤成立，持節以終。

(五)、傳奇人物

首先提出林驥。民間傳說賦與他近似竹山拓墾始祖的地位；可是，他的名字、職位等，至今未有定說，因此他率人拓地至水沙連而遭生番殺害之事可能屬實，細節方面卻仍待考。

另外再提出魏良樹。他原是富貴人家的奴才，卻能刻苦耐勞、發憤立志，因而成為竹山首富，後代子孫也都功名有成，足可稱得上是一位傳奇人物。

(六)、工藝、竹藝藝師

廖科應、廳連應兄弟，於雍正年間從福建汀州渡台，以陶為業，開設了南投第一窯的硘磘。他們落腳之處目前已不再製陶，但卻留下硘磘里的地名。

柯煥章，別名汴村太叟、笑雲、夢覺齋主人。出身郭新林之兄開設的錦益

油漆行。因天賦卓越，又虛心學習，很早就能獨當一面。中部地區的著名寺廟及大厝等許多壁畫或彩繪，都是他的作品。而在竹山地區他主要是繪製開漳聖王廟及莊氏家廟的壁畫。他的特殊之處是出身市井漆作，卻表現出飄逸的書卷氣。

　　既然地方叫竹山，當然不能不提竹藝。竹藝名家首推吳聖宗、黃塗山。兩人都獲得「薪傳獎」的肯定，可惜吳聖宗已過世，目前僅黃塗山仍致力於傳授竹藝，提攜後進。但長江後浪推前浪，竹山地方竹雕、竹編的竹藝人才輩出，已然形成老、中、青三代競芬吐豔、比美爭勝的熱烈局面。因人物眾多，事蹟無法備述，以下僅簡單舉出名字：

　　　　竹編藝術家：張清波、曾紹禎、黃如窗、黃永崇等。

　　　　竹雕藝術家：陳志臣、盧士珍、葉大川、葉基祥、錢宗志、林裕允等。

　　　　竹家具師傅：林水樹、謝慶智等。

六、九二一地震後的竹山

(一)、九二一地震竹山受災概況一覽

　　民國八十八年九月二十一日凌晨一時四十七分，7.3級的大地震，造成南投地區家毀人亡，民房、古宅、學校、道路、橋樑等，塌倒斷裂的人間慘劇。受災主因是斷層移位。而移位之車籠埔斷層由南貫穿竹山。南投縣斷層長達近七十公里，有一半即在竹山。依照竹山鎮公所的調查統計，受災情況大致如下：

　　　　全部死亡人數121人、重傷人數49人

　　　　橋樑、水利設施、道路（不包括公路局權責路線）等受損金額約20億餘元

　　　　產業道路200餘條受損、竹林風景觀光動線受損

　　　　私人住宅2711戶全倒、2973戶半倒。調查後認為危險需拆屋有3037棟、須注意者2117棟

　　　　公共建築全倒3、半倒1、嚴重損毀3

　　　　宗教建築全倒5、半倒1、輕重損毀15

　　　　學校包括高中、國中、國小共10所，僅1所無損，餘9所均半倒

　　　　古宅全倒2、半倒5、嚴重受損4、輕微受損2。目前已有4棟已全部拆除，夷為平地

(二)地震前與後的竹山建築景觀 ── 以敦本堂及莊氏家廟為例

　　九二一地震對竹山來說，是驚天動地的大災變。原本優美寧靜、安逸舒爽的一個地方，霎時坑坑洞洞、瘡痍滿目。前面一節已列出受災概況，此節則是重

點性的舉建築物,或者應該說是當地最高檔次的古蹟性建築物——全倒的敦本堂,和半倒的莊氏家廟為例,概述地震所造成的人文景觀之變遷。

(1)、敦本堂

也叫林家古厝,約建於一九〇六年(明治三十九年),是以磚和木混合構建的閩南四合院房子,原建人為林月汀。林月汀的生平經歷,在台北市建築師公會所編印的《竹山敦本堂》一書中記載得很詳細。概言之,他生於清同治九年(一八七〇年),卒於日據時期的昭和六年(一九三一年),南投廳沙連堡林圯埔街人。他原先是跟隨丘逢甲部將林朝棟辦理隘務的武官,清廷授他把總之職,賞戴藍翎,欽加五品銜。日據時期,他一方面擔任街長、參事、庄長等職,又經營實業,包括「恒美製腦事業、崁頭移住民開墾事務、斗六廳大圻田虎尾拓殖會社等無不參與。而恒心製糖、南投造材公司、中央製糖株式會社、台灣新聞社等均有出資。又曾任雲林製腦組合長、沙連堡竹林組合長等」。[16]

林月汀活躍於日據時期,敦本堂也蓋建於日據時期,卻很特別的,它不是日據時期常見的巴洛克風格,而是道地的閩南風格。細想起來,這可能是林月汀內心深處懸念根本的一種表示;而他在日據時期非常活躍,也可能是他不願意輸給日本人的一種表示。「就建築物族群的觀念上看,敦本堂的配置與其四周的港樓式店鋪住宅格局迥異。雖然同處於日據時期的構造物,但就當時政治、經濟、社會條件均已『日化』的背景下,能保有台灣傳統民宅的配置與特色,不受外來文化的影響,實在是難能可貴了。」[17]

敦本堂被列為台灣十大古厝之一,又是一般公認的「台灣木雕最精緻的古厝」。因此,台北市建築師公會才在調查並製作完成「台灣傳統民居建築(二)——摘星山莊」之後,選擇以敦本堂做為第三度測繪與調查研究計劃的對象。書完成以後,他們在〈前言〉說明為何選中敦本堂的五個原因,包括林月汀的後代林建勳先生及其家屬有正確認識,不僅慨然應允,也熱心提供協助;也包括敦本堂正廳中柱上的對聯「敦誼明倫即此是敬宗尊祖,本修德立如斯乃孝子賢孫」,符合他們研究古蹟的初衷。但是更重要的三個原因是:「一、竹山位於濁水溪流域,舊稱林圯埔,自明鄭時期漢人進墾迄今,已有三百多年的歷史,是中部平原通往內山必經之路,留有豐富的文化遺產,而漢文化的深植,更是傳統民宅保有祖籍特色的動力。二、竹山敦本堂雖只有七十八年的歷史,但在維護與保存上,卻遠非中部其他民宅所能及,對於測繪研究工作的進行,增加了不少便利。三、竹山敦本堂以木作見稱,各式家具雕工精細繁複,各類格扇精雕細琢極其考究,堪稱台灣目前所存古宅中最具特色者。」[18]

---

16 楊仁江主編,《竹山敦本堂》。台北市建築師公會印製。民國73年。頁13。

17 書同註16。頁16。

敦本堂是兩落式建築。第一落屋頂爲馬背式，門前有寬大簷廊；第二落爲正堂，屋頂爲硬山式，簷角外伸，形成歇山式造形。據說原爲官式燕尾脊，後經地理師建議，去除燕尾脊以求子嗣。整體外觀紅瓦及紅磚白泥壁，構建穩厚謹密，繁而不俗、華而不浮。拱門、步廊、格扉、橫披窗、斗拱，以及正堂、門廳的家具，或壁簷間裝飾的彩繪、剪黏，不僅在竹山首屈一指，在全省各大古厝中亦不多讓。然而，令人扼腕慨嘆的是，九二一一場地震，卻把它糟蹋得東倒西歪，實在是無法修復保存，不得不全部拆除，如今，只剩雜草叢生的一片荒地而已。這不僅是竹山建築全倒的一個例子，也應該說是竹山之美遭遇到了最無情破壞的一個例子。

（2）、莊氏家廟

其次說半倒的莊氏家廟。它建成時間略晚於敦本堂，約建於日治時期的大正十四年（一九二五年），但第二年即完成，原因據說是主要建材都從附近一處拆除的大宅買來。建造人莊訓概，他因爲在阿里山經營木材業賺了大錢，便回鄉來蓋成這座大房子。屬於傳統閩南式的三合院，柱樑構造，材料爲磚、木、編泥牆等。他建好以後恰逢下莊公的招貴堂需要家廟，於是賣給他們。不過，林文龍先生的說法不是賣，而是奉獻做爲莊氏家廟。關於莊氏家廟，最精彩的部分是聲名、造詣都不下於郭新林的柯煥章，署名爲笑雲所作的屋頂屋壁彩繪作品。以下概要引述林文龍所做的調查成果。

「柯煥章彩繪以細膩見長，書法則各體俱精。大廳內，以神龕上方兩側的歷史故事最具代表，取材自《左傳》，人物栩栩如生。廳外的頂垛、身垛、通樑，也都畫滿了書畫，如『董太師大鬧鳳儀亭』、『龐德冷箭射關公』、『冠上加冠』、『野鴨委荷』等等，有取自演義小說題材，也有自行創作。此外，在書法方面，大抵取材自唐詩或《風雅大成》、《對聯大觀》之類的通俗聯書，如『竹深留客處，荷靜納涼時』；『不知晉漢間世，自謂羲皇上人』；『欲知世味須嘗膽，不識人情只看花。』[19]

民國八十六年七月到十二月，藝術工作者李奕興接受竹山鎮公所聘請，對竹山五棟彩繪保存極其完整的古建築進行細部的影像記錄和整理建檔[20]，莊氏家廟即其中之一。整理的成果由竹山鎮公所出版《林圯埔彩繪》一書，於八十七年四月出版。幸而做過這麼詳細的、系統的整理，否則，九二一地震的破壞就再也

---

18 書同註16。頁4。

19 同註13。頁58。

20 按照李奕興編著的《林圯埔彩繪》一書前言裏所言，原本預定是六棟古建築，但敦本堂後來未交涉成功，故僅做了五棟古建築的彩繪整理。即：東埔蚋劉氏祖廟、社寮陳佛照公廳、莊招貴公業、張登邦宅及後埔陳善述宅。莊招貴公業就是莊氏家廟。

無可挽回了。但遺憾的是，這次莊氏家廟公廳部分除屋頂震落外，其餘雖尚完好；門亭部分卻全部塌毀，目前已然片瓦不存，夷為平地。時隔將近一年，看到的莊氏家廟正廳已搭成臨時性的紅色鐵皮屋頂，右廂房剝落朽壞情況愈加嚴重，左廂房則大致良好。正廳和左廂房依然住著人家，中午時分，卻不見人蹤。

(三)震災之後的復建工作

地震造成屋毀牆塌、家破人亡的慘劇，然而這是人們眼中看到的外在現象。在此章第一節受災概況一覽裏，我們知道橋樑、水利設施、道路等都遭受損壞，可想而知，民生問題裏的飲用水問題、交通問題等發生了；而建築裏的宗教建築、學校建築等的倒塌，導致人們信仰依託的所在，或接受教育的場所尋無著落，豈不是容易引起心靈的失落和恐慌？再是死與生的悲哀。死者已矣，生者的悲哀卻不是短暫時間能消失的。另外還有：地震那一瞬間的震動，那種游走生與死邊緣引發的驚懼畏怖等等。

概而言之，地震是讓有形可見的屋倒、橋斷，讓土地上的人口、住家在家園已毀或心悸難平的情況下遷移他鄉；但是，也讓無形可見的生命、倫理、秩序、生活變得支離破碎、面目全非。因此，震災之後的復建不只恢復建築物、道路種種具體性的生活設施，更須重視非具體性的心理、秩序等方面的重建。當然，生活面、精神面二者之外，歷史性建築、列入古蹟的建築等等這些構成竹山之美、竹山的光輝的古蹟，以及其所包含的文物等的修護與保存，更是重建中的重要課題。提到此處，敦本堂的後續處理恰好可以做為全倒的歷史性建築很好的一個範例。

敦本堂原本是用心維護和保存良好的一處非常精緻的古老建築，不幸遭此浩劫，衡諸事實，已然沒有回復的可能。於是，林家後人在里長等公證人見證之下，和國立歷史博物館稟持搶救文物的熱忱所組成的文物搶救小組簽了字，願將震災後殘餘的文物交由歷史博物館修護並保存。簽約以後，歷史博物館即確實投入人力，針對這些文物做盡可能的修復工作。目前，更緊鑼密鼓籌備「九二一大地震災區文物研究展」。這樣的作法，可以比喻為軀體毀滅，但精神不滅。也就是，敦本堂的消失只是建築體的消失，然而它尚有的文物，以及仍有修復可能的殘毀文物才是它精華之所在，它們並沒有消失。而且，從今以後，反而成為博物館的典藏品，反而由私人獨家之物，成為眾人共有共享之物。這，何嘗不可說是浩劫之後最好的挽回？

六、結語

在九二一地震之前，南投縣境內的日月潭、溪頭、霧社、合歡山、盧山溫泉、鯉魚潭、東埔溫泉、雙龍瀑布、鳳凰谷、惠蓀農場等處，是台灣最熱門的觀

光遊覽勝地。而要往這些地點，往往途經遍山竹林，這是我一直以來所知的竹山。然而竹林之美只是竹山的小小部分，竹山鎮內的古老建築、宗教建築；竹山在台灣中部，乃至東部開拓史上所占的地位；竹山的歷史與人文種種，在越加接觸之後才越發覺，它們都是造成竹山之美的總體因素。

　　地震之後的竹山，地上建築物少了，人也少了。但是，人們的鬥志並未減弱。竹山目前正努力掌穩方向，要充分發揮竹的魅力，所以竹雕、竹編方面人才輩出；當然，竹山是氣候適中、景物清幽、環境寧謐的地方，所以開發觀光資源，建設爲觀光市鎮，也是理所當然的一個努力方向。其他方面，傳承文風鼎盛的昔日風采；凝結宗教與文化與政治的繫結力，使基層與鄉紳結爲一體，以及多方增產，讓竹山的茶、紅薯成爲竹之外的竹山特產。更要緊的是，不因地震震倒古建築而氣餒，反而鬥志揚起，以建蓋出符合現代精神的新時代建築來做爲復建的新目標。譬如今日的竹山鎮戶政事務所，就是一個很好的例子。外觀明朗大方，內部則寬敞亮潔。既有典雅的古意，又有現代的開放感。走進這裡，不期然心暢神怡起來，彷彿就能感覺到，今日的竹山人正努力以事實說明：地震只能震倒房屋，卻震不落人們追求美好遠景的心志。

沙東宮（開台聖王廟）二樓右側就是一個小型的圖書館，顯示了宗教兼顧文教傳習的古風。

靈德廟（城隍廟）在九二一地震時倖免於難，未受損害。

連興宮（媽祖廟）受損嚴重，仍在等待修復的狀態。

連興宮殿前壁柱上仍可見倡建者林鳳池、陳希亮等人的名字。

紫南宮（社寮土地公廟）受損嚴重。

社寮陳氏古厝古香古色的素樸風貌遭到地震無情的破壞。

敦本堂在一年後看去，就只剩一片空地和一堆碎石瓦礫。

莊氏家廟前廳仍可
見雕刻精美的門
扉。

莊氏家廟前簷仍
留著各色各樣的
雕樑栱柱。

莊氏家廟大廳內屋壁上彩繪「龐德冷箭射關公」，為柯煥章
所作。

培育竹藝人才的搖籃─竹山高中。

符合現代建築精神的竹山鎮戶政事務所。

大甲溪畔水潺潺
—談東勢角的發展與客家墾殖

羅煥光

摘要

　　民國八十八年九二一大地震，襲擊中台灣地區，東勢地區受創尤巨，大地震後一年，東勢正加緊復原重建中，本文就東勢先民開發過程、東勢的重要產業、東勢人的信仰、東勢的傳統建築、手工藝等作重點式的記述，在多次進入東勢災區，並實地參與本館九二一文物搶救成員一年來對東勢災區的觀察心得，作一深入淺出的整理，並對堅強重建中的東勢人致意。

一、前言

東勢鎮舊稱東勢角，開庄迄今約二百餘年，舊稱「東勢角」，為臺中縣客家人的主要聚落區東勢地區，在漢人未入墾之前，遍地蠻荒，早期為平埔族與泰雅族出沒之區。二百年來由清治而日據，迄民國期間行政區劃多所更替[1]。

清代，由於開發期間地理環境所使然，於嘉慶初葉，由劉中立與泰雅族簽訂「和親盟約」，於是移民日增，而形成以「匠寮街」為中心之漢人聚落。民國九年易名為「東勢庄」，至民國二十二年復改稱為「東勢街」，民國三十九年十月，新縣制成立，東勢遂改稱為台中縣東勢鎮迄今。東勢從蠻荒到繁華，由繁華歷震災，從瓦礫堆中重建的東勢有太多值得我們關心和省思的地方。

二、 東勢地區墾殖概況

東勢地處台中縣東北方[2]，有山城之稱，天然景色宜人（圖1），它位於大甲溪上游沿岸一帶流域的縱谷區域，為台灣中部地區鄰接山界邊區的大聚落。清代時，東勢地區屬諸羅縣貓霧束堡樸仔籬社群之大馬璘社等的一部份。[3]

東勢於雍正乾隆間，始分出為彰化縣，在未開墾前為平埔族所盤據，即樸仔籬五社內大馬璘（Papatakan）的分布區，與原住民（泰雅族）山地界相連接，當時沿大甲溪一帶皆為荊棘叢生的原始森林，原來是兇悍的原住民泰雅族居住的地方。雍正年間已有粵籍移民進入開墾，但人數不多，後因私入墾殖日增，經常發生墾民與原住民流血事件，官方有鑑於此，遂劃界禁止漢人私入墾拓。

以開發而言，東勢早期開發應與軍工匠伐木採料有其密切之關係，同時以沙連溪為天然界線，分為界內與界外。大約在乾隆十二年，從大陸遷移而來的漢

---

1 東勢行政區域沿革：
　荷據以前 西元一六○○年前 樸仔籬社
　明鄭時期 永曆十五至十八年 東都 天興縣
　明永曆十八至三十七年 東寧 天興州
　清康熙二十三年 福建省臺灣府 諸羅縣（嘉義以北至基隆）
　清雍正三年 福建省臺灣府 彰化縣（虎尾溪以北至大甲溪）
　清光緒十三年 臺灣省臺灣府 臺灣縣（大肚溪以北至大甲溪）
　日據時期 民前十七年（明治二十八年）臺灣民政支部 彰化出張所
　民前十一年（明治三十四年）臺中廳 東勢角
　民國九年（大正九年）臺中州 東勢郡
　見〈東勢鎮志〉（1995年6月 沿革志54頁）

2 東勢鎮位於台中縣中部偏東地區，東鄰和平鄉，西連石岡鄉、后里鄉；南毗新社鄉，北隔大安溪與卓蘭鎮為界。全鎮面積一一七‧四○六五平方公里，為台中縣面積排位第三鄉鎮。

3 康熙二十二年（一六八三）明鄭亡，清廷遂改天興州為諸羅縣，東勢地區隸屬諸羅縣轄範疇，自此始有行政機關之設置。

人，先在石崗附近落腳，後來漸漸越過大甲溪，遷到東勢，開拓了大甲溪右岸。

隨著墾民的增加，伐木競爭更形激烈，部分移民甘冒生命的危險進入原住民住地與原住民發生衝突，被殺害的移民不算少，因此乾隆二十六年（一七六一）彰化知縣乃立碑於土牛劃定界限禁止漢人侵犯[4]。界內、界外又一次更動。

乾隆三十二年（一七六七），東勢地區尚未被官方列為軍工伐木採料地區，當時此區盜伐林木嚴重，彰化知縣曾通令嚴禁匠人假藉軍工名義，深入界外山場盜製私料。直至乾隆三十五年（一七七〇）七月，岸裡社總通事，奉令撥社番二十名日夜護衛匠首鄭成鳳率同小匠近百人，進入東勢地區採取軍料，並築造工作及居住草寮三十餘間。因此匠人與墾民私入界外活動，日趨頻繁，不僅寮房增蓋急速，來此地人數也近千人，開墾土地也逐漸擴大。界外原為禁墾之地，因匠人得以合法進入，所以許多私墾者也混充其間從事私墾，而這些漢人常被當時泰雅族出草殺害，糾紛不斷。乾隆四十年廣東人劉啟東、曾安榮、何福興、巫良基等人率領族人來墾荒，但照規定還是不能越過大甲溪。

直至乾隆四十三年（一七七八），原住民害頻仍，為推展本地墾務，以饒平人劉中立為番割（通事）、與原住民斡旋談和，初在石岡附近，社寮角為中心，與原住民交易設「換番所」，與南、北勢社交易山產。劉中立過世後，復以薛華梅繼任通事，並推舉黃河東等人致力與原住民媾和工作，惟原住民常不守規約，經常殺害漢人。至道光二十年（一八四〇），東勢角各庄協同與附近各高山族議和。同治五年，更組成和番機構「協安」，以上辛庄通事廖天鳳專辦原住民務事[5]，從此各社遵守和約，而由地方共同負擔原住民租報酬與公務經費。

這段期間，其締結和約前後有數十次，在條件方面不外乎墾民與原住民利害關係為約制重點。

雙方提出協議：

---

4 土牛漢人土著地界碑高五尺五寸，寬一尺六寸，厚六寸，為花崗岩所刻成，質地堅硬，為難得一見的清代早期古物，碑文為：「奉憲勘定地界，勘定，朴子籬處，南北計長貳百捌拾五丈五尺，共堆土牛壹拾玖個，每土牛長二丈、底闊壹丈、高捌尺、每溝長壹拾五丈、闊壹丈、深陸尺、禁人民逾越私墾　乾隆貳拾陸年正月　日　彰化縣知縣　張立　」由碑上文字可知土牛在清朝初年為漢人土著交界之處，為防原住民漢人互相侵擾，所以立碑告示禁止。此碑原立於土牛國小校園內，九二一地震碑亭已震倒（圖2）

5 清代東勢地區治理原住民及其代表人物：
　乾嘉年間：劉中立、張天賜、薛華梅、黃河東。
　道光年間：鐘阿成、張捷和、張阿高、余世衛。
　咸豐年間：蘇阿發、傅阿庚。
　同治年間：廖天鳳。
　光緒年間：廖仁海、葉華生、徐德文。
　見〈東勢鎮志〉（1995年6月 沿革志65頁）

漢人提出的條件為：

（一）和約地區內不得殺人。

（二）若有誤殺者要有相當之賠償。

（三）所有大小事件之發生必經通事交涉而談判。

（四）如發現有其他未立協議之社族前來殺人之情事，對於能急通報者給與相當
　　　之賞銀。

（五）和約地區內之建物、農作物、家畜等有關物件，不得擅自損害。

原住民提出條件為：

（一）在各社附近或山地界內，製腦、伐木、抽藤、開墾耕作時，必先經通事至
　　　社交涉同意後，酬與相當之代價，始可入山工作。

（二）如欲使用社族之住房、耕地、獵場，而先提付租金。

（三）如有流行惡疾，即時通報各社，查係庄人傳入者，應致贈慰問金，並賠償
　　　其損失。

（四）如發現庄人之牛隻損害其農作物時，應照數賠償。

　　　　雙方所協議之報酬，每年經通事統籌交付。

　　　從此漢人始安心渡過了大甲溪，從事伐木製材工作，墾民陸續進入開闢，
也逐漸形成上新和下新兩個墾民聚落，此即東勢鎮開莊之濫觴。於是漢人的居住
區域逐漸擴大，因此形成了一小市街，稱為匠寮街。匠寮即木匠所住的草寮。接
著廣東潮州府人劉阿滿招募山胞二百人，到現在的新伯公墾荒，成立了下城上城
兩莊。

　　　光緒十三年（一八八七）年在匠寮莊設製撫墾局，稱為東勢角撫墾局，處
理對原住民的防禦工作，臺灣割讓日本後，仍採用撫墾局制度，光緒二十二年七
月改為撫墾署。光緒二十四年設置，臺中辦務署東勢角支署，設街、莊區長輔助
稅務，這是東勢角行政的開始。民國十二年日人廢止辦務署，改稱為臺中廳東勢
支廳，民前三年設東勢角區役場，委辦地方行政自治事務，民國九年改為街莊制
度，派賴雲清擔任街長。

　　　民國三十四年，抗戰勝利，台灣光復。隔年一月廢除日人設立的自治制度，
改州為縣，改郡為區，以東勢街改為東勢鎮。三十九年十月，新縣制成立，撤廢
區署，東勢改稱為台中縣東勢鎮迄今。現轄有行政區域二十五里，三四九鄰。

三、東勢角為樟腦、木材之集散中心稱為「東市」

　　　光緒十二年（一八八六），罩蘭莊（即今卓蘭）民與原住民衝突滋事，常出

人命。當時巡撫劉銘傳受地方之請願，即命林朝棟、林泰和以五營之兵力征討北勢社之馬那邦、蘇魯二社、苦戰數月各社歸順。後設東勢角撫墾局於匠寮街（先師廟內），並以三水梁子嘉為撫墾局總辦，轄有大湖，馬鞍龍、大茅埔、水長流等分局，於是東勢地區遂成為樟腦、木材之集散中心，故稱為「東市」。

光緒十四年（一八八八），劉銘傳以林朝棟剿匪有功，命統領其辦理中路營務所處中路撫墾事務，並於大湖、東勢角等處設立撫墾局。三月一日，墾戶東勢角人林良鳳申請開墾沿山之野，旋於十八年（一八九二）八月，由林合記號，付出兌銀壹千元收買，而轉讓林合記號經營。

墾戶須先在中路營務處，取得發給墾單後，才可在核准之地區從事開墾、伐木、整灶熬製樟腦工作。依照章程墾戶除具殷戶保結外，並限定於一年期限內將承墾之土地，開墾成田園，分為上、中、下三則抽租，三年後按則升科，由縣換照，永遠收執。

林家申請開墾後，乃在承准之墾區從事開墾及製樟腦事業，但還是以製腦事業為主。當時在東勢角地區製腦者，有本地人林良鳳、劉龍登等人在東勢角地、水底寮地製造樟腦，樟腦灶每份平均每月約可生產四、五十斤，由林家公館收購，後售與德商公泰洋行輸出香港等地。

日人據台後，在台灣施行樟腦專賣法，各地腦灶數受限，東勢角限制為七百六十七灶，東勢地區樟腦業發展遭受影響至鉅。

四、東勢地區墾民的信仰與寺廟建立

民間信仰的重要性，在早期墾民的拓墾過程中有著不可替代的地位，墾民透過所信仰的神，克服現實生活中無數困苦的挑戰。墾民們也透過對神祇的信仰組成祭祀團體，成員間同心協力，面對艱難的環境。藉著神明的庇蔭使墾務拓展順利。在當時物力唯艱的年代中，一座廟宇的完成，實代表著無數墾民的辛酸與血淚的堆砌。

開墾初期，祭祀土地公（圖3）為墾民最普遍的信仰（客家人稱土地公為伯公），祈求土地開墾順利，風調雨順，五穀豐收。土地公的神格屬於地方型的，因此遍佈各地，俗諺「田頭田尾土地公」說明了土地公林立的盛況。東勢鎮香火鼎盛的上新庄小中科福德祠，為當地開庄伯公，據稱有不少顯靈事蹟，為居民樂道。

東勢地區世居民眾大多來自閩、粵兩省，文化淵源一脈相傳，與原鄉大陸不論是地緣、血緣均息息相關。先民於移墾過程中，必須面對無數艱困，首先要與克服台灣海峽險惡的風浪，再加上瘟疫的肆虐與鱷悍的原住民。由於早前墾民，都是冒著身家性命，千辛萬苦渡海來台開山闢土，為求取海上航行安全及消

災解難，因而發展出渡海墾民獨特的信仰。他們將家鄉供奉的守護神或香火引進，例如隨身供奉海神媽祖及瘟疫神王爺等，就是希望藉著神明的力量庇佑他們一路平安，遠離災難。當他們登陸這片蠻荒之地，並與「原住民」間的不斷爭鬥協議過程中的艱苦，加之瘟疫病魔的摧殘之餘，除了祈求神明的保佑外，幾乎別無良方，如此艱辛的墾殖過程，益發加深他們對神明的仰望與寄託，形成了堅定的信仰習俗。

隨著墾民不斷增加，墾殖面積亦不斷增廣，各地寺廟陸續建立，逐漸形成以寺廟爲中心的信仰圈，爲滿足移墾居民的信仰需求，因而在東勢地區登記有案的廟宇近四十座，可說極爲興盛。而這些廟宇所供奉的神祇以三山國王、觀音菩薩、天上聖母、釋迦牟尼佛、關聖帝君、福德正神等爲主。這些寺廟最初爲渡海移民及墾荒闢土的精神寄託處，後來進而演變成以寺廟爲中心，所組成的各種社團，以達到防衛、社教、娛樂等功能。

（一）東勢市區政教中心—巧聖先師廟

東勢先民越過大甲溪開墾東勢地區時，大都以伐木維生，爲祈求工作順利平安，於乾隆四十年間，在今東勢鎮中寧里巧聖先師廟現址搭建工寮，並祀奉巧聖先師令旗，護境安民聖靈威震四方，先民感念衷心信仰，籌建大廟，至道光十三年間，廟已老舊，籌款重修，以廟庭寬廣，雕龍畫棟香火鼎盛蔚爲東勢地區政治活動中心。（圖4）

巧聖先師廟神龕正中央有一座前清皇帝御賜「勒封北城侯魯大夫巧聖先師神位」神牌，爲全台古廟少見。正殿上方有一方咸豐年間古匾上書「巧奪天工」（圖5）頗符合建廟精神。廟中尚有三長條狀木塊頂端刻如葫蘆狀的清道光年間古物，上書「道光十三年冬月重建匠館總理劉章職副理郭春榮副理楊及任立」、「貢生劉章職捐題銀伍百大員正」、「監生楊芳齡捐題銀二佰陸十大員正」，此三木條爲當年巧聖先師廟重建的證物。（圖6）

巧聖先師廟內尚供有六座清代神牌，這些神牌原都是彰化褒忠祠所供奉的，在日據時代爲開拓道路將褒忠祠拆了，東勢鄉紳有感於這些當年爲協助平亂有功，而不幸犧牲的東勢義民，他們的神牌不至流落異鄉，因此將這些神牌迎回東勢巧聖仙師廟供奉（圖7），以示尊敬與感懷之意。

巧聖仙師廟還有義渡會及秋工會合製的石刻香爐，以及刻有「褒忠祠」的香爐爲清朝時代的古物，頗有保存價值，先師廟大門口側有兩個古老石碑，一是「禁告中南北」石碑，上有「巧聖仙師爐主首事暨總董紳耆舖戶等，告廟前餘地乃是先師境界，以後不准人架造茅店霸佔地基，如有故犯寶即通衆拆毀坪地，決不姑寬此白 光緒十三年三月日爐主首事暨紳耆舖戶等 立」字樣由石碑文字，可知先師廟前廣場在清代相當繁華熱鬧，常有人在此廟前廣場搶著作生意。可惜

「禁告中南北」石碑於九二一大地震，也不敵強震摧殘橫倒地上等待修復。（圖8）

另一「樂助聖亭碑」，上有「生員劉濟川捐銀拾大元　生員利鵬程　監生楊芳齡捐銀陸大元………道光乙末年春月吉日經理郭春榮等立」等刻字，是當年興建先師廟拜亭的捐款人芳名證物。

先師廟大門左側另有「樂助義渡碑」上有即補分府直隸州彰化縣正堂加五級軍功加三級記錄使來襲者遠十次大功十次索為………等刻字是當年彰化知縣李廷璧所書石碑上有再明義渡會的成立緣起及捐款芳名為相當珍貴的道光年間石。「樂助聖亭碑」與「樂助義渡碑」兩碑也在九二一地震中震倒（圖9），等待復原。

先師廟大門口左側外牆邊有「告示」石碑，上刻「特調福建臺灣府彰化正堂咸豐壬子貳年貳月」等字樣，是當年彰化知縣禁止漢人進入番界私墾的公告，為漢人開墾山區的重要歷史證物，這塊石碑因為豎立在巷道邊，已被車子撞壞個缺口相當可惜。

先師廟正殿內柱對聯：「妙技奪天在昔尊聖稱師寮崇匠閣；神工之極于今封侯列爵廟食蟹江」。點出了先師廟的建立起緣，整座先師廟內歷史古物非常豐富。

可惜這座東勢鎮極為重要的歷史古廟，也禁不起九二一大地震的無情摧殘，損壞極為嚴重（圖10），廟方緊急疏散神像及廟中古文物，暫時放置於大甲溪畔空地，所搭建的臨時鐵皮內（圖11），等待為期兩年的修繕完工。

（二）東勢下新庄民信仰中心—善教堂

墾民拓墾下新庄時，對那片荒煙蔓草，瘴癘橫行，心中皆感戒慎恐懼，祈盼墾殖工作能夠順順利利，他們唯一的精神支柱，就是宗教信仰。也就是當年由大陸故鄉跨海迎奉來台的武聖關聖帝君（圖12）及三山國王[6]（圖13）令旗鎮座庇佑（圖14），同時於今善教堂前馬路旁興建小型王爺寮，祀奉兩尊神神位。

在墾殖人口不斷增加情況下，遂形成今下新庄聚落，這座小型的王爺寮，也自然而然成為墾民的信仰中心。光緒二十一年（一八九五）清廷頒令嚴禁民眾吸食鴉片，當地有識之士亦有感毒品對墾民為害甚烈，已達禍國殃民地步，曾不斷規勸吸食者戒毒，但成效不大。在此之際，有下庄里守護神之稱的關聖帝君，

---

6 三山國王分大王爺、二王爺及三王爺。大王爺俗姓連名傑，稱巾山國王，二王爺俗姓趙名軒，稱明山國王，三王爺俗姓喬名俊，稱獨山國王，他們得道成聖，庇境安民。據說：早在一千三百多年前的隋代，三神便降落巾山，自稱兄弟，侍奉上帝之命，來鎮守獨山、明山和巾山的，從此便廟食在巾山之麓，神靈十分顯赫。見〈台灣地區神明的由來〉〈台灣省文獻委員會，1979年6月，147頁）

突然顯靈示乩，要村民依其方法根絕毒害，以拯救鄉里發展生機，民眾驚訝之餘，恭請關聖帝君神像於廣場中央，糾集有吸毒者，在庄中先賢帶領下，叩拜關帝矢志不移戒毒圖強，另取關聖帝君丹砂服用，有毒癮者甚至於吃睡都在關帝神像前，直至煙毒戒除爲止。因爲成效卓著，關帝廟戒毒聲名逐漸傳開，甚至臨近地區有毒癮民眾，亦前來加入關帝廟戒毒。

　　一八九八年有數十位戒煙毒成功者，爲感念關聖帝君協助戒毒恩澤，倡議籌備擴建關聖帝君廟，旋獲得地方父老熱烈響應與支持，並推舉當時下新庄保正廖石娘爲經理，饒大富、邱明忠、何鼎盛等爲協理，積極辦理募款籌建事宜。一八九九年破土興建，廟地共八百餘坪，正身爲三開間，三合院式建築（圖15），拜庭雕樑畫棟氣勢宏偉，廟前廣場寬敞，一九〇二年歲次壬寅新廟竣工，神殿正廳掛匾「善教觀成」（圖16）。甲午戰後，臺灣割讓日本，不久日軍至東勢角於東勢角文祠宮設立守備總部，當時文祠宮內所奉祀的至聖先師孔子、文昌帝君、朱文公（朱熹）、韓文公（韓愈）等神像曾暫遷至下新庄善教堂（關聖帝君廟），等待機會將神像迎回。

　　一九四五年日本戰敗，臺灣光復，因在戰爭時期經濟蕭條民生凋敝，善教堂的管理亦處鬆弛，廣場雜草叢生，目睹此景，有識者詹昭福等，於當時的下新庄二里聯合里民大會上建議組織善教堂管理委員會，獲得滿場通過，並由詹昭福出任首屆主委，從此善教堂正式獲得良好管理。

　　民國五十九年，政府倡導社區整體建設，下新庄善教堂亦配合政府政策，收回出租土地以建設活動中心供民眾使用，並於寺廟橫屋設置下新庄三里聯合辦公處服務民眾，廣場闢建爲水泥混凝土曬穀場，寺廟後方空地籌建爲托兒所及長壽俱樂部以服務老幼所需，善教堂儼然成爲下新庄的居民最重要的信仰中心，教化中心及活動中心。

　　民國八十八年九二一大地震，善教堂不幸遭受徹底摧毀（圖16-1），善教堂將損毀拜亭等建物木雕器物、歷史文物等慨捐國立歷史博物館整理展出。一年後的今天下新庄居民，收拾取震災的恐懼，正全力爲重建家園努力，也展開善教堂的重建工程，祈望在諸神明庇佑下順利重建完成（圖17）。

（三）東勢地區建醮祈安法會

　　所謂的建醮可說是一種「大拜拜」，東勢到目前爲止共舉行過多次大型的建醮法會，其目的是爲了祈求風調雨順、國泰民安。東勢鎮的第一次建醮是在民國十年十一月八日，以六、七名富豪紳商出資包辦，民眾則依贈普陰魂之方式舉行。其場面在當時算是空前熱鬧。當時舉行建醮的原因是因爲東勢發生流行病，造成許多人死亡及農作物歉收，卻找不到原因。於是向當時的日人郡守中田秀造提議建醮，次年果然疫病消失、風調雨順。於是日政府頒布獎狀加以表揚。

民國五十年代，因為森林砍伐過甚，嚴重影響水土保持，每逢雨季、颱風來襲，則有洪水及颱風為患，且又時逢旱災。於是在民國五十三年六月十五日各鄉鎮村里長以及地方士紳集於先師廟中，於七月十四日決定舉行建醮祈安法會，冀能消除百災。而訂於民國五十五年農曆十月二十日舉行建醮法會。建醮從十月二十日起至十月二十六日止共舉行七天。各地也建立許多美侖美奐的分壇，並演出酬神戲四十六臺，吸引各地前來觀賞的民眾九萬多人，可說是東勢鎮開庄以來最大的盛事。

五、東勢地區傳統建築與民俗工藝

東勢鎮的建築形式，為表達在客家族群與原住民間，族群爭鬥下的「防禦設施」，因此從銃櫃、城門、圍屋、鎗孔等等，再再表達了先民開墾的艱困生活，然族群的生存繁演卻要靠這些防禦工事的維護。因此客家建築的特色是可以和整個拓墾的意義相連結的。

另外客家建築的伙房意義，從家族間的凝聚力量，到防禦觀念的整體考量幾可作一個完美的詮釋。一個完整的大伙房，它應該涵蓋前廳、後堂左右各有對稱的二三條橫屋，最外側的圍屋再與前院的圍牆合成護套，層層將伙房團團圍住，最後才在圍牆最有利的方向建設外門樓，做為整個住宅群的出入孔道，門樓上且留有槍孔，為便於由內往外射擊，作防禦之用。伙房前面還設有池塘，兼有配合風水及救火功能，較大規模的伙房，為防盜賊大舉入侵，甚至在外圍種植二、三層的莿竹層層障眼，俗稱竹圍，因此從客家傳統建築中可以知道當年移民的艱辛。

在東勢石崗地區，原有近數千座大小伙房，此間每一個家族就有數個伙房，時至今日，這些大伙房不是凋零破敗就是改建樓房，再加以九二一大地震，此區大半傳統客家大伙房皆遭震災破壞，這次的震災大浩劫，使東勢地區傳統客家大伙房急劇消失，成為搶救幸存歷史建築刻不容緩的課題，成為有關單位急需處理的問題和責任。

東勢山區產竹，自古以產製各類竹製器具聞名全省，也行銷至各地，但隨著工商業的發展，各類塑膠製品的大量產製，及各種替代品的出現，使得傳統竹製器具逐漸被淘汰，竹製業的沒落，那些當年編織竹藝高手，更加使人懷念，時代巨輪不斷的轉動，得與失之間，實有諸多值得省思之處。

（一）東勢校栗埔醫生窩─林家大伙房

東勢校栗埔林屋大伙房，佔地七十餘畝共有大小房間九十餘間，是東勢地區面積最廣大的大伙房（圖18），也是東勢地區數一屬二的名望家族，近三代出了三位博士及二十餘位名醫師，可說是醫生窩，風水極佳後世子孫飛黃騰達。

清同治初年,林孔湍[7]率子良鏐、良欽、良鐵、良鏵於今興隆里東蘭街創建大伙房面積廣闊達七分餘地,成爲東勢地區數一數二的大伙房,完工後由於當時局勢未靖,盜賊蜂起,原居住老屋的林氏子孫不敢前來居住,至日人據臺治安稍見改善,方有大批族人前來定居,從此子孫繁衍人口衆多,林家祖先牌位也移至大伙房正廳供奉,成爲校栗埔林家的家族中心。

林家大伙房創建迄今已歷一百二十餘年,雖然年代久遠,但因維護得宜廳堂院落相當完整,所遺留的稀有古蹟也頗有可觀,其整個伙房以西河堂爲中樞,廳堂正中是林氏祖先牌位,周圍飾以金色雕花木刻,是難得一見的古物,廳內地面鋪著大紅磚係前清古物,所有樑柱橫木案桌皆以黃肉木或檜木製成,歷久彌新完好如初,廳堂兩側通道上方有槍孔,爲防備土匪來犯之設備,踏出正廳上有紅底金字西河堂石刻堂號,兩側爲難得一見的金字石刻對聯:「九龍並獻西河瑞,十德齊開北苑香」相傳是皇帝賜給林家祖先的御聯。

正廳基石爲黃橙色的唐山石,據說來自大陸,廳外中庭以無數個鵝卵石砌成八卦圖、壽字圖、蓮花圖及其他吉祥圖案(圖19),是非常少見的石頭砌地花紋,中庭外爲內牆,以紅磚飾花造成頗具特色。牆外爲大禾埕,最外層則是外牆及門樓門樓上題「十德世家」(圖20)左右對聯曰:「問禮著家聲炳炳人文光百代,西河承世系煌煌德澤播千秋」道出了林家的興盛。

林家大伙房正廳兩邊,各有三排橫屋,廳後又有倉庫,共有九十餘個大小房間可容十餘戶同時居住,規模之大享譽東勢地區,而其地理位置之特殊遠近馳名全省地理師競相前來研究。

林家大伙房因位於大甲溪與沙連溪交會處上方,背倚山岡左右各有土墩圍繞,形似金交椅,尤其從廳堂向外望最遠處爲白雲,次爲大甲溪流域近處是一連串梯田,再近是廣場中庭,案桌形成天然疊案,蔚爲其觀。據說每當落日時分,驕陽反照林氏祖先神牌,金光閃閃燦爛奪目,更成爲難得一見的奇景。

東勢崗陵連綿,一直延伸至大甲溪與沙連溪會合處,林家大伙房正好位於這一條龍的最下端,前眺雲海左擁豐原山,右抱后里遠山,大甲沙連兩溪雙雙來會,所以天然地理非常優越,自林家子孫在此定居以後,開始出現醫生一連三代共二十餘位,還有三名博士數十位科技人才,一般鄉人稱之爲醫生窩,林家老輩則認爲是各房子孫見賢思齊力爭上游所致。

此宅左橫屋部分雖曾遭受地震毀損修復過,但仍無法抵擋這次九二一大地震的威力,正身部份慘遭摧毀(圖21),雕樑畫棟頃刻間化爲殘簷斷瓦,右橫屋

---

7 據說校栗林家開臺始祖林學譓、林學訝、學府三兄弟約於清嘉慶年間前來東勢墾殖稍有根基後,迎奉父親林元茂來臺居住,於今興隆里東蘭街一七八號建立林氏伙房,因值乾旱,無水耕種,幸好林學訝獨子林孔湍身材壯碩智勇過人,獨立僱工從軟碑坑開鑿水圳,直通校栗埔開闢良田三十餘甲,廣植稻米因而農耕致富,一躍而爲地方望族。

亦遭嚴重損壞。林家子孫們很迅速清理重建倒塌的伙房正身廳堂，將代之而起的是全新的鋼筋水泥建築的廳堂，只怕是那曾有的風華，已成永遠的追憶了。

（二）懷念建築雄偉氣派的石岡土牛劉屋

在東勢地區數千個伙房中，石岡土牛劉家祖祠可能是建築最雄偉氣派最非凡歷史最輝煌的伙房[8]，曾因留存極多歷史古物，而被臺灣省文獻委員會列入地方勝蹟之一。（圖22）

土牛劉家祖祠位於土牛國小上方，創建於清乾隆末年至日據昭和四年重建，歷史非常悠久，但因維護得宜廳堂門樓相當完整，所存之前清古匾為東勢區之冠，踏進伙房內宛如置身於清朝的時光隧道中。

劉家祖祠創建之初，面積有八分地寬，四週種植兩重刺竹，防止土匪侵襲，至日據時代昭和二年大地震後重建，廢除二重刺竹改建磚造圍牆，面積稍有縮小，仍廣達六分餘地，九二一大地震前尚有幾戶人家在此居住。

劉家祖祠以德馨堂為中心，正中是劉氏祖先牌位，四周木刻雕花金飾精美別緻，木刻外圍藍底圖案上有花鳥、歷史人物、山水走獸等顯得古色古香，牌位正上方有黑底金字，金邊德馨堂鑄字非常典雅，左右兩柱紅底金字對聯道出劉家自廣東大埔縣來臺發跡石岡，一門五貢生的輝煌歷史。

柱聯兩邊有源遠流長書法，上繪太白醉酒、右軍書法換鵝裙等故事圖案，頗有古趣，廳堂正上方則是八仙圖，線條優美增色不少。整個廳堂配以藍柱粉紅棟樑白木條，紅瓦對照鮮明更顯富麗堂皇。

廳堂樑上懸掛多塊前清古匾，都是非常少見的歷史珍品，其中金邊金字的「偉望清標」匾，上有「欽命鎮守福建臺澎掛印總鎮劉為 偉望清標同宗貢生章仁、章職立 道光拾壹年仲春月穀旦」等字樣。係劉總鎮贈給貢生章仁、章職兄弟的牌匾。另一塊金字邊「海甸瑚璉」（圖23）匾上有「特授臺灣福建北路都督府葉為 海甸瑚璉 貢生劉章仁立 道光九年十月吉旦」等字樣。係前清葉督府，送給劉家祖先劉章仁貢生的古匾。另有多方具有歷史意義的古匾等文物流傳。

廳堂兩邊白牆正中有黑底金字木刻，為名書法家劉曉村所撰對聯：「大德啟自茶陽在昔鑰鎮北門淵源如左；餘馨成乎臺島于今堂開東閣俎豆常新」。正廳脊樑上繪去邪避凶的太極圖，靠近正廳大門之樑上懸有多塊橫扁，其中金字金邊「兄弟貢元」扁，係前清荀布政使賞給劉章仁兄弟的古扁。正廳兩側走道上方雕樑畫棟非常典雅美觀，左右邊門上方書有「德馨大啟」、「馨香早成」書法，正

---

8 劉家祖祠係由東勢角拓荒先驅劉啟東所創建，劉啟東名文進號啟成，已堅忍苦幹誠實致富，清乾隆末年擁有河西大甲溪以西的大部分良田，後又經營樟腦油生意廣發大財，苗栗購買一百餘甲良田，謂為東市區首富，先後在土牛梅子附近建造了五個大伙房，各有前後堂及座又廂房護院，較大者廣達一甲五分地，劉家祖祠即為其一，面積雖不是最大但建築卻是最雄偉氣派的。

廳內陳設清代八仙桌、太師椅、茶几等難得一見的古家具。正廳大門爲藍門紅底金字：「德啓追先祖」「馨成貽後人」書法。內埕外側建有燕尾門屋，造型美觀，門屋上懸掛「貢元」古匾（圖24），上書「欽命廣東承宣布政使司加三級曾爲貢元貢生劉文進立　嘉慶二十一年桂月穀旦」字樣。門屋外側有廣場，廣場外接半月形風水池，池邊廣植各類果樹。廣場左側另設有外門屋，大門上書寫「德馨」二字，左右並有「德澤流千古，馨香藹一堂」對聯，在白牆、石磚柱的環繞下，劉家大伙房整體給人的感覺是氣派恢宏，古老而富歷史意義，無盡的精美雕刻，匾聯等均能引發後人思幽古之情。只可惜這麼深具保存價值的劉家祖祠、客家大伙房中經典之作，卻不幸與東勢地區其他幾座大伙房，同毀於民國八十八年九月二十一日凌晨四十七分的那場七點三級的大地震中（震央在集集），災後我們再度前來探訪這座印象中的優雅大伙房，只見被徹底剷平的地基，還有被堆置一旁的雕樑門窗、石碑等，場面實著令人感傷不已，要復建這座遭徹底摧毀的重要歷史建築恐非易事。

（三）東勢埤頭里的製茶篝名匠林益縣

茶篝客家人稱爲篝鬲，也就是福佬人所稱的謝籃，在民國初年爲東勢埤頭地區製作茶篝的最盛期，當時在埤頭庄內就有近六十戶從事製作茶篝的手工業，可說是家家戶戶都爲此忙碌不堪，現年八十二歲的埤頭製茶篝名匠林益縣老先生（圖25），在這方面的手藝頗爲人稱道，雖年逾八十但仍身體硬朗，與妻鶼鰈情深，另人羨羨，在我們未事先約定下冒然前往拜訪，老匠師不但沒有顯露半絲不悅，還在訪談過程中不時招呼茶水與水果，還展示其多年前所作的大小茶篝，並侃侃而談他從事茶篝製作歷程，林老先生回憶當年他十四歲剛國小畢業，就跟隨二哥林益佐（現年八十七歲）先生學作茶篝，在二哥細心教導下加以自己苦學研究製作技巧，數年後逐漸純熟傳統並加以自己所改造的茶篝製作技術，就這樣林益縣的名號逐漸在茶篝製作業中受到肯定。

林老先生作茶篝數十年未曾間斷，近年因年事已高，眼力已不如前，才停止編織製茶篝，但提起茶篝，林益縣老先生又談起：他編織茶篝，可說從大茶篝（圖26）做到小茶篝，從小茶篝做到迷你茶篝，製用肩挑的大茶篝直徑爲一尺五寸、一尺六寸，以前定婚禮餅都是用大茶篝盛裝，然後由男方挑至女方家中，嫁娶、祭祀時也常用大茶篝裝東西，製作大茶篝必需尋找又高又長的漂亮麻竹，竹子節間距離一定要三、四尺以上，材料非常難找，所以做大茶篝非常麻煩，因此目前大茶篝已經越來越少，而成爲非常罕見的民俗古物。

用手提的小茶篝直徑九寸，往昔娶媳婦用小茶篝盛裝米篩目、仙草到廟裡燒香拜拜也常用小茶篝裝供物，是當時非常流行的手提用品。至於迷你茶篝直徑只有四寸餘，看起來約手掌大小這種茶篝不做實際用途純爲觀賞之用。大茶篝小茶篝的篝身用麻竹編織，篝耳、篝邊用桂竹編織，至於迷你茶篝全用黑葉竹編

織，取其竹材較有韌性不易折斷的優點。

與老先生一席訪談，深感獲益良多，東勢有此民俗器具編織巨匠，實在令人羨慕，也許在高呼文化建設的時代裡，像林益縣老匠師這麼一位人物，是否也該得到更多的關注呢。

（四）山中奇人「獨腳農夫」竹編高手

東勢鎮埤頭里居民劉溪圳製作魚籠、插箕、畚箕等又快又好，早為為當地所稱道。拜訪完林益縣老匠師後，轉往埤頭里石山巷十七號，探訪心中一直想見的「獨腳農夫」劉溪圳先生（圖27），在山區果園崎嶇的小路上鑽尋一翻，終於找到了這位山中奇人，他今年雖已七十三歲，但看起來仍神彩奕奕，非常健談。「獨腳農夫」，數十年來靠著一隻腳，上山下田無所不能，為村民所敬佩的勇士，其父劉其才生前以竹編手藝蜚聲鄉里，曾在全省老人才藝競賽及台中縣老人作品展中獲得大獎，劉溪圳自幼隨父親學會了製做各項竹製品的手藝，再憑著自己苦學研究，舉凡魚籠、插箕、畚箕、米蘿、斗笠等，他樣樣都會，魚籠、插箕、畚箕更拿手，手工細膩，甚得各界欣賞

劉溪圳做魚籠（圖28）、插箕等已有數十年歷史，早年以編織實用性的大魚籠，大插箕較多，近年則有人請他編織迷你魚籠、插箕，做為觀賞之用。他透露插箕大都使用桂竹，取其有浸濕後不長黴的優點，往昔插箕是農村必備品，洗米、洗菜、糧穀等都用插箕，做一個插箕連破篾大約兩個半鐘頭。

住在劉溪圳隔壁的劉立富、范義妹夫婦也是編織插箕高手（圖29），這對六十於歲的老夫婦至今仍舊接受訂單，專門編製插箕（圖30），手工精緻不在話下。

六、結語

從整個東勢地區的開發過程，我們看到了先民篳路藍縷，披荊斬棘冒著生命危險，開墾這片土地。東勢先民的努力付出，兩百於年後的今天，回首東勢開墾的蒼桑史，不禁令人為這塊土地，曾付出血汗的人們致敬。這座人稱美麗山城的小鎮[9]，正展現它那迷人的美景時，卻不幸遭逢九二一大地震無情的蹂躪，使先民們所努力的成果，幾乎化為烏有，到處垂簷斷壁，橋斷屋垮，家毀人亡的慘景。大地震後的一年，東勢人正收起悲憤，努力重建家園，走在東勢街上，到處都是重建的工程（圖31），相信美麗的東勢在大家努力下終將再起，迎向另一個璀璨的未來。

---

9 東勢八景：

　1.鷹峰積雪 2.神山煙雲 3.平頂橫雲 4.科山樵歌 5.紫蟹臨江 6.大甲溪黃昏 7.匠閣崇大 8.濯足啜泉　見〈台中縣客家風物專輯〉（1982年6月名勝古蹟，94頁）

主要參考書目

東勢鎮志 東勢鎮公所 （一九九五）

臺中縣客家風物專輯 臺中縣立文化中心 （一九八二）

客家研究導論 羅香林/台北古亭書屋（一九七五）

客家源流考 羅香林/香港崇正總會（一九五〇）

客家源流新志 郭壽華/台北中央文物供應社

客家人 陳運棟/台北聯亞出版社 （一九七八）

客家源流研究 鄧迅之/台中天明出版社（一九八二）

清代在台漢人的祖籍分佈和原鄉生活方式 施福添/國立台灣師範大學地理系

世界客屬第二次懇親大會實錄/台北該大會實錄編委會 （一九七四）

香港客屬總會會刊/香港客屬總會 （一九七九）

旅港嘉應五屬同鄉會二十五週年紀念特刊/香港嘉應五屬同鄉會 （一九八一）

六堆客家鄉土誌 鍾壬壽/台北長青出版社（一九七三）

台灣縣誌 陳文達/台北國防研究院 （一九六八）

新竹縣文獻會通訊/台北古亭書屋

臺灣舊地名之沿革第二冊（上），（下） 洪敏麟/台中台灣省文獻委員會（一九八三）

台灣省苗栗縣志一地理志·苗栗縣文獻委員會 / 苗栗縣政府（一九六八）

臺灣省開闢資料續編·廖漢臣 / 台中台灣省文獻委員會（一九七六）

臺灣經濟史九集／臺灣研究叢刊第76種（一九六三）

臺灣經濟史十集／臺灣研究叢刊第90種（一九六六）

茶、糖、樟腦業與晚清臺灣·林滿紅／臺灣研究叢刊第115種（一九七八）

台灣地區神明的由來·鍾華操／台灣省文獻委員會（一九七九·六）

諸羅縣志·周鍾瑄／台北國防研究院（一九六八）

臺灣通史·連橫／台北中華叢書委員會（一九五五）

頭份鎮志·陳運棟／頭份鎮工公所（一九八〇）

來臺開基列祖家傳　　陳運棟／油印本（一九七二）

新竹縣志卷九人物志·郭輝、黃旺成／新竹縣文獻委員會（一九七六）

期刊論文

戶外生活／戶外生活雜誌社　　三台雜誌／三台雜誌社

臺灣風物／臺灣風物雜誌社　　中原週刊／中原週刊社

民族學研究所集刊／中央研究院民族學研究所

六堆雜誌／六堆文教基金會

漫談客家民系之形成與今日之客家‧夏冰／中原文化叢書第五集（一九七二）

漢族的主流──客家民系‧饒穎奇／國立歷史博物館編印「中華民族在臺灣」

客家祖先中原南遷之始問題‧黃麟書／香港崇正總會

國際人士心目的客家人‧蘇兆元／中原文化叢書第四種

客家民系之演化‧張奮前／「臺灣文獻」13卷4期

客家入墾臺灣地區考略‧連文希／「臺灣文獻」22卷3期（一九七一）

客家之南遷東移及其人口的流佈‧連文希／「臺灣文獻」23卷4期

乾隆以前臺灣南部客家人的繁殖‧石萬壽／東海大學歷史學報第7期（一九八五）

清代頭份的宗族與社會發展史‧莊英章、陳運棟／「歷史與中國社會變遷」研討會論文集（一九八二）

清代臺灣社會上升流動的兩個個案‧蔡淵／臺灣風物30卷2期（一九八０）

臺灣傳統的社會結構‧李亦園／臺灣史蹟源流

圖一　遠眺山腳下的東勢

圖四　重修後的巧聖先師廟檔案照

圖二　土牛漢人土著地界碑已於九二一地震震倒原碑已收起留下破損的說明牌

圖五　巧聖先師廟正殿「巧奪天工」匾為咸豐年間古物

圖三　客家人稱土地公為伯公此為東勢雙福祠土地公

圖六　道光年間巧聖仙師廟重建的證物

圖七　清代義民神牌

圖八　禁告中南北碑

圖九　樂助聖亭碑（右）與樂助
義渡碑（中）

圖十　九二一大地震巧聖仙師廟損害嚴重

圖十一　九二一大地震後巧聖仙師廟暫時搬遷於大
甲溪畔臨時屋

圖十二　善教堂所供奉關聖帝君神
像

圖十三　善教堂所供奉三山國王神像

圖十六　善教堂古匾「善教觀成」

圖十四　善教堂所供奉關聖帝君及
三山國王令旗

圖十六之一　已完成整地準備重建的善教堂

圖十七　善教堂的善男性女虔誠祭拜堂內神明

圖十五　九二一地震前的善教堂為三合院建築

圖十八　九二一地震前的林家大伙房

圖十九　林家大伙房內埕精美卵石地砌

圖二十二　九二一地震前的土牛劉家祖祠

圖二十　林家大伙房門樓

圖二十三　劉家祖祠古匾

圖二十四　劉家祖祠門屋貢員古匾

圖二十一　林家大伙房正廳於九二一地震損毀重建

圖二十五　林益縣老先生和他的作品

圖二十六　林益縣老先生的作品
大茶簍

圖二十九　劉立富夫婦編織插箕極精緻

圖二十七　「獨腳農夫」劉溪圳
先生和他的作品

圖三十　劉立富夫婦編織的插箕成品

圖二十八　劉溪圳的作品小魚籠

圖三十一　九二一大地震後正重建中的東勢

清末台灣民居建築彩繪的書畫風格

－本館於台灣中部清理921震災清末民居彩繪研析

楊式昭

摘要

　　彩繪是台灣傳統古建築的一項重要的部分，早期的畫師，多未見諸記載，卻在台灣建築上留下了大數量而繽紛多彩的作品。在這些彩繪作品中，出現了許多素質甚佳的書畫作品，明顯反映出彩繪畫師的個人藝術素養，與受到傳統書畫影響及台灣地域性在地化風格等因素。

　　九二一大地震之後，本館緊急動員前往台灣中部災區台中縣東勢鎮、大里鄉，南投縣竹山鎮等地，搶救古建築文化資產，計有南投縣竹山敦本堂、竹山莊宅及台中縣東勢鎮善教堂及大里鄉林大有宅等四處文物，其中含括古建築構件、木雕件及木質彩繪文物等。本文的討論範疇，即以上述南投縣竹山敦本堂、大里鄉林大有宅二處民居建築所殘留之木質彩繪部份，就其中富有書畫性意涵的七件彩繪作品，作為本文的研究素材，從彩繪書畫中所展現的裝飾觀、在地化風格、對稱之美及組成形式等，進行研究探討。

Abstract

Color-painting is an important part of the traditional ancient architecture in Taiwan. From the viewpoint of Chinese tradition, Taiwan's color paintings belong to the Su style which is a southern Chinese style. Although painters during the early period were not recorded in the history of Taiwan's architecture, they have left numerous and various colorful works. Among these works, there are many excellent works of calligraphy and painting which reflect the accomplishment of painters who were obviously influenced by the traditional calligraphy and painting, and these reasons of influence are worthy of discussion.

After the 921 Earthquake, the Museum urgently sent specialists to the disaster areas in Taichung, Da-li Village, Nan-tou County, etc., to rescue examples of our traditional architectural heritage, including the Chu-shan Dun-ben Hall in Nan-to County; various residences in Zhu-shan Village; Shan Church in Taichung; and the Lin-da-yao House in Da-li Village. Artifacts saved include such as the structures of the ancient architecture, wooden carvings and color paintings. In this article, the survivals of color-painting residences of Chu-shan Dung-ben Hall and the Lin-da-yao House in Da-li Village, especially focusing on the seven pieces of color calligraphy-and-painting works, are further discussed.

引言

　　彩繪是中國古建築的一項重要的部分，在以木結構爲主的台灣傳統建築裡，木質材料結構大都是依照古老傳統，在表面施以漆料作爲保護，並以色彩進行彩繪的裝飾作用。所以傳統彩繪除了兼具保護保固機能，並同時兼具裝飾美觀的一種藝術。

　　由於施以彩繪是建築工序最後的一個步驟，所展現在建築表面的彩繪裝飾，對建築起了極大的美觀作用。在台灣地區的寺廟及富有的民居宅院，都依據古老的傳統聘請畫師進行彩繪，由於畫師手藝的優劣高低，對一座建築的整體美有著直接性的影響，當時的畫師，多沒有見諸記載，卻留下了大數量而繽紛多彩的作品。在這些作品中，卻反映出當時傳統書畫給予彩繪書畫作品的影響，及台灣地域性在地化的風格，值得探討。

　　近十年來，學者對台灣地區的建築彩繪有進一步研究的趨勢，文建會委託李乾朗先生所主持的研究小組，進行對彩繪畫師陳玉峰作品的調查與研究，並出版研究報告「台灣傳統建築彩繪之調查研究－以台南民間彩繪畫師陳玉峰及其傳人之彩繪作品爲對象」（1993）[1]；李奕興先生的「台灣傳統彩繪」（1995）[2]「竹山地區－林圯埔彩繪」（1998）[3]等專書，收集了相當完整的彩繪資料，並展現了一種寬闊的視野。

　　本館於九二一大地震之後，緊急動員前往台灣中部災區台中縣東勢鎮、大里鄉，南投縣竹山鎮等地，搶救古建築文化資產，計有南投縣竹山敦本堂、竹山莊宅及台中縣東勢鎮善教堂及大里鄉林大有宅等四處文物，其中含括古建築構件、木雕件及木質彩繪文物等。

　　本文的討論範疇，從清末台灣書畫源流的背景探討關於清末台灣漢人民居的彩繪中書畫的風格，並以上述南投縣竹山敦本堂、大里鄉林大有宅二處民居建築之殘留木質彩繪部份，其中富有書畫性意函的彩繪作品，作爲本文的研究素材，進行探討。本文之成，承文建會第一處與馮蜀娟小姐提供相關資料及本組同仁協助，特此致謝。

一、清末台灣書畫源流

（一）晚清的台灣書畫背景

---

1 李乾朗＜台灣傳統建築彩繪之調查研究──以台南民間彩繪畫師陳玉峰及其傳人之彩繪作品爲對象1993年10月 行政院文建會

2 李奕興＜台灣傳統彩繪＞－1995年

3 李奕興＜林圯埔彩繪＞－竹山鎮公所 1998年4月

　　早期的台灣地區，在整個中國政治與文化的型態份量來說，除了是屬於疆域的邊陲，連帶著也呈現文化邊陲的意識型態；先民從十六世紀明鄭時期的開發，復經清代二百餘年的經營，受到大陸文化明顯的影響，由於沿襲原鄉的習俗與生活型態，呈現出「內地化」的現象，從所遺留的繪畫文物的風格，會豁然了解，其時的繪畫風格，與明清時代中國的藝術潮流極為一致，是承續中原漢民族的傳統文人書畫風格為其主流，是此即為

　　邊陲小島濡慕中原文化，所描繪出的一種從屬於中原文人繪畫，而又呈現地方色彩的流風遺緒；此為台灣與中原文化的血源關係，作了相當的說明。但以質量而言，實難以和中原文化藝術等量齊觀。

（二）清末台灣的書畫流風

　　史家連雅堂在＜台灣通史＞中說：

> 「繪畫為文藝之一，開闢以來，善畫者頗不乏其人。」

　　在中國繪畫史的研究上，晚清繪畫一向被視為「呈現歷史的衰落」[4]，台灣遠居於邊陲，明清時代與大陸之間一直有著相當密切的文化交流，乾隆、嘉慶年間台灣經濟漸趨繁榮，逐漸重視繪畫，由於台灣的地理環境的關係，受到福建地區的閩籍畫家的影響最大，如畫家林紓、謝琯樵、許筠等都是福建人；台灣與福建的關係如此密切，這亦是美術史學者李鑄晉在＜中國現代繪畫史－晚清之部＞中把福建和台灣列為同一個章節的原因[5]。其中人物繪畫，明顯見到「揚州八怪」中福建畫家黃慎（1687-1768）的影響，臺灣繪畫多受閩派影響，而形成所謂深厚獷氣的「閩習」，都被台灣的繪畫風格承繼下來，此為台灣文化上呈現出濃厚的「內地化」的現象所在。

　　台灣繪畫傳承「揚州八怪」及「閩習」之遺緒，大體上包含了以裝飾為目的民間畫師作品，這些作品除了傳統的近似文人花鳥水墨畫作品，亦散見於一般廟宇彩繪、佛教與道教圖像、年畫等，以及趨向吉祥的繪畫題材；出生於乾隆中期，卒於嘉慶中期（1739－1816年）的台灣水墨畫家林朝英，公認是台灣早期的繪畫代表人物（圖1）。他所留下的作品，大約是台灣目前保存最早的繪畫，早了油畫和膠彩畫一個世紀之久。

　　至於繪畫風格而言，從現存的作品來看，「揚州八怪」諸家的畫風對臺灣的花鳥和人物圖畫影響最大，使得清末的臺灣繪畫題材，以花鳥畫為主，歷史傳說人物為輔，與中原以山水畫為主流不同；乾隆時期畫家莊敬夫（圖2），繪畫多取材於吉祥涵義的主題；嘉慶、道光時林覺的繪畫則大多取材於臺灣風物

---

4 李鑄晉、萬青力＜中國現代繪畫史－晚清之部＞著者序頁4　石頭出版社　1998
5 李鑄晉、萬青力＜中國現代繪畫史－晚清之部＞石頭出版社　1998

（圖），此一取材性更加影響台灣繪畫發展屬於台灣地域性「在地化」的繪畫風格，至清末光緒年間，台灣書畫的「在地化」風格已然成形。

其中值得一書的是台灣的書法風格，來自四百年來明鄭時期所傳來的明末書風，以俊逸的行草書法為主，與清代乾嘉以降所主導的以金石、碑學為主的書風，大相逕庭。此亦是「在地化」的另一個明顯表徵。

（三）日據時代初期台灣書畫

日據前期的台灣書畫有嚴重的停滯現象，其原因在＜台灣省通志＞「學藝志・藝術篇」記載：

> 「光緒二十一年本省陷日，自是年起至民國十三年之間，本省美術界
> 可謂一片空白。蓋因淪陷之前尚有一般士子浸淫制藝，而及於書畫；
> 然自淪陷以後，不願向異族低首者，紛紛西渡而去；而因家累羈留故
> 里者，則因緬懷祖國沉淪詩酒，相繼凋殘。」

1895年至1924年間，台灣地區有「亡國之痛」產生停滯現象，另一方面，此與日治政府關係如何，王秀雄在＜台灣美術發展史論＞中敘述：

> 「日人據台的五十年間（1895－1945），前階段注重於治安（平定各地
> 的反抗運動）和各項經濟建設，俟現代化社會必須的基本建設大體完
> 成了，後階段才致力於文化振興的工作。」[6]

日人據台初期（1895-1924）台灣政局的不安定，雖然阻礙了文化藝術的發展，但卻使日本人直到1924年才開始著手日式文化振興的策略，亦因此在日人據台初期，台灣的傳統書畫仍然保有著原有的精神，長達二十年之久。

二、清末台灣漢人民居的彩繪風格

（一）清末台灣漢人民居形式

台灣民居包括了漢人與原住民兩種傳統類型，漢人移民中又可細分為閩南與粵東兩系，其中漳泉之差異較少，其中客家民居明顯地呈現獨自的特色。歷經三百多年的演變，台灣的自然地理因素又融入了移民的建築，因而產生宜蘭、台北盆地、桃竹苗、台中地區、南投、嘉南、以及高屏一帶各地民居之差異，分別在平面格局、空間組織與建築材料三方面表現出來。

依據現存清代及二十世紀初年所見之傳統民居，大致上可歸納為七種基本類型：

---

6 王秀雄＜台灣美術發展史論＞頁28 國立歷史博物館 1995年

1一條龍2正身帶護龍3兩落兩護室4三落兩廊兩護室5五落兩廊兩護室6多龍護式7手巾寮式。其中第2類型－正身帶護龍類型，即俗稱的三合院，其正身面實三至七間，護室可多達三間以上，這可說是台灣漢人民居的基本原型[7]，本文所討論的台灣中部地區民居，即屬此類。

（二）台灣建築彩繪發展情況

彩繪是台灣傳統木結構建築裡的重要特色之一。木質材料結構大都依照古老營造傳統，採取防護措施，在表面施以漆料保護，並進行彩繪的裝飾；台灣傳統寺廟及富有的民居宅院，均依古老的傳統聘請畫師進行彩繪，留下了繽紛多彩的民間匠師的作品。從中國彩繪承傳視之，台灣的彩繪屬於蘇式彩繪系統，亦即南方風格之彩繪。但由於台灣氣候溼熱，頗不利於彩繪之保存，加以寺廟每隔數十年總要修葺一新，樑上及壁上的彩繪亦隨之毀去重繪；此亦是台灣地區建築上的彩繪年代較晚的主要原因。

台灣建築彩繪發展，清代中期以來以科舉鄉紳為主體的構架漸趨式微，清代後期之台灣社會，豪族的影響進入城市，建築彩繪在台灣社會屬於一種高消費力的行為，除當時的公有建築、廟宇以外，祇有富紳豪族能夠支付相當高額的費用，此為一般民居建築少見彩繪的原因。如以南投竹山地區而言，即有完成於清光緒三十二年（1906年）的敦本堂，可視為當今竹山各建築彩繪作品最早者；其次分別是民國四年的陳佛照公廳、劉氏家廟、民國五年的張登邦宅，民國九年的莊招貴公廳前的門亭、民國十五年莊招貴公廳正身護龍及民國十六年陳善述宅等。

（三）台灣民居彩繪中書畫的特色

台灣建築民居彩繪，大體而言，和大陸清式的「蘇式彩畫」有異曲同工的形式特徵，如「蘇式彩畫」的包袱、枋心、海漫、招籤頭、招籤頭搭包袱構圖等，都大致相同。本文所討論的範圍，屬於彩繪中之書畫部分，上述建築彩繪中俗稱「垛頭」的「枋心」部位，常有繪畫的展演描繪；如建築正廳的隔間牆上，也常見書法及繪畫的繪製，這些傑出的書畫作品豐富了台灣彩繪的內容，提昇了台灣彩繪的藝術性層次。台灣建築民居彩繪中的書畫作品，帶有著民俗的書畫風格，其特色有三：

1「在地化」的繪彩書畫風格

清代中期後，台灣在物質條件趨向穩定之後，工藝產業開始走向較為獨立自主的發展，逐漸調適出屬於自己本身的一套秩序與生存方式，因此便在內地化

---

7 參見李乾朗「台灣民居的具體意象」頁95收入＜兩岸傳統民居資產保存研討會論文專輯＞－中華海峽兩岸文化資產交流促進會 1999年

的基礎上，逐漸發展出與原鄉互異的「在地化」的特色[8]。「在地化」的若干特徵反映在建築彩繪方面，建立了一種地域性的「在地化」彩繪風格，這種「在地化」彩繪風格，越到清代晚期，台灣南、北、中部的地域性發展區別越趨明顯。

從現存彩繪畫作品來看，應是受到台灣藝壇上成名的書畫家作品風格感染，同樣深受「揚州八怪」諸家風格的影響，題材以花鳥畫為主，歷史傳說人物為輔，也多取材於吉祥主題及臺灣風物，此一取材特質是與台灣書畫取材方向相當一致的。從鹿港清同治年間郭振聲在潭子摘星山莊之人物作品，可見到「揚州八怪」的人物畫影響。[9]除此之外，見設計方式的改良，如下文所述之林大有宅二十四孝壁繪上，台灣彩繪盒子多樣式的構圖風格，即是一例。

2講求文人書畫素養的彩繪畫師

前曾述及，台灣書畫家自清代以來，深受「揚州八怪」及福建「閩習」深厚獷氣的畫風影響，承傳了自大陸閩粵的書畫風格，形成了一種「內地化」的書畫風格；清代的文士多從事於書畫，在書畫界起著領導作用，在社會上有高度的社會地位。而彩繪畫師是屬於一般社會低階層的匠師，大多出身卑微未受良好教育，僅能跟隨匠師習藝，期滿出師工作，在以知識份子為主的社會中地位不高。但從彩繪中的書畫作品中觀察，卻有相當數量的佳作出現，雖然在質與量上，無法與當時書畫家作品相比，但亦展現了一定的藝術水準，並在繪畫風格上有著類似的相互影響的情況。此一原因，則是來自彩繪畫師的高度繪畫素養，如鹿港郭友梅即是能油、能畫、能書三全的享譽全台的全能畫師，更能自創畫稿、且漢學素養深厚，此種藝術基本素養，都為他的門下弟子所遵循，傳承了相當近似的風格，產生大量作品[10]以中部地區而言，畫師所留下的彩繪作品，在南投竹山地區的敦本堂（1906年），可視為當今竹山各建築彩繪作品最早者。其次分別是民國四年的陳佛照公廳、劉氏家廟、民國五年的張登邦宅，民國九年的莊招貴公廳前的門亭，民國十五年莊招貴公廳正身護龍，及民國十六年陳善述宅。這些建築的彩繪，均屬於郭氏流派的郭啟薰或柯煥章所作，他二人在當時已經非常有名，已執中台灣建築彩繪的牛耳；都以大量運用書法及花鳥人物作品等文人畫風為最高時尚，其中尤以柯煥章的表現最能突顯當時台灣傳統彩繪一貫講求書香門第的裝飾觀，其用色有著不慍不火的儒雅習氣，極盡展現個人渾厚的詩書才學和素養。

3台灣的本土彩繪畫師之傳承

在清代道光以前，並無台灣本地專業於建築彩繪的相關文獻紀錄，僅見

---

8 參見李豐楙「台灣信仰習俗概說」頁26＜歷史文物月刊＞67期1999年2月

9 同註1 頁45右上圖

10 參見李奕興＜台灣傳統彩繪＞－56頁 藝術圖書公司 1995年6月

「彰化縣志」中提及「畫工蔡推慶」而已[11]，至於該時期台灣各類建築是否有彩繪情形，亦無相關文獻提及。至於台灣的本土彩繪畫工的活動狀況，大約是在清中葉道光年以後才逐漸爲人所知。最初是由一批來自大陸相當數量的廣東福建的畫師，稱作「唐山師」，在台灣建築從事彩繪的工作，卻未能留下姓名紀錄；清代中葉以後，才有畫師陸續在台定居，如來自泉州石湖地區的專業畫師郭友梅，在鹿港落籍，成爲最早的彩繪畫師代表，並傳承了若干傑出弟子如郭啓薰、柯煥章等[12]，成爲台灣中部最重要的彩繪畫師流派。此外，著名的畫師尚有台北的洪寶眞、吳烏粽等。李乾朗在1993年所主持研究的＜台灣傳統建築彩繪之調查研究－以台南民間彩繪畫師陳玉峰及其傳人之彩繪作品爲對象＞中對台南地區畫師有若干紀錄，由於本文的主題偏屬中部地區，不在本文討論範圍之內。

三、九二一本館於台灣中部清理清末民居彩繪書畫部分研析

九二一大地震之後，本館緊急動員前往台灣中部災區，搶救古建築文化資產，計有南投縣竹山敦本堂、竹山莊宅及台中縣東勢鎭善教堂及大里鄉林大有宅等四處文物，其中含括古建築構件、木雕件及木質彩繪文物等。本文的討論範疇，即以上述南投縣竹山敦本堂、大里鄉林大有宅二處民居建築之殘留木質彩繪中，選取屬於彩繪之書畫七件，進行研析。其中包含建築彩繪中俗稱「垛頭」的「枋心」部位的繪畫，建築正廳的隔間牆書法、繪畫，及土埆牆壁畫等。

台灣建築彩繪最爲興盛時期，約從日據時期1912-1930年之間。本文所探討的台中大里林大有宅（1888），及竹山敦本堂（1906）均在此之前完成。由於台灣氣候溼熱，頗不利於彩繪之保存，每隔數十年總要修茸一新，樑上及壁上的彩繪亦隨之毀去重繪，此兩處的彩繪雖然距今已有百年上下的時間，雖然並不是保存完好的狀態，卻幸運的保持了彩繪的原始面貌。

（一）、台中大里林大有宅壁繪（1888年）

由於台中大里林大有宅之前並未見於任何著錄及研究，經九二一震災現場本館研究人員羅煥光協助查證整理資料如下，對本宅得有一初步認識。

林大有，原籍漳州平和縣人，爲前清武秀才。此宅爲林大有所建，位於台中縣大里鄉樹王路206號。建築年代爲清光緒14年（1888），前後耗時三年始建成。林大有宅的格局爲座北朝南略偏西，爲一單院落四護廳式的三合院建築，正身帶護龍，這是台灣漢人民居的基本原型。四條護龍間均設有入口門道出入，外護山牆有圍牆連結於外山門，如此形成整個三合院的防護，三合院正身前建有拜

---

11 見李奕興＜林圯埔彩繪＞－54頁 竹山鎭公所 1998年4月
12 見李奕興＜台灣傳統彩繪＞56頁 藝術圖書公司 1995年6月

亭，護龍中間亦建有過水亭。

　　林大有宅正身大廳（名間）為神明廳，左右次間及內護龍的私廳供作客廳使用，廚房餐廳則設置於正身與內護龍交接處，其餘的房間大都作起居房，正身作凹形設計向廳內退縮，正廳前部與拜亭樑架上均有精美木雕及彩繪，正身正廳用彩繪板牆作隔間，其他牆壁為土埆砌成，外牆部份為紅斗子磚牆形式，內部牆壁大都是以白灰粉飾，正身與山門均採燕尾屋脊，拜亭為歇山式屋頂建築，美輪美奐，其餘護龍採馬背式山牆，正身次間的磚雕圖案八角窗，與護龍外磚雕瑞獸等圖案，精緻美觀，為台灣閩式民居少見的上乘佳作，可惜於九二一地震時，此宅受損倒塌大半（圖3），僅存二次間及左內護龍尚在，其餘斷垣殘壁。本館於九二一震災時搶救本宅[13]，將正廳前部與拜亭樑架之精美木雕及彩繪，及正廳隔間之彩繪板牆，一併運送到館，進行整理工作。

1 楣枋彩繪板（圖4）

　　在建築彩繪中俗稱「垛頭」的「枋心」部位，常有繪畫的展演描繪；此件楣枋彩繪，兩側樑頭部位飾以捲草紋，並用泥金書「滿」、「堂」二字，再以藍色及紅色雙硬卡子，在枋心框出一個繪畫構圖，繪畫內容為文人雅集之事。構圖左側繪一敞軒，軒中書案旁有文士四人或坐或立，讀書弄筆；圖右側則繪軒外庭中，一儒雅之士漫步而至，小僮挑酒傍行，庭中松下二文士彈琴踞坐相迎之。（圖5）

　　繪板保存不良，左側脫漆，彩繪呈現模糊不清現象，但仍約略得見所繪情狀。用筆及賦彩均有一定水準，構圖層次尤見功力，表現台灣傳統書香門第裝飾觀，為台灣繪彩中之佳作。

2 二十四孝彩繪人物牆板（圖6）

　　此彩繪牆板係位於正廳左側中間之隔間壁板，共由七片木板所組拼而成，彩繪剝落，木片斷裂嚴重。牆板所繪者係以二十四孝為繪畫題材，因此全幅分為二十四個盒子構圖，共分四行，每行有六個盒子構圖，各繪其中之一。此幅較引人注目者，則是表現了台灣彩繪盒子多樣式的構圖風格，大不同於蘇或京式彩繪；盒子的構圖風格具有多樣式造型，有－開卷、扇形、雲形、菱花、瓜形、石榴形、桃形、圓形、多角形、橢圓形、六角形、腰子形、甕形等二十四種，變化多端，竟無二者相同者。

　　此件應為台灣地區彩繪包袱構圖的代表之作，涵蓋了二十四個不同的盒子造型之美。其中所繪二十四孝故事，顯現了清末精緻的人物畫風格，雖因時代久遠畫面呈現模糊狀態，仍可見極富變化的小構圖經營心血，而用筆略顯纖弱，其

---

13 由本館研究組陳永源主任及羅煥光先生到場搶救

中如「文帝親身嚐湯藥」「蔡順採桑供母養」（圖7）、「郭巨埋兒天賜金」「江華負母逃兵災」（圖8）、「剡子入山取鹿乳」等，所繪人物生動有致，均爲上乘水準。

3　彩繪行書中堂板牆（圖9）

此彩繪書法牆板係位於正廳左側之隔間壁板最內側，由五片木板所組拼而成的一片面板之上，以行書中堂書之，書云：「郭恕先岳樓圖絹本，高尺五寸，界劃精細，樹石蒼古，遠山漁艇，尺幅中具洞庭□概在鉅觀矣。」第四五行各模糊一字不可辨識。此幅中堂，書法宗法黃庭堅，筆勢挺拔而墨氣縱橫，雖未見落款，由書法造詣深厚之處判之，應係屋主之文友所作，與對面書壁之書法四屏作品屬同一類作品，應無殆言。

4　彩繪行書連屏板牆（圖10）

此彩繪書法牆板係位於正廳右側隔間壁板最內側，與對面的書法板牆相面對，共由七片木板所組拼而成，形式如同書法裝潢的四幅連屏，亦如裱褙格式，每屏都以紅彩鑲框，以行書書云：「余寓居開元寺之怡思堂見江山，每於此中作草，似得江山之助，然顛長史狂僧皆停酒而通神入妙，余不飲□十五年，雅欲善其事而莫不利，行筆處時時塞厥計，遂不得復如醉時書也。學周宗兄之屬　贊文紹年」連屏第三幅起首第一字，剝落漫漶不能辨認。

由書法落款「學同宗兄屬　贊如　紹年」用語可知，此並非一般畫師所繪，應係屋主之友「紹年」所書。依所寫行書書法風格，有米字瀟灑高遠之風致，爲一般彩繪中少見者，而應以文人書法留壁之雅事論之。

（二）、南投竹山敦本堂彩繪（1906）

關於南投竹山地區的敦本堂林家祖厝，由於是台灣十大民宅之一，已見諸建築著錄多處，如楊仁江＜台灣傳統民居建築－竹山敦本堂＞[14]，李奕興的＜竹山地區－林圯埔彩繪＞一書中，有專章介紹[15]等。

敦本堂林家祖厝，係遜清武官林月汀氏（1870--1931）的士紳宅第。按該宅門廳格間牆木格扇書畫落款年代「丙午年初春」所推斷，敦本堂林家祖厝落成的時間，應於清光緒32年（1906），正值日據後12年的明治三十九年。雖然興建於日據初期，但該宅的建築形式，仍然維持著台灣傳統民宅的四合院方正格局形式。

敦本堂林家祖厝中有許多彩繪作品，可視爲目前竹山各建築彩繪作品最早

---

14 楊仁江＜台灣傳統民居建築－竹山敦本堂＞1985

15 李奕興＜林圯埔彩繪＞－竹山鎮公所　1998年4月

者，雖曾列入建築彩繪等調查資料，但由於本宅並未列入文化資產保存法保護，致使九二一地震傾塌之時，在搶救工作開始之前，已被劫掠一空，彩繪作品部分僅餘不可移動部分殘留於原址。其中位於門廳背面次間的白灰壁畫彩繪牆－「竹茂」、「苞松」，及繪彩木門等三大件，經本館人員於現場搶救，運回本館修護後展出[16]。茲以竹山敦本堂石灰牆面二幅壁畫及繪彩木門等三大件，分述如下：

1 「竹茂」白灰土埆牆壁畫（圖11）

竹山敦本堂白灰土埆牆壁畫，位於第一進的門廳背面次間，牆面分上下二堵，下堵為條砌磚牆，雙道水磨磚框，框內凹陷仍作條砌，亦無琉璃花磚，上堵用白灰粉刷牆，粉出邊框，施以彩繪。利用框與底之落差，作成左右放置之彩繪對聯，中間上方書法橫披及下方圓形繪畫中堂（圖12）。

右次間壁面雖為繪彩作品，卻展現了繪畫與書法一整組畫面的構成，橫披以青色繪彩鑲，以四隻蝙蝠護住圓框四角，框內繪傳統水墨畫一幅，左側題款云：「難得名花盛開 旅寫陳英」，「難」字已模糊損失，描繪一片山水之古松居舍間，有一文士閒坐庭園賞花的情景（圖13），繪畫技法，與揚州八怪中黃慎的筆墨趣味十分相近，與其他彩繪畫工的技法相較，尤富有濃厚的文人氣息。左右兩側有以「敦本」二字起首的嵌字行書對聯，上聯為「敦孝友以傳家繩其祖武」，下聯為「本精勤而創業貽厥孫謀」。在楊仁江＜台灣傳統民居建築－竹山敦本堂＞中有於1984年所攝之本牆尚存的陳列畫面（圖14），陳設的一几二椅與觀音雕像，使古雅之家原貌的景象重現。

2 「苞松」白灰土埆牆壁畫（圖15）

左次間壁面繪彩作品，與前右次間壁面繪彩作品格式相同，展現出左右相對稱的繪畫與書法一整組同式的畫面構成，橫披以水墨繪彩鑲邊，上下為山水，左繪竹而右繪蘭，色彩脫殘大半，內以行書書寫「苞松」二字，與「竹茂」二字遙遙相對。松與竹對仗工整，是建築裝飾中大對稱中之小對稱。下方有四隻蝙蝠護住圓框四角，框內繪傳統水墨畫一幅，繪小軒依山而築，竹窗內有兩人燭前對語，其中可見「閩習」福建繪畫趣味，題款云：「夜雨竹窗問語 雪山畫寫」，畫者為雪山。左右兩側有以「敦本」二字起首的嵌字行書對聯，上聯為「敦厥慈孝友恭道惟敬止」，下聯為「本諸智仁義理德乃日新」。「日」字下緣裂開殘損。本件壁畫曾收入楊仁江＜台灣傳統民居建築－竹山敦本堂＞（1984）中[17]，其中對聯圖收入李奕興先生之「台灣傳統彩繪」（1995）中[18]，二書圖片所顯示的情況

---

16 郭祐麟「 921震災後竹山鎮「敦本堂」灰泥土牆壁畫揭取技術及省思」收入＜牆＞，國立歷史博物館，2000年5月

17 楊仁江＜台灣傳統民居建築－竹山敦本堂＞圖48

18 李奕興＜林圯埔彩繪＞26頁，竹山鎮公所 1998年4月

均較震災後好的多。本件作品在九二一震災後送回本館修復，在「牆」展覽中展出，刊錄於「牆」展圖錄。[19]

3 繪彩木門

此繪彩木門的整體形式，大致上是同於「竹茂」、「苞松」白灰土埆牆壁畫的格式，但用於製作門庭木門的關係，繪彩於木門上。木門兩側的對聯形式的中堂，以繪畫表現。中間上方原有橫披已失，下方為一方框，方框四角雕飾四隻蝙蝠護著圓形的直條鏤空窗。左側中堂繪製水墨花鳥畫一幅，描繪扶疏的花木下，一隻雉雞於石上憩息的情景。木門右側所繪的水墨花鳥畫（圖16），是採取與左側的繪畫相互對稱的構圖方式，描繪在芙蓉花下禽鳥作品。二幅繪畫作品原有彩繪，但已因年代久遠而嚴重斑駁退色，以致模糊不清。本件作品在921震災後運回本館修復後，曾於本館「牆」展覽中展出，刊載於「牆」展圖錄。

四、結論

台中大里林大有宅（1888），及竹山敦本堂（1906）的彩繪中的書畫作品，由於年代相近，又同屬台灣中部地區範圍，所以二者間具有類似的特質；彩繪中書畫風格，深具清末傳統書畫「在地化」表徵。書畫作品是以書香門第的裝飾觀作為環繞的主題，而傳統的對稱手法比比皆是；在書畫組成的基本形式上，以書、畫搭配的組成，呈現出圓形中堂居中，上設匾額，左右陳設對聯或繪畫的整組裝飾手法等，茲分述如下。

（一）書香門第的裝飾觀

從林大有宅及敦本堂林家祖厝的建築裝飾，無論是外牆或是內屋，都大量使用文人書法繪畫裝飾的情況，無非是極盡展現個人渾厚的詩書才學和素養，以林大有宅為例：正廳楣枋彩繪板的枋心繪著文人雅集的情境；正廳兩側所繪的書法，更出自文人手筆，墨氣揮灑極見雅致；正廳側所繪的人物繪畫，亦以二十四孝故事為主題，更有「詩禮傳家」教育子孫的意義。此一書香門第的裝飾觀，是代表著清末台灣上層社會的傳統風尚，與豪門大族「詩禮傳家」的基本精神。

（二）「在地化」的繪畫風格

本文所討論的案例，無論是清末所建造的林大有宅彩繪，或是在日據時期所建造的敦本堂林家祖厝彩繪中的書畫，都展現了清末台灣傳統書畫的特徵，林大有宅彩繪（1888）完成於清末，甚至完成於日據時代的敦本堂林家祖厝（1906）彩繪，也未有受到日據時期文化的影響痕跡。此一原因，即為本文第一章節中所

---

19 ＜牆＞63頁圖1，國立歷史博物館 2000年5月

論，台灣承續中原漢民族的傳統文人書畫風格爲其主流，呈現出「內地化」的現象；以「內地化」風格爲基礎，揉合出一種「在地化」的台灣書畫風格，一直延續到日據中期。得以延續的主要原因，本人曾在論文「百年來台灣水墨畫之消長」中論及，在日據1927年以前，日本對台灣的文化尚未見諸影響[20]，此一論點，與台灣彩畫在民國十年至二十年間開始產生變化，在時間序上是相當吻合的[21]，1927年後日本東洋畫對台灣逐漸產生影響，使此一傳統「在地化」的台灣書畫風格逐漸沒落，另一種以日式爲基礎的台灣本土繪畫於焉而興。如1928年由田中許寶之彩繪，可見西洋及日本浮世繪的影響。[22]

（三）「在地化」的書法風格

台灣的書法風格四百年之傳遞與建立，主要源於明鄭傳來的明末行草書風。此可由林大有宅正廳壁之書法得到相當之印証。其有別於清代書學以金石、碑學爲主要骨幹的書風。

（四）書畫組成的基本形式

上述敦本堂林家祖厝所見的三個案例，都展現了下述基本性的組合形式：左右成對的書法或繪畫，中間上端橫披，中間圓形繪畫或類似窗花的造型，是清末民初最基本的書畫配搭形式。此種形式非僅使用於繪彩，在林大有宅的外牆窗飾亦有同樣形式的類似做法（圖17）。此種基本組成形式可說是晚清台灣地區建築中主要的裝飾手法，並以各種質材不同的交互使用出現（圖18）。

（五）彩繪對稱之美

上述討論之敦本堂林家祖厝「竹茂」與「苞松」兩組白灰壁畫彩繪牆，有意的設計出左右對稱的形式，是所謂建築裝飾的大對稱，增加了趣味性。「竹茂」與「苞松」對仗工整的書法橫披，則是兩組書畫的小對稱，將兩組的書畫精神凝聚起來。在林大有宅正廳書法作品壁繪，亦是左右的對稱之形式，屬彩繪對稱之美的另一個例子。

20 楊式昭「百年來台灣水墨畫之消長」頁150-151收入＜台灣水墨畫學術研會論文集＞
　　國立歷史博物館　1999年5月

21 李奕興＜台灣傳統彩繪＞31頁—藝術圖書公司　1995年6月

22 同註1 頁49左下圖

圖見＜台灣傳統民居建築—竹山敦本堂＞121頁17圖第一進右次間背面牆身詳細描圖圖
　　見＜台灣傳統民居建築—竹山敦本堂＞69圖

圖1 清　林朝英　雙鷥圖
採自〈明清時代台灣書畫作品〉圖34　文建會

圖2 清　莊敬夫　福祿朝陽
採自〈明清時代台灣書畫作品〉圖46　文建會

圖3　台中大里林大有宅震塌現場　正廳（羅煥光攝）

圖4 林大有宅楣枋彩繪

圖5 林大有楣枋彩繪局部

圖6 林大有二十四孝彩繪牆板

圖7 「文帝親身嚐湯藥」（上）
　　「蔡順採桑供母養」（下）

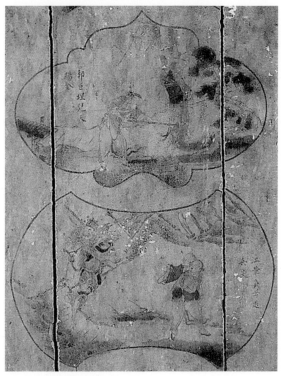

圖8 「郭巨埋兒天賜金」（上）
　　「江華負母逃兵災」（下）

圖9 彩繪行書中堂

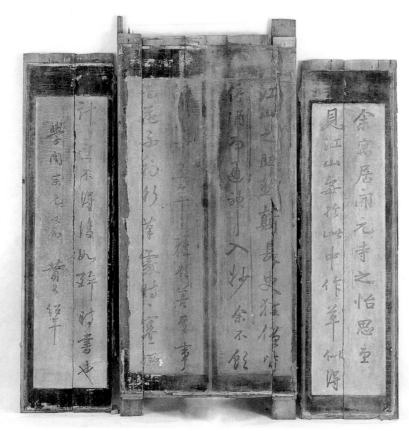

圖10 彩繪行書四連屏

圖11 「竹茂」壁繪

圖12 「竹茂」壁繪描圖 採自〈台灣傳統民居建築─竹山敦本堂〉121頁17圖

圖13 「竹茂」壁繪局部

圖14 「竹茂」壁繪於震災前景象
採自〈台灣傳統民居建築─竹山敦本堂〉69圖

圖15 「苞松」壁畫

圖16 敦本堂繪彩木門局部

圖17 林大有宅圓形壁窗形式　（羅煥光攝）

圖18 林大有宅八角壁窗形式

水里蛇窯與台灣陶瓷史
一兼談集集大地震後重建

成耆仁

摘要

南投水里窯雖在山區，交通十分發達，並有豐沛的水資源，木材(薪)和陶土，非常適合陶業發展。

水里窯於一九二七年由林江松建窯至今已有七十年歷史，自一九八四年由目前的主持人，即第三代林國隆接棒並經營。民國七十七年文建會認定「水里蛇窯」具有保存價值，因而製作了紀錄片，之後知名度提高並被列入旅行團的「觀光景點」。受到肯定之後，水里窯即代表台灣傳統陶業文化並致力推廣各項陶藝相關活動。

由於水里位在集集大地震斷層上磐山麓區的緣故，受到嚴重的地震災害；窯爐倒塌、展示門窗玻璃碎了、展示中的陶瓷作品也破碎了。地震過後一次筆者前往訪問水里蛇窯時此窯仍然在整修中。

這次地震的經驗和活教訓，水里窯趕緊補充尚未具備的各種防震設施，以防止再次受到災害，平時更是做好安全工作，把珍貴的文化遺產留給子孫，一代一代傳下去。

前言

在臺灣地區發現距今年代約8000-2000年的新石器時代文化層內，多數都出土新石器時代陶器（片），說明，漢人來台以前，台灣已有製陶技術。

漢人來台後，臺灣人日常用陶瓷器多半仰賴於大陸進口，因此，日本人治臺灣以前的製陶技術大致來自大陸，日治以後則在日本技術主導下快速成長，並對臺灣經濟發展帶來正面影響，相關細節請參考筆者另一篇論文「探討臺灣陶瓷史與經濟發展關係」[1]。在日治時代建窯，一直以生產日用生活陶器而著名的水里窯而言，是台灣傳統陶藝的代表，至今已經有七十多年的歷史，但不幸此窯在去年九二一集集地震時受到嚴重破損，地震過後的一次專程訪問時，此窯仍然在整修工作中。

壹、臺灣陶瓷史

一、陶業的興起

早期，移民臺灣的漢人自大陸帶來陶質日用器皿以及製陶技術，由此臺灣人學會燒陶器，但技術尚未成熟，產品以瓦磚等建築用品和粗質日用器為主。多數日用器皿仍由大陸福建一帶的漳州、泉州、福州等地進口，其中也有品質較佳的江西景德鎮製品。

這些大陸進口陶瓷器是由專司陶瓷器的機構「瓷仔郊」配銷[2]。然而由於有大陸遷移、居住在南台灣的製陶技術人員的技術指導，使得臺南、彰化等多處陶工漸能燒品質較佳精緻、小型陶器以及工夫十分精美的彩繪煙斗、花瓶和小型器物。根據「臺灣通史工藝志」記載：

> （省略）有興化人來南。居於米市街。範土做器。以售市上。而規模
> 甚少。未久而止。唯彰化有王陵者。善製煙斗。繪畫鳥。釉彩極工。
> 一枚售金數圓。次為臺灣郡治之三王。其法傳自江西。而王陵且能製
> 瓶罌之器。亦極巧、惜乎僅為玩好之物。不能與景德媲美也[3]。

此外，臺灣文獻也有記載，有關臺灣人燒陶的相關事宜；例如，明末至鄭成功據臺年間，有來自中國大陸的陶工教民燒瓦，至嘉慶元年(1796)在南投縣設窯燒磚瓦，到了道光年間(1821)設頭、中、尾三窯試燒各種陶器，從此陶窯逐漸出現在臺灣全島。然而，日治時代(1901-)南投廳日籍廳長小柳重道為開發廳下的

---

1 成耆仁，「探討臺灣陶瓷史與經濟發展關係」，『臺灣文化百年論文集』，臺北，國立歷史博物館，1999年12月，頁455-492

2 東嘉生，『臺灣經濟史研究』，臺北，東都書籍株式會社臺北支店，昭和19年，頁293-304

3 連橫，『臺灣通史‧工藝志』卷26下，南投縣，省文獻會，民國81年，頁724

產業，由日本延請專家龜岡安太郎來臺灣技術指導，並設立技術訓練所，於是早期「南投窯」陶器成為台灣州的名產。並於昭和二年(1927)設立「南投陶器同業組合」，自此陶器手工業快速成長。另外，來自福建泉州的吳姓陶工在大湖設立窯場，而後由原址遷移到鶯歌，並在大正年間(1921)設立「尖山陶器組合」，技術與品質方面逐漸現代化。

早期北投地區的陶器發展也十分可觀：明治四年(1911)日人松本太郎在新北投設窯，稍後成立「北投窯業株式會社」。此時對陶業有興趣之其他日本籍商人亦設窯或組織公司，從事陶器買賣，如「大屯製陶所」、「臺灣陶器株式會社」、「苗栗窯業株式會社」(1918)、「新竹窯業株式會社」(1919)等[4]，此時，新窯場或新成立的陶器公會如雨後春筍般到處可見。由於，苗栗地區以天然氣為燃料，效果良好，於一九四二年乃投資日幣二百萬元設立規模龐大的「拓南窯業工場」，計劃生產高級瓷器[5]，然而，好景不常、局世丕變，以及第二次世界大戰的爆發等諸多因素，不得不暫行關閉窯場。

二、日治時代的發展

前已述及日治時代由日本引進製陶技術與專業陶工，推動陶瓷工藝，由此南投、北投等地出現多處窯場或陶瓷組織。另一方面，日本政府在整理、研究臺灣風俗、民情，廣泛蒐集相關資料時，得知臺灣嘉義地區「葉王」(師承廣東師父)所燒陶(名為「嘉義燒」)參加世界博覽會並展出，且獲得非常好的評價與肯定，於是派遣專人來臺灣蒐購各類民藝品，結果「嘉義燒」在一夜之間身價高漲，由此嘉義地區低溫釉交趾陶[6]的名氣，也得以一日千里的發展。

此後，臺灣地區的陶塑工藝，逐漸脫離內地陳舊的做法，開始表現適當的誇張手法並抓住剎那間的動態為永恆的停留點，故而作品富於動感，用色強烈又鮮艷，比起大陸內地傳統陶塑作品，富有華麗、濃烈而誇張之美感。

因此，日治時代臺灣陶業比以前進步、多元化，如交趾陶之多元化、臺北松山蔡竹山的陶瓷作品入選於日本美術協會百年展等。

而且，以往依賴大陸進口的日用陶瓷器，由於日本政府運用關稅手段，逐漸由日本製陶瓷器替代昔日大陸製陶瓷日用器皿，日本陶瓷器遂佔絕大多數市場

---

4 (1) 陳新上，『展示內容大綱及展示腳本』，臺北縣，臺北縣立鶯歌陶瓷博物館籌備處，1999年，頁3-4
　(2) 黃李朝倉，「從臺灣青花瓷器談臺灣陶瓷史」，『明清民窯青花瓷紋飾特展』，臺北，國立歷史博物館，1985年6月，頁6-7

5 顏水龍，『臺灣工藝』，臺北，光華印書所，民國41年，頁77

6 臺灣省立美術館，『陶藝研究彙編』，臺中，臺灣省立美術館，民國81年6月，頁28-31記：
　交趾原是越南中、北部一個地方的郡名(河內)。臺灣交趾陶原於廣東佛山石灣交趾陶。臺灣地區因寺廟建築發達，而相關工藝興旺，初期由廣東師傅教藝。

的供應量，臺灣依賴大陸製陶瓷器的程度逐漸降低[7]。

三、臺灣光復(1950-)以後

臺灣光復後臺灣陶瓷業的發展更形一日千里，經濟部為號召「恢復民族工藝」，陶藝列為重要民族工藝的項目之一，因此在經濟部屬下的聯合工藝研究所內成立「陶藝研究室」，並於民國四十七年聘請陳煥堂先生加入，與日本專家久保義藏共同開發彩色面磚，後來，陶藝研究室被取消，轉向研究材料，邁向精密陶瓷研究的路線。

政府為培育陶瓷方面的專才，在學校課程內設立陶瓷相關科系，國立臺灣師範大學工業教育系從此創立（民國46年），並於每年舉辦成果展，成為最早成立陶藝相關科系的大學。此外，民國四十六年在鶯歌初級中學內也設立「陶瓷訓練班」，第二年更名為「陶瓷技藝訓練中心」。

社會方面，民國六十年代國立歷史博物館首次舉辦「中日古陶瓷特展」、民國七十年代舉辦「中日現代陶藝家作品展」，且自民國五十七年起參加各項國際性競賽，如：意大利Fanenza國際雙年展、西德慕尼黑陶藝展、法國華樂利(Vallauris)國際陶藝雙年展、日本美濃國際陶藝雙年展等之後，許多公、私機構跟隨舉辦陶瓷展，如：行政院文化建設委員會以及臺北市立美術館舉辦有關陶瓷的展覽，觀眾得到觀摩和欣賞良機，有助增進專業知識。多年來，國立歷史博物館不僅為陶藝藝術付出許多努力與協助，除引進世界級作品、增加互相觀摩機會之外，也創立「中華民國陶藝雙年展」，作為發掘新人的出發點並給予協助。透過這些展覽與一連串的活動與鼓舞，不僅表現對傳統文化的重視，陶藝家與一般民眾也得到了許多的鼓舞與啟示。

民國六十年代，我國自聯合國退出，臺灣社會曾掀起了短暫性的恐慌與不安，一切的藝術活動亦受到負面影響，呈現停頓狀態。但快速成長的經濟（國民所得：民國63年時為913美元、民國69年則發展到2312美元），使得有經濟基礎與經濟能力的國民，開始注重住的環境；住家內、外講究用中國傳統式佈置和陳設，茶藝、花藝等休閒生活亦進入個人家庭裡，因之陶藝和陶瓷作品的需求量大大的增加。隨之而起，到處開班教陶藝的「陶瓷教室」，提供相關資訊的「陶藝專業雜誌」，或公開演講等活動十分蓬勃。

國立歷史博物館為宣揚傳統藝術、提高國民精神生活，並找回過去的信心與自尊，於民國八十三年舉辦「中國古代貿易瓷國際學術研討會」此項「回娘家特展」，邀請韓國、日本、菲律賓、英國、瑞典、德國、法國、美國、大陸和本國學者聚集一堂，發表論文，堪稱學術界的一大盛事，同時舉辦來自十個國家及地區的中國外銷貿易瓷展，不僅觀眾大飽眼福，更充分滿足觀眾的求知慾。

---

7 蕭富隆，『臺灣陶瓷產業發展』1665-1995，臺北，國立中興大學史學所碩士論文，民國86年6月，頁125

陶藝教育的普及化，以政府機構的帶動以及社會人士的參與和投入，無疑是最佳現成的環境。好好珍惜這來之不易的資源，創新理想作品更是大家的期待。

回首當前，雖然陶藝人口增加、社會變遷、思想觀念和生活上都趨向開放，但我們不能一再固守老舊文化，必須注入新血，以自己的民族文化為基礎，展現「時代」的新面貌才是。以鶯歌陶瓷作品為例，它們仍然停留在懷古的情節裡，沒有建立自己的風格，然而傳統仿古作品似乎也沒有達到該物應有的水準。生活在今日的我們應該用心智去體認祖先遺產，把傳統文化落實在現實生活中承傳，將傳統的陶藝技藝與現代科技、思想結合，重新建立陶藝的新思想與美感，發揚八千年中華陶瓷文化於世界！

十九世紀以前的中國，的確是瓷器輸出王國，但燒製瓷器起步較中國晚一千多年的日本，和德國、意大利、法國、英國、荷蘭等歐洲國家，所製瓷器作品的水準卻早已超越中國，且後來居上。

再次建立瓷器王國之美名，最好的方式是和大陸合作；資訊互換、改善工作環境、工具精緻化以及科學化，除藝術生活化、多元化之外，不斷培訓人才，往下紮根並提供安心、快樂的工作環境、增加互相觀摩的機會，並給予參與國際舞台的機會。

貳、南投水里窯

一、天然環境與陶業的興起

南投的陶業以水里、集集、魚池三個鄉鎮為中心，自日治時代開始建窯燒陶器。

水里雖在山區，交通卻十分發達，且呈輻射狀，周圍有許多水源可以利用，如水里溪、濁水溪、日月潭發電後的排水等，對地方與地方產業的發展樹立不少功勞。

水里也是木材的集散地，多木、多草，還有陶土。尤其水里所產陶土的黏性強、雜質少，非常適合陶業發展。

據一九三一年和一九四〇年間臺灣總督府殖產局編『工場名簿』，內所記「協興製磁工場」，就是今日水里窯的前身。當時的營業項目主要是家用陶器，乃是典型的家庭產業，員工五、六人，至一九九七年水里窯已經有七十年歷史。窯業鼎盛時附近有六、七家製陶工場，現在仍然有三家傳統柴燒窯[8]。

此窯於一九二七年由林江松建窯，當其長子林水金十九歲時，林江松去

---

8 陳新上，『古窯傳奇』，臺北，五行圖書，1998年3月，頁34

世，之後由林水金接掌「協興」。林水金向福建師傅學習「土條盤築法」之後，製陶技術更加熟練，由於領導正確，業務方面帶來相當大的發展。水里窯場歷經民國六十年代巔峰之後逐漸邁向式微階段，由於社會生活演變，新興塑膠製品替代昔日費時又費工的陶器製品。到了一九八四年由目前的主持人，即第三代林國隆接捧。

二、近況與文化觀光化

主持人林國隆(民國47年生)自小耳濡目染，對祖傳製陶業程序與技術十分瞭解，民國六十九年自聯合工專畢業之後，進入中壢市一家文興陶瓷公司任職，並研究「自動隧道窯」的構造與操作過程，以及現代長石釉和熔塊釉等[9]，由於與在校所學理論結合，此實務經驗對日後水里蛇窯的經營有很大的助益。

民國七十二年林國隆回到水里時，發現有許多窯場已經熄火或正在進行熄火。

為傳統產業的順利轉型，立刻建立小型瓦斯窯在蛇窯旁邊，並重新打開外銷門路，把最拿手的「編織籃」做不同款式，並使用在「文興」學會的低溫釉系之熔塊釉法，但結果不甚理想，且改做內銷也不順利。由於低溫釉系熔塊釉陶器在國內市場亦難以站穩，因而林國隆又花很長一段時間研究「長石釉」，開發金斗甕和骨灰甕，成績還算不錯。

這時候臺灣社會掀起了陶藝流行潮，水里窯為隨時代風潮走上陶藝路線。民國七十七年文建會認定「水里窯」具有保存價值，因而撥款八十五萬元製作了水里蛇窯的記錄片，之後知名度大大地提高，並被列入旅行團的「觀光景點」。

水里窯受到肯定之後，即代表臺灣傳統陶業文化，於是民國八十二年十一月十二日文化復興節日當天，以新面貌重新開幕，並舉辦一系列活動，如拉坯比賽、教師研習營、推廣陶藝文化相關工作等。

三、黏土與練土技術

水里的黏土有二種，即田土與山土，一般說山上採取的泥土品質比較好，例如苗栗與北投的陶瓷多用山土做成，台灣其他地方則使用田土較多。

水里開發較晚，田土品質也不壞。特別是水里的陶土離表層很深(表層深)，往下還有一層石礫層，其下還有細砂層，再下才是黏土層，故為沒有雜質的純淨陶土。

從前水里所用黏土，是先經「坳土」的程序，所謂坳土，是把採集的泥土花一年時間堆積在一處，任其日曬雨淋使它自然產生陳腐(Aging)作用，換句話說是利用黏土中自然產生的微生物分泌酸性物質與膠質，有利增加黏性與可塑性，故燒出來的陶器品質相當優秀。

---

9 陳新上，前引『古窯傳奇』，頁43-44

　　由於，現代一切講究時效，不經傳統製作過程之「坳土」程序，黏土多現挖現做，所以失敗率增加，大型器物更不容易成功[10]。

　　早期取土利用每年年底二期稻作收割之後向地主承租土地，進行挖土工作，還地時回復原狀的土地給予地主。但近年來周遭田地種滿經濟農作物「檳榔」，幾近沒有田地可以挖陶土。

　　從前水里窯是靠人工練土，費時又費力，後來進步至半人工半牛工。當師傅做陶以前，再次在練土台上練土一次。後來由日本進口練土機，不但節省人工且提高工作效力。

　　成形方面可以分為手工製與機械成形二大類。手工又分為手成形、陶輪成形和南投成形[11]，手工法則離不開(1)土條盤築法 (2)陶板接合法 (3)模型壓製法而完成。釉方面，水里曾使用灰釉燒粗陶器，因燒溫低不適合而做罷。後來使用的釉是以廢鉛料做原料的「土料」，也稱「台南釉」[12]，多用在粗陶上，價錢便宜因而廣被愛用(另外一種是純度較高、高價的專業鉛粉，視情形水里窯偶而也用高純度的鉛釉)。鉛釉，通常是透明的，有顏色者則為鉛釉內加以著色劑，欲高溫加熱則多加一些泥漿，相反地想把溫度降低則僅加少量的泥漿即可。近年水里窯廠又使用低成本的好辦法；是利用鉛釉加草木灰，不但達到降低成本的目的，同時也做到改善鉛釉品質的效果。

四、水里蛇窯的燒窯技術

　　水里窯是最具文化保存價值的傳統蛇窯，長度三十一點八公尺，兩個側面設「投薪孔」各三十三，全部有六十六個孔。蛇窯的好處很多，例如：

　　(1) 容積大，有利於大量生產。

　　(2) 室內自然產生熱氣流，可以節省燃料。

　　(3) 利用地形使用黏土磚築窯，建造費低廉。

　　(4) 蛇窯以木柴或雜草為燃料，燃料易取得又便宜，達到低成本目的。

　　目前水里蛇窯約二個月燒一次(因潮濕，長期不燒則易塌陷)。一次燒窯時間約為三天三夜；經小火燒、中火燒(用大木柴)，大火燒(用小木柴)等三個階段，第二天開始大火燒；先燒窯頭(攝氏約1000-1150度)，而後再燒側火，側燒時候注意每個投薪孔輪流燒到，燒完後約過三十分就封門。然而，熄火後約過一星期才

---

10 陳新上，前引『古窯傳奇』，頁54

11 所謂的「南投成形」是指綜合成形法。如，水缸等大型器皿是靠分工合作才做到品質好、價格便宜之物。

12 陳新上，前引『古窯傳奇』，頁74

　　製作法：把報廢蓄電池裡面的鉛板，加以打成細為顆粒，之後再用石磨研磨而得。這樣的釉施塗在粗陶上效果不差，價格又便宜而受到歡迎。

可以開窯門取成品。

　　燒窯最佳燃料是「松樹」，因油多火旺，相思樹、芒草、樟腦渣、廢木料等也都可以做爲燃料。

　　中國最初是以露天式燒窯，往後千百年不斷地改善「窯爐」的結果，在明末、清初，江西景德鎮始出現具有「集古代南北窯之大成」美稱，且非常進步的蛋形窯[13]，它一次可以燒八至十五噸日用器，並在不同溫度、不同部位內放置不同性質的器物，以達成同時燒熟、燒成功的目的。這種窯構造與技術，對韓國[14]、日本以及西歐的英國、德國等地非常深遠的影響[15]。

　　中國古代的窯可分爲圓窯和龍窯二類。圓窯，形似饅頭所以又稱饅頭窯，有些饅頭窯平面呈馬蹄狀，故又稱馬蹄形窯。至今景德鎮等地使用的蛋殼窯，是圓窯的另一種發展[16]。大陸地區則將蛇窯稱爲「龍窯」，通常建在小山坡地，窯床墊高，自然維持十五至二十一度斜度，長度達一百多公尺者極爲普遍，遠遠望去猶如一條巨龍、長蛇。

　　創業比南投稍晚，在臺灣陶業界頗具盛名的苗栗傳統窯，以「包仔窯」較盛。此窯的構造是與水里傳統蛇窯不同[17]，由於一間一間的窯室連接，形成「登窯」，與高雄所稱「龜仔窯」（包仔窯）頗爲相似[18]。

參、九二一集集大地震與水里窯

一、地震概況

　　一九九九年九月二十一日清晨一時四十五分二十一秒，在臺灣發生了芮氏規模七點三的強烈地震，剛從夢中被強烈地震搖醒的我，在經天轉地動後終於明白怎麼一會事。黑暗中找到小型收音機打開一聽，原來是在日月潭西方十二點五公里處(也就是集集一帶)發生了地震。依據稍後(十月初爲至)的統計，集集大地震已造成相當於全臺灣人口的萬分之一(二千三百人)的人不幸喪生、近萬人受傷，一萬三千多棟房子倒塌，而有十多萬人無家可歸，有不同程度的地震災害覆蓋於全臺灣，其中南投縣的災情尤爲嚴重，縣內死亡人數達全國死亡人數的七成四，房屋半倒或全倒比例則高達全國的九成二。這是筆者有生第一次遇到的大浩

13 劉振群，「窯爐的改進和我國古陶瓷發展的關係」，『中國古陶瓷論文集』，中國硅酸鹽學會，北京，文物出版社，1982年，頁166-167

14 成耆仁，『朝鮮白瓷研究』，臺北，博士學位論文，1997年6月，頁47

15 劉振群，前引「窯爐的改進和我國古陶瓷發展的關係」，頁171

16 朱伯謙，「試論我國古代的龍窯」，『文物』，北京，文物出版社，1984年第3期，頁57

17 陳新上，『苗栗的陶瓷與窯爐』，苗栗，苗栗縣立文化中心，民國88年5月頁86-87

18 陳新上，前引『苗栗的陶瓷與窯爐』，頁112-114

劫！

地震發生在早被地質界認為活斷層的「車籠埔斷層上」，斷層破裂長度超過八十公里。斷層錯動量最大達八至九公尺；由於地震造成的斷層長度長，連續性高與錯動量大，已經造成世界少有的大地震逆衝斷層[19]。西部濱海地區則因強烈地震將地搖動持續長達三十秒，以致多處產生土壤液化作用。

九二一地震從地質觀點看，主要可分為三個區[20]：

(1) 地震斷層區：卓蘭、石岡、豐原、潭子、太平、大里、霧峰、草屯、中興新村、南投、名間、竹山。

(2) 斷層西側的沖積平原、平原底下的岩、鬆軟的礫石和砂泥層區：豐原、潭子、台中市、太平、大里、霧峰、草屯、中興新村、南投、名間、竹山、員林、彰化。

(3) 斷層上磐的山麓區：卓蘭、東勢、新社、石岡、埔里、集集、中寮、國姓、水里。

九二一地震為中部的南投縣、台中縣帶來慘重的災難，也給中、北部縣市造成不同程度的死傷和房屋倒塌，許多橋樑被震毀，逼使交通中斷，石岡水霸被斷層震斷而漏水，因而失去蓄水作用，導致大台中地區突然停止供應自來水，有的地區也因供電設備受損無法供電，無水、無電直接造成數百萬人生活上極大的不便。地震災情對中、南部地區和北部有些公、私立收藏文物也造成破損、碎裂，受損情形似乎不輕。

近年來在全球各地發生各種天然災情，以地震為例，最近日本、土耳其都經歷過。一九九五年一月十七日上午五時日本阪神發生的規模七點二地震，造成五千多人喪生、十五萬棟房子全倒或半倒。土壤液化影響面積以大阪為中心，沿著海岸到河口，港島所受衝刺尤其大，因而整個島經歷了幾十公分的沉降。再看土耳其地震，比集集地震早一步(1999年8月17日清晨3時)，強度七點四，死亡近二萬人、受傷四萬多，此次地震是以土耳其的三大城市之一「伊茲米Izmizr」西南方為震央，北安拿脫利亞斷層為地震的大禍首，破裂長度達一百二十五公里，在這條斷層上過去曾頻繁地發生地震，自一九三九年算起，七級以上強烈地震已經發生了七次之多[21]。

二、南投與水里的災情

由於南投與水里位在地震斷層(南投)與斷層上磐山麓區(水里)的原故，此兩

---

19 臺灣大學地質系等，『變臉的大地』，臺北，臺灣大學地質系等，頁15

20 牛頓出版社，『地震大解剖』牛頓別冊，台北市、牛頓出版股份有限公司，1999年11月5日，頁58-70

21 牛頓出版社，前引『地震大解剖』，頁34

處受到人命和財產方面嚴重的災害。甚至地形也有所改變，如：南投九九峰原本是綠意茂盛之山頂，大地震之後因土石滑落而形成光禿禿的模樣。聽說地震過後，南投、台中二縣的面積也有重新測量、劃分之必要。

代表台灣傳統蛇窯，並於民國八十二年以後，極積投入、扮演陶藝文化推廣者之角色的水里蛇窯，災情也不輕，窯爐倒塌、展示場門窗以及超大型櫥窗玻璃碎了、櫥窗內各種展示中的陶藝作品也破碎了。

地震過後約二個星期，即十月七、八日，當筆者前往水里窯實際勘察災情時候，看到多數工人正在利用原本的材質重新建窯爐。

現代人隨社會進步、工商業極度發達的生活環境的改變，一切講究成本、快速、效率、精緻與美感，生活起居與習慣亦與昔日大大不同，傳統式窯的生存空間原本已經不大。然而，在急急危險邊緣中轉型成功的水里蛇窯，需要社會對它多付出一些關心，盡力保存台灣製陶文化的遺產與精神，以遺留給子孫。

三、水里蛇窯防震對策之建議

據經濟部中央地質調查所勘查結果，台灣境內已經有記錄的斷層多達五十一條。依中央大學的分類則有五十五條，也有人曾提出共計五十九條，雖然這些都尚未做定論[22]，但表示對寶島台灣人心裡所潛在的地震「警覺心」，絕不可輕視或放任。因此，建議平時多加留意、增加耐震設施和適當的維護。尤其在台灣斷層分佈區的花東縱谷、北部盆地、西北頭料山層、沿北港高地兩側、嘉南平原一帶等，凡是人民生命財產以及文化遺址、古蹟、民家、道路、公共場所、學校等設備，更應提高注意力，實施危機處理和救災教育，這樣萬一發生不幸，也能不驚、不恍惚。

水里窯的受損，也是這次地震經驗的活教訓，趕緊補充尚未具備的各種防震設施，以防再次受到災害，確實做到保護工作，把珍貴的文化遺產留給子孫。

小結

九二一強烈地震，涉及災後重建工作實在又多又重，所費時間和精力也幾乎到了天文數字。對災民的安撫、心理復建則是刻不容緩之事，除急於重建道路、橋樑、學校、房屋之外，重建之際加設防震設備，用防震、耐震建材之外，業者的對天、對社會大眾的「良知」更是重要。當救人命之際也將不忘救文化資產！

水里窯所代表的傳統文化意義非同小可，不希望再聽到任何受損消息。

---

22 同註20

表一　臺灣地震斷層概況表（1896年到1994年）

地震斷層名稱	伴隨產生的地震	芮氏規模	斷層走向	斷層長度(km)	斷層升側	變位情形
梅山地震斷層	1906年3月17日 嘉義烈震	6.1	N53°～75°E	13	中坑以東斷層東北側爲升側，以西斷層西南側爲升側。	最大水平位移240公分，最大垂直變位180公分。
獅潭地震斷層			N20°～30°E	21	西側	最大垂直變位300公分，水平位移不明。
屯子腳地震斷層	1935年4月21日 新竹、台中烈震 (中部大地震)	7.1	N60°E	20	斷層升測以南側爲主，唯局部在后里車站以東，斷層北側爲升側。	最大水平位移200公分，最大垂直變位60公分。
神卓山地震斷層			N20°～30°E	10	東側	最大垂直變位60公分，水平位移不明
新化地震斷層	1946年12月5日 臺南烈震	6.3	N70°～80°E	6	斷層升側主爲北側，唯於永康附近以西，南側轉爲升側	最大水平位移200公分，最大垂直變位76公分。
米崙地震斷層	1951年10月22日 花蓮烈震	7.1	N20°～55°E	10	東南側	最大水平位移200公分，最大垂直變位120公分。
玉里地震斷層	1951年11月25日 臺東縱谷烈震	7.3	N20°～30°E	43	東側	最大水平位移163公分，最大垂直變位130公分。
瑞穗地震斷層	1972年4月24日 瑞穗烈震	6.9	N25°E	25	東側	最大垂直變位70公分，水平位移不明。

〈資料出自《牛頓別冊地震大解剖》〉

表二 本世紀十大災害型地震 資料來源：美國USGS網站

地　點	經　緯　度	規模(Mw)	時　間	死 亡 失 蹤
中國唐山	39.6°N　118.0°E	8.0	1976.07.27	25萬5千(官方)
中國甘肅	35.8°N　105.7°E	8.6	1920.12.16	20萬
中國靜寧	36.8°N　102.8°E	8.3	1927.05.22	20萬
日本關東	35.0°N　139.5°E	8.3	1923.09.01	14萬3千
義大利	38°N　15.5°E	7.5	1908.12.28	7萬到10萬
中國甘肅	39.7°N　97.0°E	7.6	1932.12.25	7萬
祕魯	9.5°S　78.8°W	7.8	1970.05.31	6萬6千
巴基斯坦	29.6°N　66.5°E	7.5	1935.05.30	3萬到6萬
伊朗西部	37.0°N　49.4°E	7.7	1990.06.20	4萬到5萬
土耳其	39.6°N　38°E	8.0	1939.12.26	3萬

表二 本世紀十大地震 資料來源：美國USGS網站

規模(Mw)	地　點	經　緯　度	時　間
9.5	智利	38.2°S　72.6°W	1960.05.22
9.2	阿拉斯加	61.1°N　147.5°W	1964.03.28
9	俄羅斯	52.75°N　159.5°E	1952.11.04
8.8	厄瓜多爾	1.0°N　81.5°W	1906.01.31
8.8	阿拉斯加	51.3°N　175.8°W	1957.03.09
8.7	千島群島	44.4°N　148.6°E	1958.11.06
8.7	阿拉斯加	51.3°N　178.6°W	1965.02.04
8.6	印度	28.5°N　96.5°E	1950.08.15
8.5	阿根廷	28.5°S　70.0°W	1922.11.11
8.5	印尼	5.25°S　130.5°E	1938.02.01

（表二、三資料出自《牛頓別冊地震大解剖》）

南投縣九二一震災災損概況

地區	戶數	人口數	死亡失蹤人數	重傷人數	全倒戶數	半倒戶數	全、半倒戶數
全國合計	6497762	22048356	2488	723	51925	54402	106327
南投縣	146810	544762	916	256	28332	29270	57602
南投市	28950	105150	93	25	5213	6318	11531
埔里鎮	24561	88641	204	57	9220	6607	12827
草屯鎮	25515	97088	88	20	2557	4003	6560
竹山鎮	16208	61842	115	33	2828	3229	6057
集集鎮	3686	12352	42	18	1819	956	2664
名間鄉	10503	42673	35	9	359	442	802
鹿谷鄉	5571	21004	23	35	1140	1016	2156
中寮鄉	4780	17928	179	22	2542	1424	3966
魚池鄉	4990	17752	14	10	2375	1476	3851
國姓鄉	6647	24277	112	12	1914	1871	3785
水里鄉	6757	23055	8	9	599	1263	1862
信義鄉	4617	17722	0	2	436	357	793
仁愛鄉	4025	15278	3	4	330	418	748

〈資料出自網路新聞〉

水里窯廠　生產部門一角

水里窯廠　外牆（部份）

水里蛇窯受損與重修工作人員

水里蛇窯受損與重修工作人員

水里蛇窯受損與重修工作人員

水里蛇窯廠外觀

水里蛇窯廠甕牆

水里蛇窯廠入口

水里蛇窯產品：

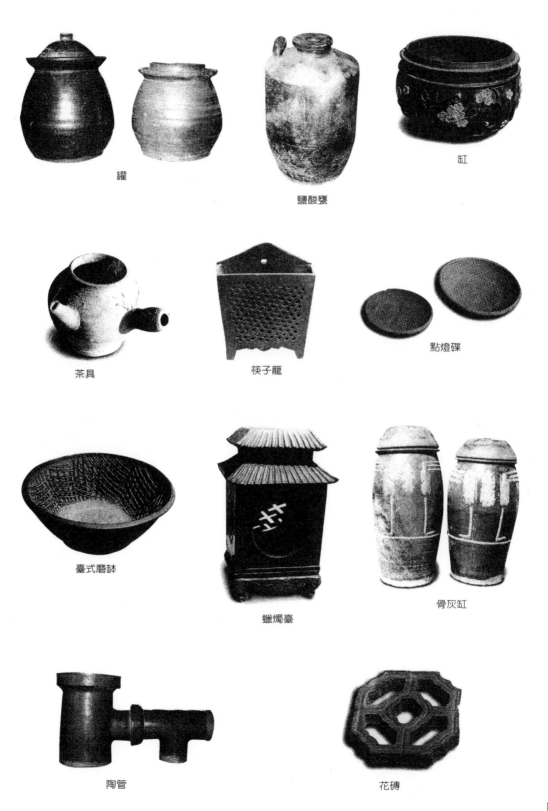

罐

鹽酸甕

缸

茶具

筷子籠

點燈碟

臺式磨缽

蠟燭臺

骨灰缸

陶管

花磚

論博物館地震災變及其相關問題
—以日本阪神大地震為例

林淑心

摘要

　　一九九五年一月十七日五時四十六分，日本的大阪、神戶地區遭受強度高達七‧二級的強烈大地震的侵襲，造成自關東大地震以來，遭受最嚴重的天然災害。因爲此次的震央十分接近人口稠密的都市區，日本又是在亞洲地區博物館事業最發達的國家，此次阪神地震的災區內，博物館的總數達四、五十個以上，以此作爲實例，探討在此項震災後，博物館遭受的各種問題及狀況，必然對於今後在藝術品與文物維護措施的實施或規劃，有極重要的參考價值。本文根據「日本全國美術會議」正式發表之「阪神大震災美術館‧博物館總合調查報告」之相關資料、災後各報章雜誌之相關災情資訊以及日本博物館工作人員所提供之資料，綜合分析此項相關問題，對於同樣位於太平洋地震帶的台灣，遭受同樣災變可能產生之種種問題，及更有效的展開救援工作，多少有所助益。「阪神大震災美術館‧博物館總合調查報告」是在一九九五年四月下旬展開調查，十月發行「報告Ⅰ」，隨後於一九九六年五月，繼續發行「報告Ⅱ」，其總經費八百萬日圓，發行一千五百冊，由全國美術館會議之經費支付，分發給全國相關機構參考使用。台灣在一九九九年九月二十一日，亦發生規模達六‧八級之大地震，但災情之詳細調查報告，尤其是有關文物或藝術品等相關災情報告尚未發現任何學術性的綜合調查資料之發表，本文期能以「他山之石，可以攻錯」的想法，多少能盡乙份博物館工作人員的棉薄之力。

一、前言

　　阪神大地震發生於一九九五年一月十七日五時四十六分，因為震央十分接近人口密集的都會地區，因此其災情及傷亡情況特別嚴重，號稱日本關東大地震以來，最嚴重的一次大災難。地震的傷害是在其不可預測性所產生的無法作預防性絕佳，可針對緊急狀況之良好準備，往往造成因為預料不及和危急時無法適當處理的傷害問題。特別是博物館和美術館的情形，因為有其特殊性，應變時所必須考量的層面實與一般人們生活面的狀況有相當的差異性，如果發生災變的時間，正是開館期間，觀眾雲集參觀之時，則危機處理的考量更必須注意到關鍵角度的切入，例如救人重要還是救國寶重要？災變發生後，第一步應該如何開始？因為災變發生的狀況，可能有數十種以上不同情況出現，而每一次情況所面臨的問題，均不會完全相同，這不是一加一等於二的合乎邏輯性的問題，反而是視當時實際情形在可能解決方法中，在極短暫的時間之內，可以選擇最良好的解決對策的反應智慧的問題。這種智慧是必須訓練，同時也是一種專業應變能力的累積所淀積的經驗所形成。所謂「養兵千日，用在一時」，這種訓練與累積是今後在美術館、博物館人員培訓中，必須列入訓練課程的一部分，以增加災變發生時，必須具備的隨機應變能力的強化，使災變時的各種傷害可以減至最低或零，則實為我們所衷心期待的事。本文參酌日本在阪神地震發生時，各受災地區內，博物館、美術館所產生的情況及實例，研討其相關問題及對策，以作今後我們在博物館等相關單位，當類似災變發生時在這項措施及設備上應如何考量改進之道，同時救災工作的展開應如何更有效率等問題，藉此略作探討。

二、博物館之災情

　　根據日本博物館協會，在平成七年二月所發行「博物館研究」第三卷第二期[1]所發表的特別報導，將各地受災博物館的損害狀況，加以分析，可以得到下列的結論：

(一)區域性的災情分析：

　　災區內的博物館，根據調查得知，有受損情況及受災較為嚴重的博物館總計四十五個館所，從其所在的位置分析，以神戶市區內的各館居第一位，共有十五個館所，傳出有災情，約占整體之三分之一，其次為西宮市有六個館所有損毀，這種狀況可能與區域內博物館之密集度也有關係，但可以了解的事實是離震央愈近的地區，災情愈嚴重。

---

1 貝塚　健：〈全國美術館會議による「阪神大震災美術館總合調查報告」の刊行を振り返つて」〉，博物館研究，平成9年2月。

(二)損壞的情況分析：

從災情的報告，博物館的災害，可大約分為：1.建築物主體的毀損。2.博物館設備的毀損。3.收藏品或展品的受損。4.資料等的受損。5.博物館外在景觀的破壞等。災情最嚴重的是芦屋市「エンバ中國近代美術館」，中國陶瓷作品，約三千件破損，但從報告中，仍無法全面得知詳細內容，這種破壞的嚴重性，可以使一個館的運作，呈現全面癱瘓的狀態。

神戶市灘區的兵庫縣立近代美術館，建築物主體的二樓向南傾倒，一樓展示雕刻的鋼鐵支柱全倒，玻璃窗及隔間全毀，主建築處處有龜裂痕跡，常設展的作品雕刻有七件破損，繪畫十件框毀壞，原訂於一月二十八日起舉辦之「瑪格烈特展」及其相關活動全面停止。

西宮市中濱町西宮市「大谷記念美術館」，在展示室地板出現二、三公分的裂痕，凸起波狀處處可見，整棟建築向西南傾斜，典藏室門無法開啟，展覽中的「冨中光享收藏印度染色美術展」，配合展出之佛像有十件毀損。[2]

神戶市中央區京町「神戶市立博物館」，在步道與建築之間有二〇～三〇公分的陷落差，地下水噴出將地下室講堂的一半浸入水中，展示活動壁全部傾倒，玻璃破碎、土器倒落損毀。其他有地層塌陷、牆壁龜裂、資料浸水散落、安全噴水系統造成泡水、水管破裂或漏水、給排水系統失靈破壞、電氣照明設備的損壞等不同情況。對於博物館而言，斷電所造成恒溫恒濕環境的破壞，造成文物維護典藏的困難，是整體性的傷害，其損失難以估計。

博物館的建築體或構內環境的破壞，雖然各館情況不一，但共同面臨的困境是雖然或許只是壁面呈現龜裂，但要恢復到可以利用展示空間或允許開放觀眾參觀，也就是恢復營運的狀況，則必須經過正式檢驗，考慮到觀眾安全性有絕對保證才行，因此災區內文化活動全面暫停，何況還有一些博物館的大廳或講堂，暫時開放作為難民收容所，更非短期時間可以解決的問題。

(三)博物館屬性分析

根據受災博物館狀況表，分析受災博物館之屬性，可略分為藝術性博物館、歷史性博物館、產業性博物館、科學性博物館及紀念性博物館等不同類屬。根據災情報告得知，此次受災最嚴重的博物館，以神戶市灘區的「昔の酒藏」澤之鶴資料館損壞最嚴重，幾乎是全毀的狀況。另外神戶市東灘區的「菊正宗酒造紀念館」亦幾乎呈癱瘓狀況，從這二所屬產業性質博物館的嚴重災情觀之，主要原因，可能均與產業性博物館的展示方式，均著重在以生態方式，呈現古代產業製作流程的方式有關。因為整套產業流程的呈現方式，必須利用硬體設計的運

2.News：〈阪神大震災による美術館施設的被害狀況〉美術手帖，1995年3月。

用，在最初設計上，對於防震措施的考量，沒有像其他藝術性博物館來得嚴密周到。其次科學性博物館的災情亦十分嚴重，從天花板懸掛式呈現的展品，幾乎全毀，水箱式的展現方式，因爲玻璃強度的不足，其損害程度亦特別嚴重。從博物館屬性觀察，各類博物館中，反而藝術性、歷史性博物館的災情較爲輕微的情況分析，今後對於產業性、科學性博物館的展示方式，如何考量耐震措施及防災功能是必須特別重視的問題。

三、博物館之救災相關問題

　　根據貝塚健先生在「博物館研究」所發表的主要內容以及災情特別報導等各類文獻相關資料綜合的內容，有關博物館救援活動的展開，顯現諸多無法預料及值得探討的問題，綜合分析如下：

(一)救援行動展開的時間：

　　地震發生於清晨，博物館除值班守衛人員外，大都是空的，至少沒有在博物館內發生人員傷亡，是比較值得安慰的事。但館內專業人員救援工作的展開，卻因爲時空的距離造成的困難，也是一件事實。根據芦屋市立博物館的報告爲例，災後美術館與各館員間均呈現「連絡不通」的狀況，學藝課長河崎先生由自家住處，災後即時以最快的方法趕往博物館，因道路一遍零亂，交通完全中斷，只好用步行方式快速前往，抵達時已十時三十分左右，後來陸續有同仁克服萬難前來支援，但在整體勘察未實施前，亦無法展開救援，何況有許多館員家中，有傷亡或住家全毀的情形，根本無法顧及館方救援的情況比比皆是。

　　組織性救援行動的展開，第一批動員進入災區博物館是在第六天，隨後正式組成十二人小組，展開勘察與救援活動，主要是在西宮市、芦屋市及神戶市三個主要地區救援，大約是在災後第二十天。由政府單位的文化廳、文化保護部和東京國立文化財研究所相關單位的人員組成救援中心，開始結合全國性人力系統，展開各項工作組織的完成，該單位正式名稱爲「阪神・淡路大震災被災文化財等救援委員會」。（後簡稱救援委員會），此一救援中心的正式運作，是在災後一個月，並初步完成「文化財救出計劃」案，此案的各項步驟之完成，約在災後第七○天。參與人員也包括「全國歷史資料保存利用機關連絡協議會」、「古文化財科學會」（即文化財保存修護學會）等單位，原有之義工組織參加所組成。這支救援指揮部及救援工作的按照進度進行，並有組織化的人員調度，則在災後約一百天左右始告成立。因此從時效上分析，仍然有必要研究如何更有效，更迅速的展開救援工作，是極重要的主要課題。[3]

---

3 貝塚　健：〈全國美術館會議 による「阪神大震災美術館總合調查報告」的刊行を振り返つて」〉，博物館研究，平成9年2月。

(二)救援網絡的建構：

救援活動的展開，必須以文物安全與人員安全的基礎上開始，博物館的專業勘察成為第一步驟，因此針對此項工作，必須從博物館災變受損的情況，建立基本資料，分類分區建立檔案，這種資訊網絡的建立，特別需要人手，又因為災後許多通訊設備的損壞，更加形成建構上的種種困難，實際上災後網絡的建立，是展開救援工作的基礎。救援工作不外乎經費與技術，技術上人力是首先面臨的問題，而經費需求及其相關事務性手續的辦理作業，均為救援工作的初步，連繫網與救援網、工作網之間的連線作業是相當重要的救援工作的根基。

(三)救援補助金辦法之實施：

所有的救援工作，當然有來自各界的義工投入，但是當展開工作時，必須支付的費用，成為受災博物館極大的負擔，日本政府根據「強烈災害對策特別財政援助等相關法令」規定，頒布救災輔助金條款，以便災區博物館即時得到救援經費，展開各項救災工作。其主要內容列之如下：

1.國庫補助款：

根據「強烈災害對策財政援助等相關法令」，凡公立博物館一切復原工作所支付的各項經費，其三分之二的費用，可申請國庫補助。這項辦法適用於一切已登錄或未登錄之博物館及相當於博物館之設施，發放之補助沒有任何差別。所謂可申請補助經費，包括博物館建築之復原、設施設備之修復、展示品之維護及修護，均可涵蓋於內。

2.經費來源：

由特別交付稅支應此項補助經費。

3.低利融資支應：

凡私立博物館無法得到國庫補助者，由日本開發銀行以低利融資方式支應。各私立已登錄或未登錄之博物館及其相當設施單位均可適用。

融資對象的設定，包括博物館等之相關設備，包括地面、建築物、構內設施、各項設備等均是。融資取得之比率，以作業總經費之四〇百分率為準。

4.募款：

根據日本民法第三十四條規定，凡法人登錄之博物館，因災變等原因各項支付之經費，包括設施設備費復原等之所有費用，均可運用「指定用途」之募款方式進行之。[4]

---

4 特報1：〈阪神大震災における博物館の被害狀況について〉博物館研究，平成7年2月。

(四)全國救援中心之成立：

　　全國分成九個區域，成立救援中心，可隨時提供各地救援資訊，並收集各地相關可供支援的要項，由各中心的連繫，形成機動性的救援行動及連繫網。並編印「救援工作綱要」和「救援實施要項」等簡明手冊，隨時提供參與工作人員了解救援工作時，應該遵守的規定及應有的認識，以使救援工作比較順利的展開。

(五)「阪神大震災美術館・博物館總合調查報告」之發行

　　這份調查報告的完成，對於此次災變相關資料的收集以及歷史性資料的紀錄，有十分重要的意義。自一九九五年四月展開調查工作，參與人員均具學藝員資格，分頭進行費時十三個月，合計四十四位專業人員投入的調查工作，第一階段以二十個館所爲對象，費六個月的時間實地訪問調查，完成初步工作，並拍攝照片三千張，均爲災後實際狀況之第一手攝影照片資料，經過整理及編寫，在一九九五年十月發行前半段之「報告Ⅰ」，內容涵蓋二十個館所，並選用二百八十三張照片，編印於其中。

　　「報告Ⅱ」以多元性，多角度之調查爲目標，在一九九六年五月發行，並採取第二次調查工作，內容稍加修正，其中以美術館內有關災變後，物理性特徵的傷害爲專題，區分「繪畫」、「雕刻」、「工藝」等分類方式，再加以修訂補充，並附上一百三十六張照片資料佐證及解說，正式發行「報告Ⅱ」的調查實況主要內容。有關因震動倒塌的硬體設備部分，特別由地震工學專家，篠泉足利工業大學助教授加以解說，以求內容敘述更爲完整。

　　「報告Ⅰ」及「報告Ⅱ」的發行經費，是由「全國美術館會議」組織所籌募之救災基金中之一部分款項來支付，總經費約八百萬日圓，「報告Ⅰ、Ⅱ」各印行一千五百冊，分發給各相關單位及機關，剩餘部分保存於發行機構之內。

(六)國際救援行動：

　　災變發生後，國際間紛紛提出救援參與之建議，由ICOM事務局，美國歷史、考古資料保存國際委員會，蓋第博物館等均由主管人員發函或電傳給日本文部省或相關單位表示深深的關切之意，並主動提出救援之建議。

四、結語

　　綜合日本阪神大地震災後報告之種種情況，我們得知地震的災害，可稱爲自然災害中，最具破壞性之一種，因爲地震的突發而來的不可預測性，是造成災害擴大及令人恐懼的因素。何況地震還會帶來火災、瓦斯爆炸、水災、化學液體、噴劑等形成的附帶傷害，其發生時又是接踵而來，防不勝防的可怕狀況，人

們在面臨這種極短促的瞬間大災難所必須決定的危急處理措施，特別困難[5]。日本阪神大地震雖然造成相當大的傷亡及損害，但堪以告慰的是在博物館的範圍內，並未有嚴重的人員傷亡，同時火災或瓦斯爆炸之狀況均未發生，因此在「報告」中所針對的問題，主要是涉及博物館建築、設備、文物、藝術品之修護、構內景觀以及營運恢復等方面的問題之研討及建議。本文就其相關問題，藉其事實之呈現作一些探討，期能對今後此項問題之處理有參考俾益之處。

(一)實際與理論之差距

根據調查在災區內的博物館，大多數在平時即設立危機處理小組的應變組織，由館長指揮災變時的救援機制，但在此次地震災變發生時，這種組織卻無法充分發揮其功能，主要的問題是「人」的無法即時趕到災變現場，交通的中斷、通訊的中斷，每個人都像處於孤島似的無法凝聚團體的力量。其次指揮系統的難以建立，救援工作應從何處展開？例如：博物館學藝員克服萬難趕到博物館，雖然看到文物的傾倒、損害，但因展示場的危險程度尚未檢測，是否適宜進入？應從設備的復原開始？還是文物救出開始？化學噴劑因地震而噴出，其污染文物的情形如何處理？先搶救文物或是先清理污染的場地？雖然平時也有危機處理手冊，但現實情況卻有極大的差距，必須重新建立指揮系統，才能順利展開救援工作，則爲事實。

(二)暴露對文化資產維護的關心度普遍不足

災後調查報告顯示，發生災情的動物園，在地震後五分鐘即陸續接到人們詢問動物安全與否的關心慰問電話，並有來自義工團體，表示即將前往救援的信息，隨後有來自各界，主動提供飼料等各種救援行動的關切性情感的表示。但在博物館的情況，接到關心電話的時間，遠比動物園慢十多小時，主動表示願意參與救援的信息，則在數天以後才出現，從各界的反應顯示，對於文化資產的維護心態，仍然表現著關心度不足的冷漠態度。

(三)建築與設備之耐震度仍待加強

從災情狀況分析，此次發生傾倒或牆壁龜裂的博物館建築，均爲近二十年來的新建築，有的創建於最近二、三年內，在建築設計均表示可以耐地震級數八度以上，但事實上，顯示建築的耐震能力顯然不足。同時展示支撐及設備並非沒有固定，而是所有的固定線索及支撐體均被震動的力量拉斷，今後對文物或藝術品固定的展示設備，必須朝耐震能力的加強研究。尤其此次藝術品的毀損狀況，以公共藝術品的情況最嚴重，如神戶港邊（震度只有六度左右）的公共藝術品幾乎全毀，已無法修護。

5.本田光子：〈博物館、美術館的防災－阪神大地震之後〉文物保存維護研討會，文物預防性保護與急難處理專輯，行政院文化建設委員會，1997年4月。

(四)文物、藝術品搶救網絡的建立

災後毀損或破損之各類文物、藝術品的清理、去污及修護工作之搶救網絡之構成，是災後面臨的最大問題，包括搬運、管理、分煩處理、人力支援以及修護等均必須有專業人員參與，同時暫時保管的安全問題，人力支援網絡的指揮與分配更是重要的關鍵，文化資產有具不可取代性，在處理過程的不當，常產生無法挽回的嚴重後果。

觀察阪神大地震博物館之災後重建，所面臨之種種困境，即使在震災後，災情毀損並不嚴重的博物館，其重新開放觀衆參觀，都在半年以後，災情較爲嚴重者，則在一年以上，甚至有一部分館所則以無限期休館的方式處理，顯示地震對於博物館硬體及軟體所造成的可怕損害，因此災後搶救工作的深入研討，研究建立可以迅速進行救災或維護、修護文化資產的機制，是我們不可忽視的重大課題。

附表：博物館災情一覽表

所 在 地		館 名	被 害 狀 況
芦屋市	伊勢町	芦屋市谷崎潤一郎記念館	內部破損
芦屋市	伊勢町	芦屋市立美術博物館	內部破損
芦屋市		エソバ中國近代美術館	中國陶器約3,000件破損
芦屋市		俵美術館	資料破損
尼崎市		尼崎市立田能資料館	收藏庫破損
伊丹市		伊丹市昆虫館	建物大破、給水裝置破損、大型影視破損
伊丹市		伊丹市立博物館	展示櫃破損
伊丹市		伊丹市立美術館	地板部分隆起
伊丹市		柿衛文庫	建物壁面龜裂
三原郡	南淡町	戰沒學徒記念若人の廣場	建物壁面龜裂、玻璃破裂
川西市		市立鄉土館	窗玻璃破損
神戶市	中央區	神戶海洋博物館	展示設施破損
神戶市	中央區	神戶華僑歷史博物館	展示櫃玻璃破損
神戶市	中央區	神戶市立青少年科學館	壁龜裂、天花板落下、地板陷落或隆起、輪轉機械破損
神戶市	中央區	神戶市立博物館	入口附近破損及地盤沈下、液狀化現象造成泥水噴出
神戶市	中央區	竹中大工道具館	展示、收藏庫崩壞

神戶市	中央區	兵庫縣陶藝館	被害情況不明、全壞(無法進行調查)
神戶市	中央區	湊川神社寶物殿	大致無破壞情況出現(未調查)
神戶市	東灘區	菊正宗酒造記念館	建物全壞
神戶市	東灘區	香雪美術館	玻璃破損
神戶市	東灘區	神戶市立小磯記念美術館	屋頂破損、壁龜裂
神戶市	東灘區	白鶴美術館	展示室之照明落下、書庫全倒
神戶市	須磨區	神戶市立須磨海濱水族園	壁破損、水槽破損、排水管破損、天花板破損
神戶市	灘區	神戶市立王子動物園	飼育舍漏水、循環過濾系統管口折斷
神戶市	灘區	兵庫縣立近代美術館	建物傾倒，無法使用
神戶市	灘區	「昔の酒藏」澤之鶴資料館	全壞
西宮市		穎川美術館	建物、資料無破壞報告
西宮市		甲子園動植物園	象舍傾倒、給排水施設全壞
西宮市		寶塚動植物園仁川自然植物園	移築房舍破損
西宮市		辰馬考古資料館	建物無損害、資料多數傾倒
西宮市		西宮市大谷記念美術館	建物向南面傾倒、繪畫損傷大、彫刻傾倒
西宮市		白鹿記念酒造博物館	建物全壞
赤穗市		大石神社義士史料館	資料倒落、壁落下
多紀郡	篠山町	丹波古陶館	白壁有損傷
姬路市		圓山記念日本工藝美術館	屋頂瓦片崩落、大理石龜裂
寶塚市		小濱宿資料館	收藏庫破損、壁龜裂
寶塚市		寶塚動植物園	天花板落下、壁面龜裂
寶塚市		西谷歷史民俗資料館	屋頂破損、壁龜裂
柏原町		柏原町歷史民俗資料館	土圍牆破損、屋瓦落下
春日町		春日町歷史民俗資料館	展示土器破損
篠山町		篠山町立篠山歷史美術館	壁龜裂、窗玻璃破損
明石町		明石市立天文科學館	外壁龜裂、電扶梯破損、天花板部分落下
明石町		明石市立文化博物館	道路陷沒、大廳天花板落下、展示櫃破損
北淡町		北淡町歷史民俗資料館	壁龜裂、玻璃櫃破損、展示館和保存館的接合部破損
三原町		淡路人形淨琉璃資料館	壁破損、天花板一部分下垂或落下

（以上附表採自博物館研究第30卷2期）

日治中期台灣傳統寺廟的重修程序
—以竹山郡竹山庄城隍廟爲案例

陳鴻琦

摘要

中國傳統寺廟建築多以木構造為主體，平日若不善加保存維護，再逢突發的天災、人禍，更會使得作為地方民眾信仰中心的寺廟，在始建若干年後，面臨重修或新建。

此次因九二一大地震受創最嚴重的南投縣及台中縣、市的部分轄區內，即有不少台灣傳統寺廟宮觀在廟體及內部祭祀設施等項，亟待重修或新建，方能再度發揮社會教化的功能。有鑑這個歷史性課題值得探究，爰暫以日治中期竹山郡竹山庄城隍廟在大正十四年（1925年）的一次較大規模重修為個案析述之，或可對上提台灣傳統寺廟的復建，提供一個考量的方向。

引言

　　民國88年9月21日零晨全台民衆在暗夜中經歷了一次百年難逢，規模達到7.3級的大地震侵襲，其中尤以中部南投縣及台中縣、市的部份轄區，受創最嚴重，不少人民的生命、身家財產轉瞬消失，可觀的公有建築物、國家已定級的古蹟、具有歷史紀念性建築物的古厝民居、傳統寺廟宮觀等也面臨全倒、半倒、部分毀損的災情。在此同時，受到震災的縣、市之間亦見及屬於交通產業的道路、橋樑扭曲、斷毀，更阻隔了災區民衆出入及各類農產品的採收、運銷。

　　各受災縣、市在大地震後雖即得到中央政府相關部會、社會各界組成的公益團體及外國救難團隊在人力、物力等方面的支援，加速展開復建工作，但各相關主事單位間總有些措施讓人覺得協調不力、效率欠缺，以致未能對眞正亟需援助的災區民衆，解除身、心的恐慌；至於那些擁有歷史記憶，屬於全民文化資產的受毀古蹟及古厝、寺廟等要得到及時的搶救，一時更難達成[1]。

　　有鑑台灣傳統寺廟平時可以發揮的社會教化功能甚廣，若以九二一大地震中南投縣竹山鎮宗教建築物的毀損情形爲例，則有屬於佛道兩教的二十座寺廟宮觀遭逢程度不一的毀損，均待重修或改建，方能再繼續正常運作，其中尤以幾座具有超村際廟宇如竹山市區的連興宮（媽祖廟，圖一）、靈德廟（城隍廟）及克明宮（文昌桂宮附內）；延平地區的沙東宮（開台聖王廟）；社寮地區的紫南宮、靈天宮等更值得重修[2]。

　　本篇報告之撰寫是針對九二一大地震後遭毀損而亟待「重修」的傳統寺廟而作，雖則拙稿中所舉案例主要係以日治中期竹山郡竹山庄（今竹山鎮）城隍廟在大正十四年（1925年）的重修（當時稱「改築」）爲對象，探討相關的幾個問題，但諺云：「鑑古知今」，拙稿或許亦可爲亟待重修的寺廟提供一個考量的方向。

壹、日治中期竹山郡傳統寺廟重修的原因

一、政治、社會及經濟因素

　　日治中期（1920年代），台灣總督府在大正九年（1920年）九月一日對台灣

---

1 國立歷史博物館同仁秉承黃光男館長之卓示，採取積極主動的任事態度，針對九二一大地震中幾處毀損的歷史紀念性建築物如竹山鎮的知名古厝敦本堂、莊氏家廟；東勢鎮的善教堂等作了必要性的文物搶救措施，且盡可能透過文物的科學保存、維護程序，使這批及時搶救的文物得到新生，再度發揮文物特具的歷史、文化、藝術價值及其衍生的教育意義。

2 此項統計承竹山鎮公所圖書館黃文賢館長大力提供，至爲銘感。另據竹山鎮公所截至88年12月31日的房屋全倒、半倒及傷亡人數統計表，略知竹山鎮轄區內二十八里均見人、屋毀損狀況，總計全倒戶有2,711、半倒戶2,973，死亡有121人、重傷者49人。

地方行政制度及官制進行「改正」，將全島重新劃分為台北、台中、新竹、台南、高雄五州，台北、台中、台南三市，台東及花蓮二廳，四十七郡、二百六十街庄。這時，林圯埔成立竹山庄，羌仔寮成立鹿谷庄，兩者合併為竹山郡。此次的調整顯示出台灣各地社會狀況已甚穩定，文教設施頗有規模，經濟方面的農、工、商業發揮的總產能也達到相當水準，符合日本當局經營台灣所欲達成的殖民經濟指標，並作為大東亞整體戰略的一環。

就在全島產業經濟蓬勃發展的同時，竹山郡領轄土地亦獲致中、外資本大額投入於製糖業、稻米品種的改良與生產、香蕉及茶葉的栽培、菸葉種植（以上在平原區）；製（樟）腦業及林業造產（以上在山、坡區）等方面，相對而言，亦使得竹山郡各庄保從事上列產業的經營者及受雇用的民眾也累積了一定的財富。正是在這種時空背景下，使得竹山郡轄管下各庄保中重要聚落（尤以屬清末沙連堡的四個街市：即林圯埔街、東埔蚋街、社寮街及新寮街）的傳統寺廟、宮觀及諸庄保大姓宗祠（或稱家廟、公廳）的重修（或稱改築）成為可能。

二、國人對寺廟重修、新建的傳統觀念

中國傳統寺廟建築多以木構造為主體，年久易朽，加之遭逢自然界災害如地震、大雨、風災，以及人為的戰爭、宗教政策的改易等因素影響，更使寺廟完整保存不易，遂令寺廟的重修、新建在信徒心目中，視為常事。正是在這種根深的文化背景下，民間方有「起大厝，翻新廟」的說法，這也是中國傳統建築不求原物長存不朽的觀念，而著重於歷次整修的代表精神與意義。「起大厝」乃為光大門楣、榮宗耀祖與生生不息，「翻新廟」乃為香火興盛、人神共歡與滿足信仰[3]。相對之衍生現象亦闡明了「寺廟與（社會民眾）生活結合」，每次重修必會加入當代建築的風格、理念、技術、設計、材料與造型等語彙，呈現傳統與現代兼容、反映新舊交替的價值與美感[4]。

貳、竹山城隍廟的始建及其沿革

竹山城隍廟今址在竹山鎮竹山里下橫街十八號，位於濁水溪南方平地，處在該鎮街肆鬧區，東鄰街仔尾溪。境域約二百餘坪，基地約三、四十坪，係一磚、木造平屋。（圖二）有關該廟始建及其沿革的文獻史料知見者有三。其一首見於清光緒二十年（1894年）由雲林縣學訓導倪贊元編纂之《雲林縣采訪冊》中之沙連堡・祠廟條：

> 城隍廟，在林圯埔（街）下菜園，坐北朝南，祀城隍尊神，歲時士女焚香不絕；前為武生陳朝魁捐建，後里人互有重修；距縣（斗六）二十五里。

3、4 均參見何培夫，〈台灣寺廟的簷飾〉（收錄於《史蹟與文物》，台灣省政府新聞處編印，1987年12月再版），頁75。

其次，在日治中期大正十四年（1925年）城隍廟「改築」（意同重修）的「廟序」（由陳玉衡執筆，陳氏係竹山庄竹圍仔人，嘗在當時的竹山庄長林月汀所經營的製糖、製腦及販賣鹽等事業中，擔任「家長」──即類似總帳房或大掌櫃的角色，頗具國學基礎）之首段（圖三），亦提及城隍廟的始建簡況，且較倪贊元之記述更見詳實：

> 我竹山城隍廟係前清職員陳朝魁受彰化縣委設臨時總局，自備建築塗造三間瓦屋，號爲林圯埔總局館，辦理街庄民事，局內供奉城隍尊神。而後總局撤廢、留存神像，俾左右鄰家輪流香火。魁將此地並三間瓦屋赦（意同「捨」）作公共之城隍廟，凡有到廟祈禱，感而遂通，神道漸見顯化，遠近沾恩，至今六十餘年。[5]

迨及1945年台灣光復後，前輩學者劉枝萬在《南投縣風俗志宗教篇稿》中，亦嘗綜述竹山城隍廟的始建、別名及其歷次重修概況：

> （城隍廟）沿革緣起於道光十一年（1831年）有林圯埔街總理陳朝魁者，聞知彰化街城隍廟頗爲靈顯，乃前往割香，供奉於自宅，旋聘匠人雕刻神像，是年八月遂以自宅捐建廟宇，號稱城隍廟，但係土角造平屋三間，規模簡陋；爾後屢爲居民醵貲重修，……而光緒十五年（1889年）可能曾予重修，古匾一方曰：「澤被南邦」；清末有林圯埔街總理鍾文銅者，鑑於神靈顯赫，香火鼎盛，乃予改稱，顏曰：「靈德廟」。日據初，1904年（明治三十七年）初，由（斗六廳參事）林月汀、（斗六廳林圯埔街地方稅調查委員）陳紹唐、曾君定、（仕紳、前清秀才）魏林科等人首倡，自捐一百元，另向林圯埔一帶居民募款一百餘元，重葺屋頂，擴建拜亭，是年四月竣工，煥然一新。

以上三種城隍廟的始建及其沿革文獻通讀後，可知各有詳略，正可互補。惟若輔以城隍廟中現存光緒甲申十年（1884年）所立之「靈德廟」額（圖四），或可說該廟當年曾重修。

要之，在清領台灣或日治時期，凡屬有市肆，居處叢雜，人煙稠密，屋宇縱橫的街市所在，如果建置一座足以在民衆日常生活中堪稱信仰重心的寺廟，則對其進行較大規模的重修時，當地地方長官及各界信衆莫不視爲一件大事。前者出面號召有志之鄉紳、商家倡捐，誠爲推行地方教化之一助；後者則量力捐錢、出力等不一而足。

準此而言，竹山城隍廟自清末始建至日治時期結束時（1831至1945年），最重要的一次重修無疑當推大正十四年之重修（當時日本官方公文書稱「改築」，以下從之）。有關此次改築的始末如其改築申請程序、募款方法、募款金額數及

---

5 廟序碑係砂岩，置於城隍廟廟埕右側壁，連同捐題碑六片併立。有關廟序之執筆者陳玉衡事略，多承竹山鎮耆老林建勳先生惠示，頓除窒礙（按林氏係敦本堂創建人林月汀庄長的第三子，對日治時期竹山庄社會經濟發展狀況有極深入的識見）。

範圍、募款期限、主要募款場所及財務管理人選等事宜，若詳加研討、述明，實可作爲日治時期台灣傳統寺廟改築的一個完整個案，足以充當這個時期其他類似寺廟改築的重要參證。

參、竹山城隍廟「改築申請案」的探究

本節依據之史料除上引城隍廟改築「廟序」及作爲副碑的六片「捐題碑記」外，最切要的尙應有當時竹山郡人士推舉竹山庄長林月汀等四人作爲代表，並具名向所轄上級台中州提出的「城隍廟改築申請許可書」（詳後）。

一、寺廟改築申請的許可及其募款、施工

有關竹山城隍廟於大正十四年必須改築的原因及其改築申請，略見「廟序」之第二段：

> 邇來信仰者眾，每逢六月十五日誕辰，遠近男女到廟參祝，絡繹不絕。無如年久廟貌傾頹，甚不雅觀；於是街庄有志者集合協議，簽舉林月汀、陳鳳飛、魏維錡、吳牛等爲竹山郡內人民之代表，提出改築申請。

隨著改築申請經台中州（廳）知事本山文平的許可後，由主持改築事宜的城隍廟聘請辦事人員，開始向竹山郡內人民進行募款工作，在募款期限內似僅達成當初預估改築所需總經費的八成，並由廟方主事者（總其事者或係陳玉衡）依序辦理大、小木作匠師的聘請、寺廟內外部的設計、改築材料的採購、實際的營建等項，最後說明了此次改築案從施工至落成，前後費時達一年七個月，成效良好。以上所述值得併引「廟序」之末段供參：

> 經於大正十四年乙丑四月一日，受台中州知事許可，著手募集。郡內寄附金人皆向義樂捐，足數隨時設計，辦理材料、改築經營。至丙寅（大正十五年）三月終告竣，丁卯（昭和二年）十月中落成，而廟貌煥然一新，此亦由善信人等共相勉力之一助云耳。爰將寄附芳名勒碑數片，以垂永遠紀念，是以爲序。

二、寺廟改築申請案的幾點分析

有關竹山城隍廟於大正十四年改築申請案中，除了史實述要外，亦有幾點要項值得分析。

(一)寺廟改築申請書的格式

由於上引「廟序」中僅提及改築申請，其相關之格式及內容有省略，可幸者是在檢索日治時期臺中州報第八百六十六號（大正十四年五月三日臺中州發

行，係作爲大正十四年五月三日臺灣新聞第七千九百二十六號附錄）內「公告」項，赫然即有竹山城隍廟改築申請書的格式及內容，以及相關的台中州許可指令字號。由於此類文書較少論著引錄，謹具引之。

　　一、寄附募集許可の件　大正十四年四月二十九日臺中州指令中內地第二五一一號を以て竹山郡竹山庄竹山一五七番地陳木楹外四名に對し左の通許可したり

> 1　募集の目的　竹山城隍廟改築費寄附募集
> 2　募集の方法　募集區域中に於ける有志の任意寄附に依る
> 3　募集のすへき金品の種類、數量　金八千九百圓
> 4　募集區域　竹山郡下一圓
> 5　募集期間　大正十四年十二月三十一日迄
> 6　募集金品處分の結了期間　大正十五年三月三十一日迄
> 7　募集の主たる事務所　竹山郡竹山庄竹山城隍廟內
> 8　募集者の住所、身分、職業、氏名[6]

　　透過這件「寄附募集許可書」的內容，首先可知本案之申請人除「廟序」所提林月汀等四人外，尚有陳木楹乙名，其身份推測與城隍廟日常管理之事務相關，陳氏在本案中樂捐金達貳拾圓。至於寄附金募集的目的、方法、金額數、區域、期間及主要事務所等項均明訂於「許可書」內，除了彰顯日治時期台灣總督府轄下各州廳直接介入台灣傳統寺廟的「改築」申請案的審核外，也揭示出當時台灣基層行政單位中若存在一個對群眾信仰具有影響力的傳統寺廟，則其相關的人事組織、募款活動等均會受到日本官方主管宗教事務部門的監督。

(二)寺廟寄附金（樂捐）人的身份

　　勒名於六片捐題碑中的寄附金人可分兩大類。其一是以商號、或會社、或公司的名義出面捐金，計有陳峻德號、張源美號、江勝隆號、振興號、黃成興號、林益發號、協和商店、陳協成公、台南製糖會社下崁工場[7]及竹運送公司等

---

6 竹山城隍廟改築申請許可文書依理應填具第八項，惟台中州報第866號未列。類似的寺廟改築申請案亦見於大正十四年十月三十日台中州報第966號內所收社寮地區「開漳聖王廟」寄附募集許可，其中第八項可查知主持募款總事宜首推前清秀才張登邦，此時他兼任社寮保正一職，係竹山庄夙負重望的社會賢達。

7 台南製糖株式會社所在地在台南廳下唯吧哖庄，設立於大正二年二月，最初資本金三百萬圓。該社在竹山庄設立林圯埔出張所，從事土地開墾、製糖、製腦及運輸業務，下崁工場位在竹山市區西郊，該社並自鋪私設軌道（自竹山市區經竹圍仔、下崁至清水溪，約長五哩），因此兩地往來之輕便車亦兼載運乘客，並收取賃金。據大正八年的營收額達一三、三五八圓，乘客計五九、六七〇人次。故「捐題碑」所列該社下崁工場所指之「寄附車底金」130圓似與「乘客賃金」之收入有關係。以上參考大正十年六月二十五日發行之《臺中州》，臺灣新聞社印刷。

十家，捐金互有多寡，總額達325圓。其二則依其人在社會上從事的職業，或以純粹信仰者的身份來區分，則前者知見約略有地方行政首長、士紳或商號負責人、專業人士（如醫師、教師）；後者則屬占多數的信士及信女[8]。以上寄附金人計有653位，共捐金6,966圓。茲在此僅略舉地方行政首長等三種人士中堪稱代表者，以概其餘。

(1) **地方行政首長**：此項以擔任竹山庄長的林月汀、擔任鹿谷庄長的林邦光爲代表，其中林月汀身爲城隍廟所在地的父母官，熱心寺廟改建等公益活動事宜，除作爲廟方改築申請的代表人之一外，更率先捐金參百元，作爲楷模。至於林邦光雖僅捐金拾五圓，亦顯示竹山城隍廟改築係屬竹山郡內人民共同參與的宗教信仰活動。

(2) **士紳或商號負責人**：此項之士紳可舉陳紹唐、黃錫三、張登邦、陳獻瑞等四人爲代表。陳紹唐係前清武秀才，日治時期擔任竹山庄協議會員、竹山信用組合理事等清要職，對於地方公益事業極爲熱心參與，此次捐金壹百圓（其妻陳張氏快、其弟陳紹平亦各捐金五拾圓）；甚者大正十四年社寮開漳聖王廟改築，陳氏亦以「生員」倡捐金壹佰壹拾圓。黃錫三係鹿谷庄人，前清秀才，日治時期（1899年至1913年）在林圮埔公學校教授漢籍，大正四年台灣總督府授「紳章」，係竹山郡內人民尊敬的學者，此次他以「黃端本堂」（家族祠堂）名義捐金貳拾圓。張登邦及陳獻瑞二人，均屬社寮地區名士紳，前者係前清秀才兼任社寮保保正，對竹山郡內各公益事業無不躬親參與；後者係前清武秀才，後埔保望族，此次與其弟陳獻章各捐金拾貳圓。要之，士紳捐金並不特別著重其數額，而在顯示關懷地方公共事務的用心，實最切要，因可影響一般信眾。再述及商號負責人，可舉陳清松及陳克己爲例，前者在林圮埔從事醬油製造業，此次捐金參百圓，與林月汀庄長併列題名之首。後者係社寮地區大墾戶陳佛照後代，日治時期主持「陳正吉號」，係一般商，平日亦熱心贊助本地宗教崇祀活動，曾在大正十四年以首事倡捐金壹仟壹百圓，協同張登邦等社寮區各保士紳，完成開漳聖王廟的改築工程，其「捐題碑」並留存該廟三川殿右壁（圖五），實可與「城隍廟捐題碑」一併參照。

(3)**專業人士**：此項有醫師，如開設方來醫院，執業於竹山庄市區的陳彩龍，他捐金參拾圓；社寮地區的醫學士王美木捐金貳拾圓。另有教師，如公學校訓導陳元龍、黃啓奏、黃添成等人，分別捐金貳拾、拾伍、拾圓。以上人士所重者在於誠心誠意。

---

8 按：捐題碑中占多數的信徒中包括信女，渠等若已婚，則除了冠夫家姓，並在本人原姓下附一「氏」字，作爲表徵。總計捐題碑中刊立37位，捐金達657圓，約占全部捐金（7,291圓）的百分之九。

(三)寺廟捐題碑刊立的意義

大正十四年竹山城隍廟改築案中之「捐題碑」六片將提供寄附金人士（計653位）的姓名、商號（計10家）的名稱及他們的捐金數目，全部加以刊刻，實有其特定意義。一則正如「廟序」末特稱：「爰將寄附芳名勒碑數片，以垂永遠紀念。」二則實爲承繼清代台灣各地傳統寺廟（含官方祀典的祠廟及民間佛道教之寺廟宮觀）重修完畢的成例：即主持寺廟重修的執事人員會將當次贊助資金、或提供勞務、材料及技術支援等項目的官府代表、社各界人士及店鋪郊商之名號，連同重修的各項支出費用，完整的勒石並立碑於最適當的位置，以示財務的「公開徵信」，在此可舉清道光三十年（1850年）「重修鹿港城隍廟碑記」佐證[9]。惟相對而言，竹山城隍廟捐題碑的刊立似遺漏是次改築所需的必要支出費用項，這種遺漏內容如再參考「重修鹿港城隍廟碑記」後半段（前半段所刻是官方及民間各界人士的「捐銀」數，屬現金之部），可知其內容或含各界信士提供的娛神、勞務及技術支援費（代現金之義）；廟體內外重修的材料費（如稱開買磚瓦、杉料、石料、鐵釘、色料、灰等項）；大、小木作匠師的工資；各殿崇祀的神像及其相關法器之修飾、採買費等支出大項。至若更具關鍵的收入及支出詳目更有一本記錄簿存留爲證——即碑文所稱「總用數簿」。當然，這僅係一種推測，此項遺漏或有其他原因，而竹山城隍廟改築的寄附金募集肯定留存有「總用數簿」，否則「捐題碑」的寄附金人題名序就不會如此秩序井然，依樂捐金額數（自參百圓至五圓）刊立。

(四)寺廟改築案顯示的靈蹟舉例

檢視一座台灣傳統寺廟的香火是否興旺，虔誠信徒是否夥衆，除了涉及該廟主祀的神明（如天上聖母、關聖帝君、保生大帝、觀音等）及宣揚的義理之外，更與該神明是否曾於關鍵時刻多方顯示靈蹟，圓滿達成動機不一的信徒所冀求的目的有關聯。準此以觀，竹山城隍廟自清道光年間始建迄今，亦不免有一些城隍尊神顯靈的事蹟在信徒之間廣爲流傳，而獲致有如「澤被南邦」、「威靈顯赫」、「神光昭赫」（圖六）等古匾宣示的效果。以下例舉二則竹山城隍廟尊神展現的靈蹟。

其一是相傳每年農曆六月十五日城隍尊神聖誕的前一週，在廟前廣場均有戲班演戲酬神，此時竹山郡內善男信女擠滿廟埕參與慶典。此時，迎城隍出巡並遶境街巷恆會下雨，但奇異者是城隍爺端坐的神轎、各式陣頭等行列均不會被雨水沾溼。

---

9 此碑現嵌於鹿港城隍廟（鰲亭宮）內右牆，高57公分、寬50公分，係板岩。碑文分成上下兩段，字細略有殘，惟通篇仍可讀識。見劉枝萬編，《台灣中部碑文集成》，台灣文獻叢刊第一五一種，台灣省文獻會，1994年七月（重印）第一版，頁144至148。

其二是大正十四年竹山城隍廟改築工程前，廟方主事者派專人至嘉義阿里山下的竹崎某木材商號處，採購各殿棟樑所需的大、小件木料。此時，未待廟方人員開口，已先得該商號執事告知：「竹山城隍廟所需用的各式尺寸木料已妥備，請你們運回吧！」廟方人員訝異之餘並獲材商告知：「前數月，本商號頭家已獲竹山城隍爺諭示要妥備木料云云。」緣此，縮短竹山城隍廟的改築工時，提早落成[10]。

餘論

竹山靈德廟（城隍廟）的組織型態自民國82年已得南投縣政府民政局登記為財團法人管理委員會，管理人（代表）係主任委員擔任，現任主委是劉迺倉先生（他曾任多屆南投縣議員）。該廟在九二一大地震中受災輕微，除牆壁龜裂外，僅有二樓屋頂及鐘鼓2個損壞，因此在信士莊錦城大德奉獻二萬元及時整修將屋頂復原後，該廟即本於自助及神明慈悲助人的心懷，由廟方管理委員會全體人員積極投入賑災的行列，先由竹山鎮街區，再擴及全鎮其他災區。

基於該廟與全省其他城隍廟平時已有定期聯誼會活動，因此以廟方管委會為中心，在短期內就獲致新竹都城隍廟；斗六、東港、潮州及花蓮等四個城隍廟以及林內奉天宮、福德宮、天慈愛心功德會等友廟的大力支援，除直接捐贈現金外，另有糧米、油鹽；民生日常用品；為搭蓋臨時住屋所特需的帳棚、睡袋、棉被、外套、雨衣等多樣賑災物資（圖七）。有關廟方對現金及賑災物資的及時、有效率的運用大要，茲以為劉迺倉主委應適時責成會中專人詳實記錄、儘快印出，除可公開徵信於各界外，並可同時將該會賑災的成果及其執行過程中遭遇的難處反應，讓社會各界人士正視，俾今後能改正缺失，增進社會公益事業的發展。

最後的一點建議是請廟方管委會主事者能集合信眾中有心人士或聘請相關學者專家，共同參與城隍廟史（或稱廟志）的編纂；同時可系統蒐集廟中各階段的歷史文物，及時編印圖錄並研闢專室陳列。以上建議並非高論，惟實行有成，更有助提昇竹山靈德廟的知性形象。

〔附記〕

本篇報告之撰寫，多承竹山鎮耆老林建勳及其公子林篁村博士、劉迺倉、茆庸正、蘇景來諸先生暨竹山鎮公所張萍鳳主任、黃文賢館長等不吝惠助，至謝。另對已為竹山之社會經濟發展史，開發史做出卓越成績的劉枝萬、莊英章、林文龍等學者專家，同表感佩。

---

10 此則乃據現任竹山城隍廟管理委員會主任委員劉迺倉先生面述，茲錄其大旨，作為參考。

圖1 竹山連興宮三川殿前部待維修的龍柱
按：此廟曾於清咸豐丙辰（六）年，由
舉人林鳳池捐貲首倡，並得仕紳響應，
進行重修。此根龍柱上端刻立林鳳池等
七人之提名，職武生陳朝魁是其一，咸
信他是竹山城隍廟的創建者。

圖3 記錄大正十四年竹山城隍廟改築始
末的「廟序」及「捐題碑」。

圖2 竹山靈德廟今日的廟貌及三川
殿左、右壁面的石雕（龍騰及虎
躍）。

圖4「靈德廟」古匾
按：此匾係林圯埔街商家「鍾隆順
號」於光緒甲申十年季秋叩獻。

圖5 重修開彰聖王廟碑記拓本
按：此碑係竹山在社寮、後埔等六保信眾於
大正十四年冬月刻立，其內容實含「朝序」
及「捐金人名錄」。

圖7「九二一地震各友廟賑災支援處」紅單
按：竹山靈德廟於此次地震中受創輕微，廟方主事者在領
受全省各友廟捐贈現金及民生日常用品多批後，即組織專
人，大力進行各項賑災工作。

圖6 竹山城隍廟正殿上掛置的「神光
昭赫」古匾
按：此匾於大正十五年孟春月，由
竹山庄長林月汀領銜，偕同當地仕
紳陳紹唐、陳紹禎兄弟、黃錫三、
魏維錡等七人敬獻，藉以紀念是次
改築順利。

國立歷史博物館「搶救文物專案」
文物蒐集與清理維護實務操作研究報告

胡懿勳　郭祐麟

摘要

　　本篇研究報告內容主要論述「搶救文物專案計劃」實施內容中，文物蒐集、清理、維護等項目的工法與工序，並未涉及文物個案研究、展覽及長期保存等後續工作內容。其次，學界普遍認同的一般性工序工法或文物處理原則，亦未列入討論，僅提出特殊性的文物蒐集、清理等施作程序，期使可爲補充、檢證和修正的案例說明。

　　文物蒐集方面，以竹山鎮敦本堂彩繪牆拆卸及東勢鎮善教堂屋頂吊離作業爲主要論述對象。文物清理維護，則以善教堂雕刻飾板、林大有宅彩繪板等特殊文物的處理爲主，其中，文物的初步清理以敘述實務操作爲要。全文分爲本文與附錄兩部分，附錄部分，收列本館實習生所製作之色層分析及文物蒐集、文物清理修復之現場工作日誌，作爲參考文件。

　　本文整體架構，在注重專案計劃進行當中，所使用之技術層面討論，包括，工程性、專技性、行政性等幾種不同層面。尤其以實務性、專技性的工法、工序檢討爲重心，以期使有效作爲爾後同性質案例處理時之參考架構。

　　搶救文物專案計劃實施的文物蒐集工法，屬國內首例，受當下環境因素制約，必須因地制宜即刻處理情事，在工作進行中無法週延按照標準程序，或步驟施作，因此，研擬更具效用的工法或技術，均屬檢討範圍，以落實本專案工作階段性的進程。

Abstract

This research report chronicles the Project of Rescuing Artifacts from areas hit by the 921 Earthquake. The report does not include research exhibition and permanent preservation of the artifacts themselves, but rather the specific process of dismantling and immediately preserving (safe-guarding)

the artifacts has been mentioned in order to provide a record and a guide for similar situations. The text stresses the techniques from different fields of engineering, technical skill, and administration. We hope the technical skill and execution details can be used as reference for further rescue attempts.

The efforts include dismantling of the painted wall of

Dun-ben Hall in Chu-san county and removal of the eaves of Shan-jiao Hall, as well as the carved and decorative panels of Shan-jiao Hall and the Lin Ta-you residence. An appendix provides a daily record of the gradation analysis, collection, arrangement, and restoration of the artifacts that were made by the intern students at the museum.

The Project of Rescuing Artifacts from Areas Hit by 921 Earthquake was the first time such an efforts was made domestically in terms of the limitation of local environment, one must be very decisive to take quick appropriate actions in accordance with the local conditions, more research and study is recommended to produce more effective techniques for future emergencies.

第一章、緒論

　　民國八十八年九月二十一日零晨一點四十七分，台灣地區發生了相當芮氏地震儀上規模7.3級，距離地表深約一公里的淺層地震。震央約在南投縣集集鎮，是台灣地區近百年來中部地區人員傷亡最多、各類公私有產業及建設受到破壞最大，影響也最深、最廣的天然災害，更造成無數身家財產永遠的遺憾。這個百年大震，隨即命名為「九二一大地震」。

　　就文化而言，地震災害損毀了人類生命之外，對於文化的破壞也產生了立即的效應。在中部災區所看到滿目瘡痍，家園殘破景象之餘，許多原本岌岌可危的早期傳統建築也都應聲倒地。為避免尚存的傳統建築構件及週邊具有歷史價值的文物繼續遭受損毀，國立歷史博物館(以下簡稱本館)特別組織任務小組，稱之為「搶救文物」的即時性專案計劃正式開始實施[1]。

　　本館於民國88年(1999)10月初組成「搶救文物小組」(以下簡稱搶救小組)，於10月7日第一次進入災區進行文物調查，持續至民國88年12月底止，共計調查了包括，水里、集集、鹿港、大里、竹山、石岡、東勢等七個災區地點；於竹山鎮、東勢鎮兩處蒐集約六百件文物與建築構件；連同其他地點蒐集災區文物樣本總計約八百件左右；所耗費經費超過新台幣一百五十萬元。而接續搶救工作之後，規劃主題展覽並進行研究。其目的在於，從事台灣文化之學術研究之外，兼而擴及社會大眾對歷史文物維護與保存觀念宣導。

　　九二一大地震之後，台灣文物保存議題備需重視，為免於遭受更多破壞、遺棄。由本館與國立傳統藝術中心(以下簡稱傳藝中心)合作辦理主題展覽，統整災區文物資料，並進行整理修復。更深入從事研究，藉由展覽以增強社會大眾對歷史文物保存觀念，以及為台灣文物做歷史性、文化性、生活性及藝術性之詮釋。凡此種重措施，皆希望有助於具體建議有關單位作為重建、修復或保存等工作開展。

壹、專案計劃概述

一、專案計劃訂定要點

　　九二一大地震竹山鎮多處傳統老宅遭受摧毀，經屋主透過李奕興先生與本館接觸，為避免尚存之建築構件及週邊文物繼續遭受損毀，本館搶救小組即時進行勘查蒐集供日後研究參考，並接洽捐贈事宜。根據前期調查，本小組在東勢鎮

---

1 史博館原本採取災區歷史建築的影像紀錄與訪查的觀察，「搶救文物專案計劃」的形成，是受到鹿港地方文史工作者李奕興先生提供第一手資訊，在他積極奔走之下，促成竹山鎮社寮莊宅坍塌山門的建築構件捐贈。由此，史博館才開始了進入災區搶救文物的實踐行動。

善教堂發現「善教堂」坍塌建築一處，及鹿港文史工作者李奕興先生，提供竹山鎮莊宅坍塌山門，成大建築系教授兼工學院副院長徐明福教授主動居間聯繫、報導，竹山鎮敦本堂坍塌台灣傳統建築遺存部分文物建築構件。本館繼續擬訂「搶救文物專案計劃」(以下簡稱專案計畫)，報請行政院第六處、教育部、文建會等上級機關核備，積極執行本案。

　　本案所計劃之範圍包括，文物蒐集、文物清理與維護、研究與展示等三部份。初期作業已蒐集文物為主，亦即以搶救文物為首要工作。本案所釐定之目標包括：

(一)組成專案小組進行勘查、紀錄、包裝，並運送至安全地區儲存。

(二)對蒐集之文物進行整理、維護、加固作業，以利文物之長期保存。

(三)透過本館專業人員進行研究後，出版研究報告及籌辦災區文物展覽。

二、專案團隊的組織

　　依照最初計劃，本專案由館長召集，組織跨組室任務編組，進行文物蒐集工作。

　　召集人：館長黃光男博士
　　計劃執行：研究組主任陳永源先生
　　計劃顧問：奕興文藝工作室李奕興先生
　　　　　　　國立成功大學建築系徐明福教授
　　執行秘書：研究組胡懿勳
　　研究人員：
　　研究組　成耆仁 吳國淳 胡懿勳
　　教育組　羅煥光
　　典藏組　郭祐麟 黃春秀 陳鴻琦
　　展覽組　張承宗
　　秘書室　郭長江
　　任務分組

任務組別	負責人	任務內容	備　註
統　籌	黃光男館長	整合監督	
管　理	陳永源主任 胡懿勳先生	後勤支援 行政聯絡	
顧　問	李奕興先生 徐明福教授	分類及紀錄諮詢 田野調查報導人	
拆　除	羅煥光先生 郭祐麟先生	建築構件拆除 工具管理	

分　類	郭長江先生 張婉眞小姐	文物分類 包裝 材料管理	
紀　錄	成耆仁小姐 吳國淳小姐	文字及影像紀錄 總務	
清理維護	郭祐麟先生 胡懿勳先生	文物整理及維護工 作安排　檔案建立	協調本館義工及實習 生協助

三、計劃實施狀況

貳、研究報告的範圍與重點

研究報告根據本案進行順序，以蒐集文物和文物清理維護爲重點。茲分述如下：

一、文物蒐集

本館搶救小組雖於東勢鎭、竹山鎭、大里市等四處地方進行文物搶救與蒐集工作，本篇報告則以竹山鎭敦本堂與東勢鎭善教堂爲主要論述重點。其理由是，敦本堂兩面彩繪牆與善教堂拜亭屋頂之拆卸工作，具有指標性意義。搶救小組運用不同之文物拆卸技術，在台灣尚屬首例；經查並無更早之相關文獻，可供參考。而拆卸技術亦爲本館研究人員自行研發而得。

二、清理與維護

文物蒐集工作結束，續行災區文物清理維護及研究報告出版。籌辦主題展覽，推展對文物保存維護之觀念，增強社會大眾對台灣地方之深入了解。

（一）文物處理順序

1.現存專案倉庫及本館文物進行清理、維護、加固、修復等工作。

2.以展覽所需之展品爲優先處理，其餘文物則持續進行中、長程工作。

3.文物處理同時進行影像及文字紀錄，以供研究報告參考。

（二）文物清理維護時間期程

薰蒸及庫藏管理：二週內完成（89年1月底）。

近程清理維護時間：三個月工作天（89年4月底）。

中程清理維護時間：六～八個月工作天（89年8月底）。

遠程清理維護時間：八～十個月工作天（90年8月底）。

三、工序與工法建立

研究報告之原始構想分爲兩部分進行。第一部分爲災區文物之地方歷史、文化、藝術等相關背景研究，以彰顯文物之生命力及其價值與意義。第二部爲製作「災後搶救文物實務工作手冊」[2]，以本館搶救文物過程所運用之工法、工序爲主軸，詳述本次相關搶救文物之實例分析，以建立第一手參考文獻。

由此，本篇報告之主要目的在於，將本專案所實施之各階段實務工作，作重點式歸納整理，以期整合出系統性操作工法。本篇研究報告即在原始構想基礎上，將蒐集、整理、維護、修復等工作參考影像紀錄與工作日誌，詳實整理乙份具備方法與順序的操作性文獻，方便專業人員查閱參考。

參、重要工作紀實

一、前期災區文物調查工作

本館於十月初組成搶救小組，十月八日第一次赴中部災區進行調查工作，先後進行鹿港龍山寺、集集火車站及水里蛇窯等地的影像及文字紀錄。十月十九日赴竹山鎮莊人和先生住處，該處原爲莊氏家廟，屬閩南式傳統建築，屋齡約在八十餘年。九二一大地震後山門全數坍塌，左右護龍傾倒，經與專案顧問李奕興先生會合勘查並與莊先生溝通協調，決定分組進行圖像及文字紀錄。

十月二十日下午自竹山鎮莊宅赴東勢鎮繼續蒐集文物作業。東勢鎮善教堂百年建築亦坍塌損毀，小組立即進行訪查協商，經與管理委員會主任委員江錦秀先生商談，同意贈送本館部分建築構件及文物。小組成員分組進行紀錄及蒐集工作，交長藝公司包裝。傍晚，根據當地居民報導，專案小組尋找東勢鎮劉氏宗祠，但在震災坍塌後已經全部拆除，僅殘餘瓦礫大木及未清除的現場，本館與劉氏家族協商，獲准採取部分文物作爲樣本保存。十月二十一日上午赴石岡鄉進行蒐集工作，石岡鄉多數客家建築亦已經清運，無法蒐集。

二、竹山鎮工作紀實

竹山鎮敦本堂文物蒐集

竹山「敦本堂」林家祖厝建於晚清時期，約當日據初期，爲現存台灣傳統民宅形式與閩南形式建築風格的混合式四合院方正格局，也是台灣十大民宅之一，係遜清武官林月汀氏籌建之士紳宅第。按該宅門廳格扇書畫落款記載有「丙午年初春」，顯見敦本堂係落成於清光緒三十二年（丙午年，明治三十九年，西元一九〇六年）左右[3]。

---

2 製作操作手冊的原初構想，即促成本篇研究報告初步成形。
3 楊仁江等，《台灣傳統民居建築---竹山敦本堂》，1985：頁15

十一月六日至十一月十日搶救小組於竹山鎮敦本堂進行文物拆卸工作。本階段工作以拆除大木結構及彩繪粉牆兩部分為主。其中，又以粉牆完整拆除最為艱鉅。

十一月十一日上午十時三十分羅煥光先生帶長藝公司二名工作人員赴大里市樹王里樹王路206號林大有宅，由本館研究組陳主任在現場指揮拆除二十四孝彩繪木板。下午三時四十分敦本堂兩面粉牆拆卸完成，五時十分搬運上車運往大園鄉倉儲暫時安置，敦本堂文物蒐集工作暫告落幕。

三、東勢鎮工作紀實

善教堂拜亭拆卸工作

12月7日至12月29日搶救小組於東勢鎮善教堂進行拜亭拆卸工作。首先進行拜亭屋頂外壁加固補強，並以PU EPOXY發泡灌注機，以400磅壓力將還氧樹脂注入屋頂細縫及接合、裂縫等處。以H型鋼及C型鐵先行以鐵絲接合木結構橫樑，並進行焊接，強化加固防護作用。12月16日，拜亭四方木結構拆除，文物統一編號後裝車。由本館人員會同工地主任及工程人員會商屋脊補強進度，及補強後之鋼骨架構，以了解吊離施工之工法、作業程序、及突發狀況之預防、沙盤推演、切割作業之研究。小組會商並與工程人員決議，原預定12月18日上午十點進行屋脊吊離作業。然而，12月18、19日東勢鎮下雨，無法進行屋頂吊離作業。

12月22日天氣晴朗，上午九時五十分45噸吊車安裝吊勾待命。在附近商家購買水果、餅乾，由江錦秀主委、本館人員及工作人員代表參拜善教堂三恩主，祈求屋頂吊離作業順利。十時五十分，吊勾安裝四邊完成。十一時二十分，試吊脫離1~2公分，檢查周邊木結構是否損壞，發現調整螺絲斷裂，重新固定吊勾位置，增加四條尼龍質皮帶及加強調整螺絲銜街鋼纜並平衡拉力。經過三次試吊，升起六十公分靜止，重新檢查木結構狀況。下午二時三十五分屋頂完整吊離，放置廟埕，木工人員進行底部支撐。

12月25日，重新檢視拜亭位置(參見附表)，發現鐵片一塊，及銅錢二枚、鐵片一塊，斷裂鐵片二塊，工作人員進行攝影紀錄；繼續尋找其他位置。十一時十分左右，於「左柱1」附近再發現一枚銅錢。可能為搬運石珠時掉落。工作小組討論屋頂拆卸方法，依敦本堂粉牆拆除工法進行，或為較周延施作方向，然需耗費更大人力、物力、時間。由於拜亭屋頂曾於民國六十年間整修，目前拜亭屋頂剪粘多屬整建後樣貌，經過小組人員研商，屋頂磚瓦、塑像部份採小體積局部取樣，保持連續磚瓦之木結構完整，可節省最多時間。決定屋頂磚瓦部分局部取樣，木結構則完整保存。

十二月二十九日，工作人員開始進行採樣工作，先將屋頂右側山牆的瓦片拆除並將獅子卸下，記錄拍照。拆除鷹架部分，屋脊中間的麒麟先行拆下，其他

部分並受損嚴重無法搬運，只有取中間部分。

肆、小結

　　本館所強調者，在於建築物損毀後，其留存殘件仍具歷史文物價值，若由本館專業研究人員參與則可區隔建築專家學者所著重之建築物本身之復原、整建、重建等焦點。而重建工作所遺棄之建築構件，更是亟需透過本館專業整理保存之歷史文物，以期發揮與發現文物之價值與意義。

附表 東勢鎮善教堂木柱平面示意圖

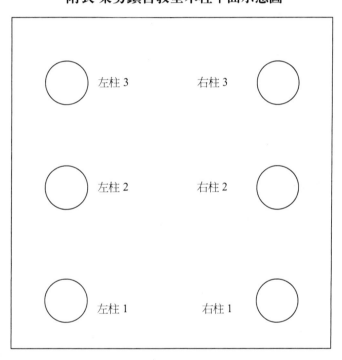

第二章 搶救文物－文物的蒐集

壹、敦本堂彩繪牆

一、實物勘察及記錄

　　竹山「敦本堂」林家祖厝為現存台灣傳統民宅形式與閩南形式建築風格的混合式四合院方正格局（建於晚清時期，約當日據初期），也是台灣十大民宅之一，係遜清武官林月汀氏籌建之士紳宅第。按該宅門廳格扇書畫落款記載有「丙午年初春」，顯見敦本堂係落成於清光緒三十二年（丙午年，明治三十九年，西

元一九〇六年）左右[4]。

　　本章主題白灰牆壁畫位於門廳背側次間牆面，共分上下二堵，下堵為丁砌磚牆，單道水磨磚框，框內凹陷但不做灰泥面飾，亦無琉璃花磚，僅用丁砌磚面。上堵為白灰粉刷牆，利用飾面之凹凸（框與底部之高低落差約十至十一點五公分）做成彩繪精緻的對聯、橫披及繪有山水之圓形中堂，框之四角繪以蝙蝠四隻，框內繪老翁遊園賞花人物故事。畫之兩側書有冠頂聯句，左次間上聯為「敦厥慈孝友恭道惟敬止」，下聯為「本諸智仁義理德乃日新」，橫披為「松苞」。右次間上聯為「敦孝友以傳家繩其祖武」，下聯為「本精勤而創業貽厥孫謀」，橫披為「竹茂」。左右成對十分雅緻。

　　「松苞」之題畫款為「夜雨竹窗問語 雪山畫寫」。

　　「竹茂」之題畫款為「難得名花勝開 旅寫陳英」。

二、揭取前的準備工作

(一)現況分析：

　　由於921地震的影響，兩側壁畫均已位移並多處均裂及脫落，加上無法於原地進行保護保存工作，因此必須決定揭取壁畫以進行異地之緊急保護保存工作。

　　1「竹茂」牆的現況分析：上方因地震的上下擠壓而產生空膨、均裂脫落的現象，左上角因地仗材質不同而產生兩條裂縫，左下角因擠壓而空膨變形，右下方也因擠壓而均裂脫落，其他都為細小的擠壓裂紋。

　　2「松苞」牆的現況分析：右上方因地震的上下擠壓而產生空膨、均裂脫落的現象，左上角因地仗材質不同而產生兩條裂痕，左下角因擠壓而空膨變形，也因擠壓而均裂脫落非常嚴重，並露出地仗底層的泥土和紅磚，右下方也因擠壓而空膨變形均裂脫落，右方中段有斷裂紋，其他都為細小的擠壓裂紋。

(二)壁畫組成結構分析：

　　壁畫堵身結構乃以閩式建築風格做為基礎，以紅磚、黃土泥、石灰、白石灰及稻穀殼為壁畫之主要結構的磚土牆壁畫形式。磚、土皆為當地就地取材（硐傛一帶的自有田地）燒製而成的[5]。

(三)討論與結果：

　　由於壁面壁畫屬於較複雜的高落差壁畫形式（平面落差達10~11.5公分）不同於一般平面的純石質壁畫或浮雕形式壁畫，因此不能以一般的分塊鋸解或撬取的方式揭取壁畫，再者繪畫層只有附著在薄薄的0.1~0.3公分厚的白石灰土上，又

---

4 楊仁江等，《台灣傳統民居建築－竹山敦本堂》，1985：頁15。

5 同前註，頁15。

經歷過7.3級的強烈地震後，幾乎沒有強度可言。在技術上無法同時而完整的保存磚墻及灰土下，如何完整保護保存壁畫是此次搶救的最大困難處。

　　由於時間緊迫，必須同時考量其他木構的拆除進度以及趕在地區鄉鎮公所的無償清理現場及無償清運的壓力下，必須節省工時工序及運用有限的財力物力人力，來獨力完成此一開台以來的全台個案首例。

　　人的條件方面，在目前國內尚無人有直接參與壁畫揭取工作經驗可提供指導或訊問之前題下，主持揭取壁畫計畫的我便廣範收集資料並參酌大陸地區的壁畫揭取施作方式爲計畫依據和計畫藍本，加上多年來專業的文物保護修復工作經驗以及書畫裱備、雕塑翻模的基礎來研擬緊急壁畫揭取計畫。

(四)研擬施工圖及操作工序步驟：

　　由於敦本堂壁畫本身結構已受到921地震的破壞，已非是處在正常安全的結構狀態下而來進行揭取的工作。是以研擬此緊急計劃的首要考量與重大因素即是安全揭取原狀保存。由於紅磚土墻的不同材質和混合結構方式，在地震受傷後程度不一致的情況下，使原來已相當脆弱的磚土墻（已近百年）岌岌可危，所以傳統的分塊揭取方式必不可行。再者磚土墻的厚度近30公分，依預計揭取的壁畫體面積來算，其淨重必超過5公噸重，如此工程過於浩大並不符合實際需要，因此必須只能保存以壁畫正面完整爲主的方式，而地仗的磚及土泥結構必須撥離的方式來進行揭取工作。但撥離磚泥後的灰土墻面強度就必須用替代材料來補強，又要兼顧保護壁畫墻面，又要有足夠的強度，又要有簡易施工的操作功能、又要有輕巧的材料特性、又考慮將來的可修可復原…等的環環相扣問題考量下，研擬施作工法工序就必須格外的嚴謹與慎重，因爲灰泥土墻可能會在未來的幾分鐘或幾秒鐘內再因不斷的餘震而倒塌毀壞。

　　由於爲爭取時效以符合緊急搶救的安全原則之下，而研擬出最簡便安全的施工程序與選取最適合材料，是爲本次壁畫揭取工作的重點，在多方的討論考量下，其施工程序漸有雛形並於施工期間適時做修正工作計畫。以下是爲施工程序及工法：

三、工序

　　由於壁畫地仗的脆弱，所以決定先施用以5%濃度的B72乙醇溶液作第一層的噴灑加固保護動作（在加固前須先清除壁畫表面的灰塵及雜質），B72爲透明無色的高分子可逆性材料，其性質較柔軔且有較好的粘結性，於稀釋後有良佳的滲透性能，取得良好的加固功能和作用。其次依壁畫面積敷裱貼上二至三層不等的宣紙，主要取其保護壁畫面的工序。由於壁畫早因地震（上下左右搖晃方式的6級以上震度）的破壞，多處的裂痕及脫落肉眼即可察見，爲免使其在施工時或

因施工的力道，或因不斷的餘震使壁面不斷地增加裂痕，或以增加壁畫表面的強度，或用以阻絕支稱拆卸壁畫時因拆卸地仗的磚土所形成新的不規則作用力震動下...等因素考量，再者宣紙可起到第二層的保護作用。

其次是運用F.R.P.（即玻璃纖維及樹脂膠的簡稱，市面上可見到的成品如水塔、浴缸、模型等）合成樹脂材料，來解決壁面的垂直與高浮雕形式，以起到支撐宣紙的強度不足問題，並且可均勻密合地起到保護壁面的第三層作用強化功能。而在高約2.6公尺、寬約2.3公尺厚約1.5公分的大灰土牆面積，其淨重約有六百公斤，因此單靠FRP的支稱力量是不足以搬動的，所以最外層亦必須釘製夾板（前後各一組，如三明治般牢靠地夾住壁畫層）用以增加強度和保護，以上是為壁畫正面的施工工序。

但問題出現在第三層的F.R.P.與第四層的夾板都是比較光滑堅硬材質，兩層之間沒有介質、沒有磨擦力因而無法密實的結為一體，相對地保護的強度和功能便無法完全發揮，反而容易產生搬運時滑動、脫落等不良後果，因此找尋之間的適當介質材料顯得異常重要。

幾經研究人員的討論之下，目前市面上可以買到的現成品有兩種是適合的材料一是矽利康、一是填充發泡劑。而兩者之間亦有不同程度的優缺點，矽利康的優點是質好有彈性，附著力較強，價錢比較實惠。其缺點是體面積重、不易乾燥固化、流動性差，於大面積時無法充份填塞，可能造成拉力不均勻等問題。至於填充發泡劑的優點是噴出發泡劑後迅速膨脹，固化時間較短、填塞範圍大、流動性較強、體積輕便。其缺點較缺乏彈性，單價較高。

綜合以上優缺點後決定採用兩者的優點相互配合使用，至於垂直高浮雕的牆壁落差（約近10公分），則以厚10公分保麗龍來裁切填補大空間，再貼實於夾板上形成陽模形式以符合牆面的凹凸變化，最後再用發泡填充劑來充塞其餘空間。如此完成了正面壁畫的補強工序。壁畫背面的工序，亦是在正面的條件完成後進行，而與正面處理方法上最大的不同是沒有畫面的安全問題，但卻有拆卸背面地仗的磚土問題。原本以為拆卸磚土時，必須同時補強地仗的薄灰土層，但拆卸磚土後發現，灰土仍有0.8公分到1公分的厚度，且仍有很好的支撐強度（因年代較近支撐度較強，強震的影響之下只出現裂痕而已），因此省下了補強背面地仗的繁複工作及時間。其他則同正面做法，先填塞厚保麗龍，粘附以夾板後施以填充發泡劑填充粘實，再固定前後外夾板，以上所述是為施工的工序和方法步驟。

四、工法

施工材料及運用工法：

(一)揭取前的準備工作，訂做補強夾板、購置各種器材及藥品（略）。

(二)清除壁畫表面之污塵，以羊毛排筆、棕毛排筆局部清除，並檢視有無酥粉脫落或掉色現象（如有請參前請除處理方法）。

(三)調以5%濃度的B72乙醇溶液，裝入氣壓式噴壺做均勻的噴灑加固動作，一般噴灑兩次，第一次為吸入式使溶液滲透入內層，待約15分鐘固化後再噴灑第二次B72乙醇溶液，使其表面形成透明無色的保護層薄膜。

(四)調合以天然植物性膠水或是漿糊，其漿糊濃度約為1%~3%的水溶液待裱宣紙時使用。

(五)裁切以寬度十五公分、三十公分，長三十公分、六十公分等大小規格不同的宣紙備用。

(六)施工人員分別由左上角及右上角向下敷貼裱紙。每張宣紙相互交疊約0.5公分，如此全幅壁畫裱貼第一層紙，待完全陰乾後再以同樣的方式，裱貼第二層宣紙。裱貼糊紙時必須注意內層不得存留空隙氣泡，如有實則必須立即打出空氣，所糊紙面方能牢貼壁面，陰乾後的拉力方能平均勻稱。其他配合工序為搭建鷹架。另糊紙時漿糊不宜太濕太濃，否則不易陰乾或張力拉力不平均影響日後的修復復原工作。

(七)製做小試片，以了解F.R.P.玻璃纖維樹脂在裱紙上對壁畫的影響，試片結果於裱貼兩層或三層宣紙上都能安全阻隔F.R.P.的貼著力度，並方便於日後的復原工作。

(八)正式於壁畫上塗敷F.R.P.樹脂，必須先將F.R.P.玻璃纖維裁剪成片（約同宣紙尺寸）備用。FRP玻璃纖維為無機聚合纖維，纖維非常的細小（操作者必須配戴口罩、橡塑手套等裝備，決不可輕易忽視），其纖維細小到可輕易的插入毛細孔之中，嚴重者能起到發癢過敏紅腫的症狀。

(九)F.R.P.樹脂（俗稱不飽合樹脂，屬縮水甘油醚環氧樹脂類聚合物，因含有很多的苯環或雜環、分子鏈柔性小，加之固化後的體型結構不易變形，所以脆性較大，一般可因配料不同而有不同的使用方式）調合樹脂時須以硬化劑（即固化劑）來進行固化作用。固化劑的用量很重要，加量過少，則固化不完全且時間過長，膠粘的性能不佳。用量過多，反應過快膠性易變、脆性大。本次使用之寶利膠為100份的話，則硬化劑量約為1%~2%的適量較為理想。如此調合均勻即可使用，安全固化時間約為5~7分鐘（完全固化時間約為25~30分鐘），其工法亦如裱宣紙的工序一樣，按步就班直到完成全幅牆面的敷貼工作為止。

(十)敷貼F.R.P.樹脂時會遇到如同翻製雕塑分模時的「卡模」問題，因此有對於小於90度角或近90度角的位置時，必須做填充及阻隔層（如施打矽利康或分模線等動作），以利日後去模時省時方便且安全。

(十一)待F.R.P.樹脂敷貼完成固化後便可進行封夾板的工作，由於我們選用

的是爲木心板（三分板厚約0.9公分），釘製成215×280公分的面板。面板背面以兩分角料補強後，實際尺寸必須大於壁畫面尺寸，方能起到加固強化的支稱作用。

(十二)由於固化後的F.R.P.樹脂與夾板均爲光滑的硬質面，因此在研擬工序工法時即擬用厚保麗龍板，矽利康及填充發泡劑來加強粘結，所以將保麗龍畫線切割後鑲嵌粘貼於封板後固定，再施打發泡劑填充空隙直至完成。正面封板至此便告完成。

(十三)正面封板後便是拆卸背面的磚土地仗部份，此時應注意的是拆卸磚塊時的力道控制（因爲牆面厚度僅約0.6~0.8公分），原已遭受震傷的地仗更須小心謹慎保護，所以拆卸背面磚土地仗亦是重要的工序。

(十四)背面的封板與填充加固工序，大致上同正面的施工方式，唯不同的是，背面的填充補強位置必須與正面相對，如此方能準確確定中間的壁畫面平均受力，封板固定時方不致壓傷折損。

(十五)最後的拆卸揭取工作便是吊離，以20噸吊車機械力吊離現場並裝載上車。裝車載運時爲防止震動，應於載車平台上墊上吸震軟墊以減去汔車行駛間的震動震力，揭取後的壁畫正面向下以增加安全性。最後再由文物維修護研究人員接手管理並進行修復加固甚至展覽展示工作。

貳、善教堂拜亭屋頂拆卸

搶救小組在東勢鎮善教堂進行文物蒐集的主要工作爲，拜亭建築構件蒐集。依照程序計有：拆卸前置作業、屋瓦構件拆除、屋頂結構補強、屋頂吊離、木結構拆除等五部分。按照拆卸順序，必須先將拜亭屋頂吊離建築體之後，方可進行木結構拆卸工作，搶救小組原初構想，希望保存最完整的建築構建，包括屋頂剪黏、拜亭木構件等。傳統建築形式必須將屋頂先行拆卸後，才有可能將樺接的木結構一一拆除，而在屋頂拆除剪黏等物件時，擔心已經傾斜的主結構無法承受在屋頂工作時的器具和人員的重量，致使木結構受損或引發危險，因此，決議將屋頂吊離建築主體。

拜亭屋頂吊離即成爲善教堂工作的重要項目。其工序與工法分述如下

一、工序

(一) 拆卸前置作業

屋頂吊離之前，必須先將屋瓦拆除，拆除屋瓦之後，才有空間焊接保護鋼管爲吊離做準備。經過現場實勘，屋瓦與屋頂剪黏部分，曾經在二十年前以及更早之前經過修繕，外表瓦片包括瓦當、滴水等均曾更新。善教堂若無復原計劃，

屋瓦原狀保存不易，此外，。所研擬的工作程序，包括

1.拆卸屋頂瓦片，並取樣、編號、拍照。

(1) 筒瓦及滴水保留完整。

(2) 瓦片局部取樣保留。

(3) 屋瓦拆卸後椽版木構編號拆卸（如圖示）。[6]

2.丈量尺寸。柱礎間距、柱圍（30cm）、礎高（21cm）、直徑（45cm）等紀錄。

3.加強拜亭木結構強度。因建築物右斜約20度，必須再加強木構支撐力量。因為建築主體似有再向右前斜5度，因此再加強支撐木樁。

主因：(1) 前、後、左椽板已拆卸，大大減低垂直的拉力之均衡。

(2) 左側屋瓦未拆，重心左移之故。

4.週邊環境檢視，是否尚有遺落文物。

(1) 拜亭木結構細部拍照，有助復原時參考。

(2) 屋頂四周散落瓦片、瓦當等文物蒐集、裝車。暫存放置於活動中心一樓倉庫。

(3) 拜亭後方及原脫落、震落文物編號、紀錄、包裝、裝車。

5.因安全考量於拆卸左上方屋瓦後，先行將拜亭後方之捲棚迴廊木構件拆卸。

(二) 拜亭屋頂補強

1.屋頂拆卸進行實勘，研議工序。

2.屋頂外壁補強作業。以快乾水泥填補屋脊、山牆、鎗脊等處裂縫，並進行錄影紀錄。

(三) 拜亭屋頂架設支架

1.架設人員準備進行支撐屋頂工作。

2.本館人員與架設人員研商鋼架安置。由於屋頂與木結構結合處，尚有增設鐵棚，鋼架無法著力。為顧及屋頂吊離時需完整，故重新測量及切割金屬材料。

(四) 拜亭屋頂吊離

---

6 屋頂瓦片拆卸同時研商屋頂剪黏保存工法，經與統一切割公司（張先生）協調屋脊灰泥剪粘鋸解事宜，原擬使用鋸解機器水刀過重，可能無法在屋頂上架設進行鋸解工作。

1.現場管制人員、車輛進入工作區,確保安全無虞。[7]

2.檢視鋼索及吊勾強度,確認吊索放置位置,確保水平吊起。影像紀錄人員就位,分三組進行紀錄;錄影、正片、負片同時紀錄。

3.分段吊起,逐步檢查木結構與屋頂脫離,是否造成損傷。

4.安置屋頂,檢視屋頂是否損傷。管制當地民眾接近。

(五)拜亭木結構拆卸

1.依次由上向下拆卸,左右分兩組同時進行。

2.同時進行編號,並即刻裝車,運往專案倉庫。裝運木結構車輛以密閉式箱型貨車保護,避免受雨。

(六)檢視拜亭基地

1.最後巡視,確定已經完成蒐集文物工作。

2.清理現場,檢查裝備,準備撤離。

二、工法

(一)拆卸前置作業

1.持續加強木構件強度。支撐木樁計30餘枝。

2.搭建鷹架以便工作使用。

(二)屋頂鋼架支撐材料及工法

1.屋頂補強材料及設備

(1) H型鋼骨（噴砂烤漆H型輕量鋼）、ㄇ型鐵、伸縮支撐鐵、PU EPOXY灌注機、乙炔、銲槍、環氧樹脂

(2) 屋頂外壁以快乾水泥加固補強完成後,繼續以PU EPOXY發泡灌注機,以400磅壓力將環氧樹脂注入屋頂細縫及接合、裂縫等處;環氧樹脂需24小時硬化。遇有間隙外漏樹脂,再以快乾水泥補強。

2.屋頂鋼架支撐

H型鋼及ㄇ型鐵

(1) H型鋼及ㄇ型鐵先行以鐵絲接合木結構橫樑,共二處。H型鋼與ㄇ型鐵進行焊接。

---

7 廟埕及後方重活動中心空地,為當地民眾經常聚集處所,學童放學後,在此遊戲,附近居民常將私人車輛停放廟埕,故工作期間,必須協調管理委員會與里長進行車輛人員管制。

(2) 確定支撐鋼架結構為安全無損壞之慮，並不影響吊離後切割作業。

(3) H鋼75cm三支架於第三、四柱間。屋脊後下方架設47cmⅡ型鐵。

(4) 437cmⅡ型鐵進行安放補強，於屋脊前下方。

(5) 66cmH型鐵二支焊接於第二、三橫樑之間。

(6) 450cm C型鐵安放於正脊前方上緣。

(7) 保護上馬路上方麒麟剪粘文物。

(8) 470 cmC型鐵安放於正脊後方上緣，另以4根4＃鋼筋與下緣C型鐵固定。

(9) 山牆右側H鋼325補強，左側山牆325 H鋼補強準備。

(10) 5公尺C型鐵於左側山牆補強。

(11) 5公尺C型鐵於右側山牆補強。

3.吊離屋頂失敗後重新補強

(1) 增加4支垂直H型鋼，以支撐水平壓重力。於樑3、樑4兩端加立垂直H型鋼(如拜亭橫樑H鋼架裝組示意圖)

(2) 增加槽鐵支撐樑3、4底部，並以等邊三角鐵垂直固定，增強拉力。鋼纜位置改固定拉樑3、樑4、底部H 型鋼及槽鐵。槽鐵施作：兩支合併焊接持方柱，補強。

(3) 屋頂上馬路橫放5.5公尺槽鐵並以等邊三角鐵垂直固定。

(4) 屋頂正面加設防護鋼架。

4.角鋼連接主要支撐鋼樑

(1) 焊接1英吋、2英吋角鋼於前樑1、左柱1橫柱下方。

(2) 補強上馬路規帶支架，以C型鐵、1英吋角鋼焊接，以保固山牆、上馬路燕尾、上馬路規帶之部位。

(三)屋脊、山牆切割及裝卸平板車工法。

1.考量板車寬度極限3公尺，因此決定切割後段1/3。如此可保留完整之脊樑正面及橫樑，但左右兩邊各二支樑則必須切割。

2.焊工先處理拆卸部份後方支撐角鋼，以利切割工作。

3.木工加強前方因切割後重心向前傾的風險及穩定固定。

屋頂拆卸可能及最少破壞方法。屋頂之橫樑等之結構性比之山牆，上下馬路等較為重要，因此擬拆卸之步驟亦必須邊拆邊架設支架工法比較緩慢，摘要如

下：

     (1) 為保持橫樑之完整性必先支撐四邊的槍脊，固定後拆卸橫樑1、6(即前後位置)，及左右兩邊之橫樑，最後再架回1及6之橫樑。

     (2) 加強支撐後同時去除部份固定之角鋼等(以不妨害結構為原則)。

     (3) 第3、4橫樑不動，以保持正脊及頂脊完整。

     (4) 四邊鎗脊及上下馬路做細部切割取樣。[8]

     (5) 最後加強角鋼支架，拆除正脊2、3、4、5橫樑周邊之構件，再吊離裝上低板車。

     P.S.灰土磚牆的破壞度無法預估。

(四)屋頂吊離

12月21日開始吊離屋頂作業，吊勾安裝至屋脊，升起吊勾約10公分，連結橫樑1、2、5、6底部之C型鐵，承重不足，發生變形移位，吊勾緩降還原。其後，繼續第二次試吊，重新檢查鋼纜位置，(四邊固定)屋脊下方鋼樑仍有承重不足疑慮，且30噸吊車拉力恐無法安全施行吊離，停止作業。由於吊車噸位及吊索承重均不足，於本日作業失敗。繼續加屋頂強防護支撐架，根據估計屋頂含防護鋼架總重約7~8公噸，擬改用40噸吊車作業。次日(22日)，改用40噸吊車重新作業[9]。以下詳述21日設備及22日當天工法。

器具及設備

21日使用起吊設備：30噸吊車，槽鐵168.4kg 5mm×100×9m×3、等邊三角鐵6mm×50×8m×1 36kg；4mm×38×8mm×2 35kg；71kg 4支

22日使用起吊設備：45噸吊車、5mm寬x8m長、安全荷重2000公斤、尼龍質吊索4條、鋼纜4條、調整螺絲：5分(約1.4公分)、8分(約1台吋)各4支

12月22日

09:00   30噸吊車抵達東勢善教堂，準備吊離作業。

10:00   第一次試吊。吊勾安裝至屋脊，升起吊勾約10公分，連結橫樑1、2、5、6底部之C型鐵，承重不足，發生變形移位。吊勾緩降還原。10:40放棄重新佈置。

11:27   1、第二次試吊。重新檢查鋼纜位置，(四邊固定)屋脊下方鋼樑仍有承重

---

8 原訂於吊離屋頂前先行切割四邊鎗脊，因考量屋頂取樣完整性，改為吊離後於地面切割。局部取樣視地面作業及運輸條件而定。

9 12月16日木結構拆除時，工頭提醒在右柱2、左柱2各有一鐵皮接連雨棚鋼架，補強工作完成後，此二處需燒斷，以利吊離作業，故鐵皮遮雨棚已經燒斷。

不足疑慮，且30噸吊車拉力恐無法安全施行吊離，停止作業。

2、運輸人員搬運吊離後支撐屋頂材料至廟埕，並清除鐵釘。

3、現場研商:本日仍繼續架設防護鋼樑，更改吊離鋼纜固定位置。

13:30　增加槽鐵支撐樑3、4底部，並以等邊三角鐵垂直固定，增強拉力。鋼纜位置改固定拉樑3、 樑4底部H 型鋼及槽鐵。

槽鐵施作: 兩支合併焊接持方柱，補強。

14:40　屋頂上馬路橫放5.5公尺槽鐵並以等邊三角鐵垂直固定。

16:30　屋頂正面加設防護鋼架完成。

　　12月22日開始進行第二次屋頂吊離作業。從早上九點開始，持續進行至下午三點半。幾經波折，終於順利完成作業。按照當日時間序列，詳述如下。

09:00　45噸吊車現場待命。廟埕堆放磚塊兩座，以便支撐屋頂。各工作人員就位。

09:20　(1)焊接人員進行最後補強作業。

(2)善教堂舉行「列位聖賢安坐大典」，參拜信眾絡繹不絕。

09:50　吊車安裝吊勾待命。

10:10　購買水果、餅乾，由江錦秀主委、本館人員及工作人員代表參拜善教堂三恩主，祈求屋頂吊離作業順利。

10:50　吊勾安裝四邊完成。

11:20　第一次試吊，脫離1~2公分，檢查周邊木結構是否損壞。

11:30　吊離位置固定。重新固定吊勾位置，增加4條尼龍質皮帶。原5分調整螺絲斷裂，改用8分(1台吋)調整螺絲衛街鋼纜並平衡拉力。

14:20　第二次試吊，升起5公分。

14:25　第三次試吊，升起60公分，木結構檢查。

14:35　屋頂完整吊離，放置廟埕，木工人員進行底部支撐。

15:30 吊車及焊接人員，準備撤離現場。木結構檢查，準備進行拆除工作。

16:20 編號紀錄，拆除部份木結構。

（五）拜亭木結構拆除

1.屋頂尚未吊離之前先行拆除部分已經鬆脫之木結構，以防止掉落損壞。

2.拜亭左柱3、右柱3、樑7~樑9之木結構拆除、編號、紀錄。

3.左柱2上方木結構拆除（局部）。

4.左柱3上方木結構拆除（局部）。

5. 工作人員開始進行採樣工作，先將屋頂右側山牆的瓦片拆除並將獅子卸下，同時記錄拍照紀錄。

6. 鷹架工人四人拆除鷹架部分。

7. 屋脊中間的麒麟先行拆下，其他部分並受損嚴重無法搬運,只有取中間部分。屋脊中間的小石獅也卸下並取3部分花紋。

8. 第六根樑木拆除，右側木也一併拆下並記錄。

9. 第五根樑木拆除左、右兩側木也一併拆下,並記錄拍照。

10. 左山牆部分先用電焊槍切開，然後再用大抓手吊車堆除，以方便第三、第四支木樑完整取出。

11. 第三、第四及中間支撐架木樑完整取下因木架內有許多瓦礫.泥土.鳥巢等先行清除,以方便調至150噸卡車內。

12. 第二及第一樑柱取下，並吊入卡車內第二及第三長度約700cm重量約150-180kgs左右。

13. 「大抓手車」清除環境並將卸下鐵條型鋼等廢鐵載離開。

14. 將拆除的木材、瓦片搬上卡車，並先行安裝,用棉被包裹、清除。部份餘留物,其他部份鄉公所會請人再來清理

15. 全部裝載15噸卡車運至倉庫善教堂拆除劃下完整句點。

(六)拜亭基地現場檢視

1. 檢視拜亭位置，於左柱1發現鐵片一塊，左柱2發現銅錢2枚、鐵片1塊，左柱3發現鐵片2塊(斷裂)。工作人員進行攝影紀錄。繼續尋找其他位置。

2. 於左柱1附近再發現1枚銅錢。可能為搬運石礎時掉落。

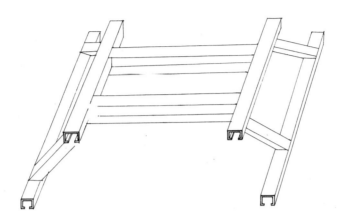

善教堂拜亭屋頂支撐鋼構示意圖　　胡佳宏重繪

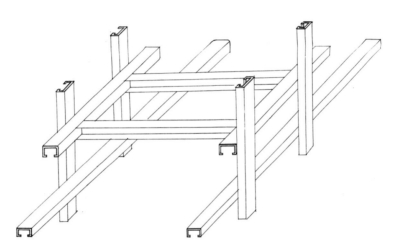

善教堂拜亭屋頂支撐鋼構修改後示意圖　　胡佳宏重繪

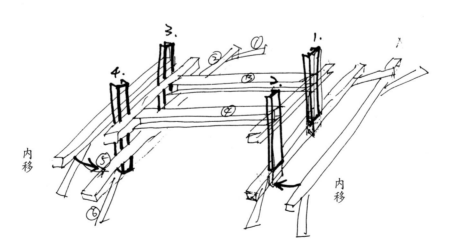

1～6為橫樑支稱鋼架

善教堂拜亭屋頂原初支撐鋼構施工示意圖　　（郭祐麟繪圖）

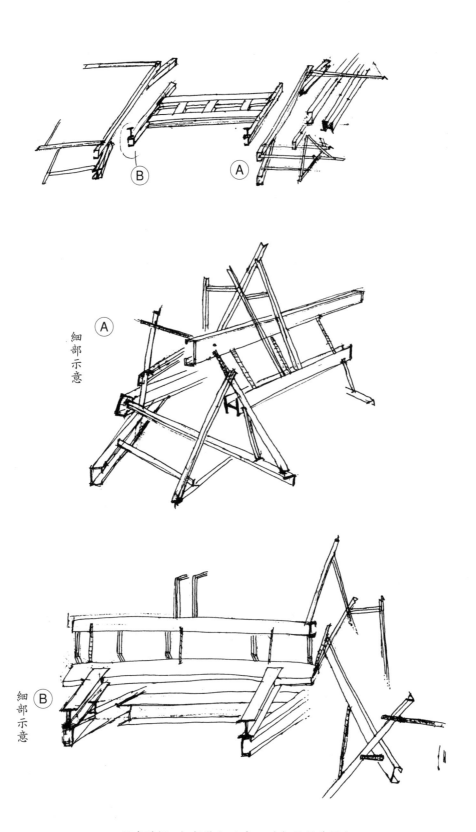

拜亭橫樑H鋼架裝組示意。（郭祐麟繪圖）

第三章 維護、清理與修復

壹、薰蒸作業

一、專案倉庫薰蒸作業

(一)施作方法

薰蒸作業前完整檢視倉庫文物，木質建築構件中，以木柱表面留有蟲洞最多，多屬長期蛀蝕蟲洞及棄巢，倉庫中並未發現蟲跡及新蛀蝕痕跡，斷定應為建築物坍塌之前，蛀蟲及已經棄巢，或受地震影響離開巢穴。從文物進駐倉庫至薰蒸作業約間隔二個月餘，在此期間，工作人員不定時檢視，均未發現蟲跡。

以「幫家淨」為主要薰蒸藥物，在約2,016公尺見方密閉倉庫進行96小時。根據基礎計算，每見方公尺使用5mg藥劑，共計使用幫家淨10,080公克，密閉96小時之後，回收鋼瓶，完成薰蒸作業。

(二)除蟲藥劑分析

1.幫家淨煙霧殺蟲劑的組成：D-T80-Cyphenothrin 1% W/W

液態二氧化碳　　99%

2.有效成分的物理、化學性質

(1) 產品名：GOKILAHT

(2) 一般名：Cyphenothrin(賽酚寧)

(3) 化學名：(＋-)- -CYANO-3-PHENOXYBENZYL

(＋)-CIS/TRANA-CHRYSANTHEMATE

(4) 分子式：C24 H25 O3N

(5) 分子量：375.47

(6) 外　觀：黃色液體

(7) 溶解度：溶解於有機溶劑，不溶解於水

(8) 蒸氣壓：8.7 ×10MMHg at 20℃

3.賽酚寧的安全性資料

(1) 急性毒性：口服毒性LD 50：雄大白鼠2,640mg/kg；

口服毒性LD 50：雌大白鼠2,250mg/kg

皮膚毒性LD 50：雄及雌大白鼠 >5,000mg/kg

吸入毒性LC 50：雄及雌大白鼠 >1,850mg/kg

(2) 全身性過敏反應：無

(3) 皮膚過敏反應：無

(4) 對眼刺激性：無

(5) 對皮膚刺激性：無

4.二氧化碳對人的安全資料：99%的液態二氧化碳在配方是作為賽酚寧的溶劑，擔任推進的推進劑的角色。當施作時，液態二氧化碳成氣態二氧化碳存於空間中，其濃度約為3,000PPM，此濃度在農委會規定，勞工場所二氧化碳最高劑量5,000PPM以下範圍內。二氧化碳原本即存在於空氣之中，故對哺乳動物無害。

二氧化碳臨界濃度(TLV值)為10,000PPM，此臨界濃度為在薰蒸過程中任何時間不得超過之上限。薰蒸作業人員一天內八小時工作時數，平均不得超過此現值，而所有非作業暴露亦不得超過此上限。

(二)「幫家淨」對不同材質影響分析

1.賽酚寧(除蟲菊精)分子量大，且蒸氣壓低，故不會對顏料產生溶解作用，造成文物上漬斑。

2.賽酚寧顆粒對紙纖維不會有反應。煙霧顆粒對蛋白質類如棉等材質不會造成褐色影響。其顆粒不分解蛋白質，會造成蛋白質材質文物發生老化現象。

3.賽酚寧不溶於水，PH值為中性，不會與酸性有機材料作用，不損傷銅、鉛、鋁或其他對酸具敏感性之金屬。

4.賽酚寧分子中不含游離硫，所以部會和硫化氫作用，使銀或鉛白變黑。

5.幫家淨煙霧薰蒸不含水分、有機溶劑及油劑，所以不會對文物造成褐色及污漬。與含有一般溶劑之殺蟲劑比較，一般殺蟲劑對文物材質有劣化作用，危險性高。

6.二氧化碳對油漆及顏料不會產生不良影響。

7.賽酚寧與其他污染氣體比較，化學性最不活潑。以32種有機及無機物質的色素及金屬塊同時在是溫中並置，於3000PPM四小時後發現，二氧化碳並無太大影響。

(三)藥劑在環境條件中可發揮之效果及影響評估

1%除蟲菊精直接溶解於99%液態二氧化碳，儲存高壓鋼瓶內，一旦釋壓時，液態二氧化碳江賽酚寧微化成0.2~5μ直徑大小顆粒，快速分布在空間內。然而，二氧化碳臨界溫度在28℃，故實施薰蒸作業時，溫度不宜超過25℃。溫度

若大於28℃鋼瓶內液態二氧化碳變成氣相，使賽酚寧無法與二氧化碳互溶，此時進行薰蒸作業，鋼瓶噴嘴會滴漏白沫，必須將鋼瓶冷卻後方可再使用。[10]

綜合而論，幫家淨在28℃溫度以下使用，均無安全及操作不便的疑慮。

二、館內儲藏文物薰蒸作業

館內薰蒸件有限，故在頂樓室外開闊地點，以塑膠帆布棚架包裹文物進行薰蒸，同樣以「幫家淨」為主，汽化噴灑文物表面。總面積約為長6公尺，寬2公尺，高2公尺範圍內，以不透氣塑膠布(厚度.5公分)包裹文物進行薰蒸，共計使用幫家淨180公克，密閉48小時，回收鋼瓶，完成薰蒸作業。

貳、文物清理與維護

一、塵垢清除

(一)文物初步清理

文物清理多數在專案倉庫進行，以環境條件而論，專案倉庫大門及進貨側門高度超過四公尺以上，兩邊大門全開，通風尚稱良好。然而，本次文物以建築構件為多，建築物本身建造年代久遠，震災之前，若非暴露於室外長期蒙塵，即是因雕刻紋路複雜容易藏污納垢，加之震災後於瓦礫殘堆中蒐集，塵垢滿佈，清理時困難度高。以建築構件而論，文物表面塵垢分為三層，第一層為最容意清除的一般落塵；文物儲藏和搬運時，外界灰塵飄落所致。第二層為震災之後，文物損毀埋藏於瓦礫堆中，所沾染的塵垢，清理時若遇夾藏於細縫中則需以兒童牙刷之類較小規格的工具清除。第三層為文物本身因年代久遠，加之文物本身均仍在使用，或位於建築物高處、隱蔽位置，平日使用者不易清理，或者長年暴露於室外亦沾染粉塵處所，長期累積之下的污垢。

所有塵垢中以第三層最難清理，通常耗費時間、力氣最長，往往工作人員需要分為數次除垢步驟方可完成。

(二)清理工具與防護設備

　　1.清理工具：工業用乾濕兩用吸塵器、二馬力空氣壓縮機、氣動噴槍、氣動噴嘴、軟毛刷、硬毛刷、塑膠纖維牙刷、棉質毛巾布。

　　2.防護設備：活性碳過濾口罩、棉質手套、棉質工作服、護目鏡(選用配備)。

(三) 清理程序

---

10 夏天氣溫偏高容易產生上述現象，本案薰蒸正值冬季故無此顧慮。

1.工業用乾濕吸塵器整體吸塵後，兩馬力空壓機啟動氣動長噴嘴，將附著力較強塵垢噴離文物表面。工作人員進行實務操作時，有時也以吸塵器與噴嘴並用，邊噴邊吸，可避免被噴起粉塵重新掉落文物表面。

2.以毛刷清理大面積灰塵。或以棉質毛巾布擦拭表面。

3.有雕刻紋樣、透雕或鏤空等形式之文物，必須以更小規格的牙刷進行細部清理。一般兒童用牙刷之刷毛較柔軟細緻，不傷害文物表面，清除效果頗佳。

4.清理後文物集中保存，並覆蓋氣泡布避免落塵。

二、特殊文物清理與維護

(一)善教堂雕刻飾板維護

善教堂曾於民國六十年及七十四年左右兩度翻修，震災後搶救小組抵達東勢所見，即為最近一次翻修後景況；拜亭木結構全部重新油漆粉刷；木構表面重新彩繪；正殿兩邊月洞門為新式金屬門扇與水泥舖大理石面牆；拜亭四周加裝金屬遮雨棚架和波浪板。唯有左右護龍牆壁和正殿屋頂，有部分仍然保存最初建築樣式和材料。

本館搶救小組於第一次進入東勢鎮勘查時發現，善教堂拜亭傾斜，正殿與左右護龍幾乎全倒坍塌，並遭土石瓦礫淹埋幾乎及頂。小組成員即刻協調善教堂管理委員會主任委員江錦秀先生，先將埋藏於瓦礫堆中部分文物撤離現場，運回台北保存，以免遭受二度損壞或當作廢棄物清運。

第一批蒐集文物中以善教堂十七片雕刻飾板的作工最為精緻，這些飾板原為正殿佛龕外花罩上的裝飾雕刻，正殿花罩由十七片雕刻飾板組成，雕刻功夫細緻，與閩南式傳統建築中裝飾紋樣相似，並與清代民間雕刻工藝的內容頗為一致。當地耆老口述，乃為台中本地師傅所作，十分值得保存。然而，十七片雕刻飾板表面與其他木構件同樣重新油漆，站在文物保護與研究立場，應將油漆加以清除，除可觀察分析扇教堂木構原貌之外，亦對木質文物之保存有利。故選擇這批雕刻飾板進行油漆清除與色層紀錄。

初步油漆清除工作以丙酮清洗表面新漆，同時進行色層紀錄。一片雕刻飾板分為四至五個區塊，以階梯式漸進清洗，第一層至第五層在電子顯微鏡下觀察，可清晰辨識其層次之不同。

本案初步清洗工作由史博館文化義工輪班擔任，七月初國立台南藝術學院古物修復與維護研究所研究生江佩明小姐來館實習，這項工作即交由該生負責，並製作詳細文物描述與色層分析表，全文附錄於本篇文末，於此不加重述。(詳見附錄)

(二)林大有宅彩繪牆板

　　大里市林大有宅二十四孝彩繪牆板透過林國隆先生報導及居中協調，房屋所有人同意捐贈，交由史博館保存。二十四孝彩繪板表面褪色氧化嚴重，原本色彩幾乎褪盡，僅留墨線可以辨認輪廓，另一側則書有行書的牆板，情況亦同。二十四孝彩繪牆板表面皸裂，呈不規則格狀紋路，究其原因，應是時間長久缺乏脫扇保護和照料，在台灣中部日照較強，氣溫與溼度變化下，所產生的質變，除木板表層彩繪出現變質之外，木板本身也顯得脆弱。

　　林大有宅彩繪板表面以乙醇清除污垢之外，並以B72高分子材料加固，避免表面彩繪繼續損傷。

參、敦本堂彩繪牆彩繪修補與陳列

　　5月1日至5月15日處理敦本堂松苞牆，作為本館「牆」特展展品，主要的工作項目包括，地仗處理，整座牆面裝置於陳列架，進行牆面保護層剝離，以及彩繪修復等。根據工作進度評估，至5月17日展出經修補之完整彩繪部分，其餘保留玻璃纖維保護層，可供觀眾對照。松苞牆處理方法，以時效性為優先考量，故於處理程序上調整為，玻璃纖維剝離與彩繪修補同時進行，依照時間限制，處理局部彩繪修補及玻璃纖維玻璃，其餘部分，則保持玻璃纖維覆蓋保護狀況。由於預計九月十六日「九二一大地震災區文物研究展」開幕時，另一堵「竹茂牆」可完成玻璃纖維玻璃作業，及80%彩繪修補工作，故可將兩堵彩繪牆作為相互對照參考，以增強觀眾對彩繪牆維護印象。現以松苞牆為例，分述彩繪修補、玻璃纖維剝離，及陳列架安裝等工作。

一、「苞松牆」彩繪修補[11]

(一)圓龕

　　圓龕分為內部山水彩繪、邊框表面之草葉紋飾、龕內緣等三部份，玻璃纖維剝離約二分之一弱，僅於剝離部分進行修補工作，茲分述如下。

　　1.邊框草葉紋

　　修補時，以保持符合原貌之色彩為原則。壁畫彩繪修補工作進度緩慢進行中，局部草葉紋完全脫落，故參考其他完整紋樣以便修復完整。描摹圓龕週邊較為完整之草葉紋樣，於透明度高描圖紙上，以便作為損壞部分草葉紋樣修補參考

---

11 敦本堂兩面彩繪牆，左右各有對聯龕，以「敦」、「本」為起首，橫批龕內各為「松苞」及「竹茂」二字，根據楊仁江先生調查報告，以「松苞」及「竹茂」為名，近固，楊式昭女士之研究認為應讀「苞松」方為中國對聯語法。故應讀作「苞松」。本篇研究報告，著重在技術層面討論，並未對此問題深入考証，僅依照搶救小組於竹山鎮現場工作日誌紀錄行文，考証問題當日后，另闢專章再論。文中仍以「松苞」及「竹茂」分別兩面彩繪牆。

圖樣。由胡懿勳、郭祐麟共同負責,修補圓龕下方邊飾條上之草葉紋樣;郭祐麟描線,胡懿勳補色,同時進行影像紀錄。因日久受風雨日曬侵蝕,草葉紋原本已經模糊不清,加之表面F.R.P.保護層剝離造成變色等因素,草葉紋原本之石青色調和墨汁色層褪色嚴重,殘餘色彩輕淡。修補時,調製儘量接近之色彩,以符合原貌。使用國畫顏料修補較能顧及壁畫原貌,以及為日後保存無變質疑慮。

進行第一道彩繪修補程序時,部分有褪色現象,出現彩繪層厚度落差,經觀察討論決定,部分區域再行第二次彩繪修補工作,部分保留第一次補筆。

圓龕下方草葉紋進行二次補筆及補色,使吻合週邊明度與彩度。二次修補草葉紋經過石灰表面吸收色彩輕淡部分。局部草葉紋完全脫落,雖參考其他完整紋樣,然而,原本匠師在描繪時,並非完全按照二方連續的方法施作,局部邊框屬於即興之作,難以判斷確切紋樣,唯有根據斷斷續續的筆跡先行連接之後,方可看出原貌大樣,再進行國畫顏料填色工作;使用國畫顏料修補較能顧及壁畫原貌,以及為日後保存無變質疑慮。草葉紋經過石灰表面吸收色彩輕淡部分,必須第三次修補局部輕淡區域。

2.圓龕內緣

圓龕邊緣仿造石青氧化後顏色修補[12],義大利製白色(Titanium White)壓克力顏料加國畫顏料混合調製。調製修補所需顏料,增加鼠灰色;與灰藍色同屬礦物性粉末,加水後不易溶解浮於水表面,調色時需充分調勻方可使用。

(二)蝙蝠圖形

先行修補牆面右下方「蝙蝠」圖形四周脫落表面底色。參考現場影像紀錄確知,蝙蝠圖形原本是具有色彩的,松苞牆或因方向與角度因素,面向西方以致直接遭受陽光照射,較竹茂牆褪色嚴重,因此,牆面下方蝙蝠顏色盡褪,僅餘墨線輪廓。底色完成之後,描摹輪廓線,輪廓線以接續為主,不覆蓋留存線條,重新摹繪的墨線必須保持與既存的墨線色調統一,以墨汁調和赭石、花青等顏料,降低墨汁黑色濃度。

輪廓線描摹完成之後,進行蝙蝠內底色填補,底色填補亦不覆蓋既有區塊,緊填實剝落牆面,使整體在視覺上完整。

---

12 石青,又名扁青、或名大青。《本草綱目》金石部扁青條:「扁青…今之石青是矣。繪畫家用之,其色青翠不渝,俗呼為大青,楚、蜀諸處亦有之……《本草》所載扁青、層青、碧青、白青,皆其類耳。」石青為銅的化合物。
石綠,又名綠青,或名大綠。《本草綱目》金石部綠青條:「石綠,陰石也,生銅坑中,乃銅之祖氣也。銅得紫陽之氣而生綠,綠久則成石,謂之石綠,而銅生于中,與空青、曾青同一根源也,今人呼為大綠。」范成大《桂海虞衡志》云:「石綠,銅之苗也,出廣西右江有銅處。生石中,質如石者名石綠。」石綠是銅的一種化合物。

(三)對聯龕

對聯龕分為書法、邊框及龕內緣三部份，邊框有回紋及菊花紋飾，對聯龕內緣原先的白色底層由於年久氧化呈褐色，故必須再剝落部分填補赭石、花青、墨汁及胭脂等顏料之第三次色。對聯龕內緣修補屬於較單純之工法，於本文中不加贅述。以下針對書法修補詳述。

右方對聯龕內「止」字四周以茶葉水染色。潽洱茶及烏龍茶水為植物性析釋色料，不含膠質，作第一層染色有助於第二次以含膠質顏料加強。修補對聯龕垂直面內緣顏色脫落部分。底色填補必須等待顏色乾透後，方可進行第二次填色，以5月專案倉庫氣候而論，需停留二天的乾燥時間，較能比較填色與原色的明度、彩度差異。修補書法字形之前，二次修補右方對聯龕內「惟敬止」三個字四周底色。補強右方對聯龕內「惟敬止」三個字四周底色。同時，第二次修補對聯龕垂直面顏色脫落部分。

(四)修補進度

1. 5月5日至10日為止，含5月7日修補部分，共計長度142公分。

2. 至11日為止，含5月7日修補部分，共計長度150公分。

3. 至12日為止，含5月12日修補部分，共計長度約165公分。

4. 檢視圓龕草葉紋邊飾修補進度，至本日為止，含5月12日修補部分，共計長度約206公分。右方對聯龕剝離共計約62公分×29公分。(89.5.10~13)

5. 右方對聯龕文字及四周底色完成，進行紀錄，並作數位影像檔轉換儲存。

6. 圓龕內山水畫補色。如上述，按照現況進行補筆及補色。局部草葉紋經修復完整。然國畫顏料有部分褪色現象。四次修補圓龕左下側草葉紋；補色補筆。(89.5.14)

7. 試用高分子材料噴灑於彩繪表面，觀察發色狀況。調製B72溶劑約5%B72加95%乙醇。高分子材料噴灑彩繪表面之發色狀況良好，明度、彩度較未噴灑前提高。昨日噴灑之高分子材料部分，狀況良好，試行於其上再行補筆，仍可重疊敷色，故預計於搬運前，視需加強部分再行補筆，以維持最佳展示效果。(89.5.13.)

二、牆面加固

(一) 彩繪牆地仗整理：以「竹茂牆」為例

揭開背面支撐木板，檢查地仗狀況，並進行影像紀錄。竹茂牆地仗有數處剝落嚴重，右上方角落幾乎完全脫落，露出正面保護宣紙與F.R.P.。竹茂牆剷除地仗時所遭遇困難為地仗雖由石粉薄塗分層敷製，然因擠壓後，其中數層黏合緊

密，鬆緊度不一。工法分述如下。

　　1.竹茂牆剷除多餘地仗附著，以減輕重量。

　　(1)與松苞牆地仗比較，此牆地仗較薄，且厚度不一致，落差頗大。此狀況或有兩種可能，一為原由人工堆砌時即為厚薄不一，另一可能為，本館八十八年十月於竹山鎮雇工拆除該牆背面土角磚時，剝離過多地仗所致。然經仔細檢查，並無因拆除土角磚塊而損及地仗情事，故第一種可能為大。

　　(2)地仗表面層次關係

　　A.圓龕底層共三層，凹處厚度約為四至五層，二與三層之間夾有瓦片。

　　B.左對聯龕底層共五層，左右側邊亦有五層，一與二層中間夾有瓦片，瓦片本身有弧度，應為屋瓦剪破後貼上。

　　C.右對聯龕底層三層，左右側邊五層，二與三層中間夾有瓦片，三、四層緊密黏合，無法分層剝離。

　　D.橫批龕底層二層，左右側邊約四至五層，根據現場判斷，應為先築龕四邊後，再行製作底層。

　　2.檢視壁畫地仗表面狀況及清除覆蓋地仗表面的泥土，使地仗凹凸起伏符合麻布樹脂的敷貼工序。

　　3.竹茂牆地仗剷除作業停止。

　　(1)地仗薄弱部分進行加固作業，以石膏加石灰(比例為1：1)以水調和後黏著。

　　(2)樹脂加水稀釋溶劑(80%：20%)噴灑地仗表面，增加強度。前項工作完成後需等待乾燥。

(二) 地仗表面覆蓋麻布

　　1.剪裁麻布符合地仗凹凸起伏。

　　2.調製樹脂接著劑約30%樹脂比70%水比例充分調勻後，每450cc加25%石灰調勻以增加強度與接合力。

　　3.麻布覆蓋施作。於麻布表面均勻鋪上樹脂石灰溶劑，使麻布與地仗進密接合。[13]

(三)玻璃纖維覆蓋作業

---

13 89年6月12、13日進行工作時，大雨不斷，風勢亦強，麻布覆蓋後，樹脂加石灰稀釋劑不易乾燥。兩日大雨，乾燥速度緩慢，增加電風扇直吹以加速乾燥。

1. 竹茂牆地仗覆蓋玻璃纖維，共計使用2.3公斤左右。備料控制適當，無剩餘材料。

2. 約計2.3公斤F.R.P.需使用27公升環氧樹脂，每次約2公升加硬化劑0.5%調合後，以毛刷快速刷勻。本施作需兩人協力，一人調接著劑，一人刷勻。

3. 經過約20小時乾燥80%，(工作天遇雨)24小時可完全乾燥。

(四)竹茂牆地仗填補保麗龍

1. 使用10公分厚，3×6尺保麗龍兩塊，加約6尺 ×2尺一塊，依照地仗起伏形狀，裁切保麗龍填補地仗，完成填補工作後，地仗表面呈一平面，以利安裝陳列架背板。

2. 以500ml發泡劑兩罐接合保麗龍與玻璃纖維。

3. 保麗龍表面加壓地磚增加重量，保持密接，等待發泡劑乾燥。

4. 地仗表面噴灑發泡劑10罐(500ml)安裝背板。背板以六分夾板加裝格狀鐵網以增強力度，並可增加發泡劑抓力。

依照前述施作完成，彩繪牆背面處理暫告段落，隨後以7.7噸吊車將彩繪牆翻轉為正面，安置陳列架上，陳列架平放，方便框架安裝及玻璃纖維剝離、彩繪修補等作業。

(五)彩繪牆正面加固

1. 進行壁畫週邊10公分寬度樹脂補強工作。

2. 調製樹脂接著劑，樹脂約30%加水70%比例充分調勻。

3. 以噴水壺注入樹脂接合劑，使其滲入表面之下，增加地仗抓力。

4. 調和樹脂溶劑接合壁畫左下方龜裂嚴重處。並於四邊土質處噴灑保固。

三、玻璃纖維保護層剝離：以「松苞牆」為例

5月先行處理「松苞牆」，6月之後處理「竹茂牆」，兩堵牆施作工法，因實際操作經驗增加有所差異。本段先以「松苞牆」施作為例，待本篇第四章工法檢討，方以「竹茂牆」之修正後較有效率之工法進行檢討。

(一)尋找已經鬆開的玻璃纖維縫隙，以針筒灌注丙酮，剝離壁畫左下方F.R.P.保護層。從左下方開始進行玻璃工作。

(二)左對聯龕內最後一個字「新」露出，即刻進行補筆，並記錄。

(三)松苞牆圓龕下方，進行F.R.P.保護層剝離工作。同時間，修補左方對聯龕內「新」字四周。[14] 89.5.11.

(四)繼續剝離壁畫右方對聯龕，露出「作敬止」三字達於三分之一要求進度。以平行方向向左方延伸剝離F.R.P.，並修補脫落之彩繪。89.5.12.

(五)剝離圓光龕內之壁畫部分，溶解速度順利進行。[15] 改用於F.R.P.與壁面之間灌注丙酮後，以毛巾布覆蓋F.R.P表層，吸收溶解液，待充分吸收與溶解之後，再行切除可加速剝離速度，並保持壁畫完整度。89.5.13.

(六)松苞牆圓龕內下方F.R.P.保護層的剝離工作及檢視記錄。改用於F.R.P.直接灌注丙酮玻璃纖維表面及夾層之間後，以毛巾布覆蓋F.R.P表層之剝離方法，試行良好繼續運用。89.5.14.

(七)剝離圓龕內剩餘F.R.P.，修整外型，準備停止剝離工作。

(八)停止F.R.P.剝離工作。全力進行壁畫彩繪修補工作。

四、陳列架安裝

(一)切割多餘部分準備安裝陳列架

1.使用鋼鋸裁切壁畫左側邊及上邊超出陳列架部分，以為安裝上框架作準備。

2.壁畫上方裁切與陳列架凹槽等齊，以便於安裝上框架施作。壁畫邊緣因有玻璃纖維、麻布等保護，強度增加後，裁切困難費時，10、11日兩天總共鋸斷鋼鋸5支，1支嚴重磨損不堪使用。

(二)準備上框架安裝作業。

1.上框架內、外層安裝測試，切割壁畫上邊，內層固定。

2.上框架外層安裝後，螺絲孔鑽孔：平均20.5公分深度，螺絲長度22.5公分，橫7孔，直6孔，共計26孔。鑽孔完成，安裝上框架螺絲固定。

3.彩繪牆四周角邊安裝厚度約1.3公分，長度30寬度5公分之木板，填補框架與壁面空隙。

4.安裝陳列架下方三角鐵增加支撐度。爾後可以電焊連接強度較高。

5.螺絲安裝完成。切割1公分珍珠板補充壁畫與框架之間空隙，以增加強度。

(三)補強措施。

---

14 於工作檢討時，安排協調鐵架外框安裝工序事宜，為確定安裝安全，研擬夾裝PU薄軟墊。試用聲音數位紀錄設備。爾後希望增加聲音紀錄以求研究工作完整。

15 繼續進行F.R.P.保護層的剝離工作及檢視記錄。同時間，二次修補左方對聯龕內「新」字四周底色。

1. 於彩繪牆週邊與陳列架背板之間灌注發泡劑(500ml)，加強壁畫地仗與底板密合度與接合強度，發泡劑硬化時間至少18小時。

2. 檢視於壁畫週邊灌注之發泡劑，接合狀況良好。

3. 切割由邊緣夾縫溢出之硬化發泡劑，並觀察新舊發泡劑密合度，情況良好。

(四)運輸

1. 吊車(6.6噸加1噸吊桿)抵達倉庫待命。檢查陳列架螺絲緊度。工作人員就位，準備吊起陳列架。

2. 彩繪牆直立完成，測試移動狀況，準備上車。

3. 陳列架吊上貨車，安裝木椿固定底座，安裝保護保麗龍及面板保護牆面，以繩索鐵絲固定面板。

4. 陳列架以繩索、鐵絲等與卡車連結固定，起運。

肆、文物修復：彩繪雕件、糟朽木構件之處理

一、嵌補木塊（裂縫加固）應用材料

(一)環氧膠黏劑（6101#環氧樹脂100份、501#活性稀釋劑10份多乙烯多氨14份）。

(二)聚醋酸乙烯酯（調合木粉填充使用）。

(三)石膏、補土。

(四)南寶樹脂白膠（PVA或PVAC）。

(五)無酸樹脂。

二、彩畫加固強化用材料

(一)聚醋酸乙烯酯乳液（南寶樹脂PVAC無酸白膠）5% 濃度。

　　（溶劑：丙酮、二甲苯、乙醇）

(二)paralorid B-72（丙烯酸酯+甲基丙烯酸乙酯）3% -5% 濃度。

　　（溶劑：丙酮、二甲苯）

(三)三甲樹脂3% 濃度（溶劑：丙酮+二甲苯）。

(四)聚乙烯醇縮丁醛（PVB）3% -5% 濃度。P.S.加固玻璃器最佳。

　　（溶劑：乙醇、醋酸乙酯）

(五)丙烯酸樹脂（聚甲基丙烯酸丁酯，溶於醇、酮）。

(六)天然澱粉膠與動物膠（兔皮膠或鹿皮膠約3%濃度）。

三、有機清洗溶劑

(一)乙醇、乙醚或二甲苯溶劑。

(二)清洗用水（軟水、雨水或蒸餾水）。

(三)清洗油漆（溶劑：丙酮、甲基化酒精、稀氨水）。

四、工具

(一)脫脂棉花。　(二)吸水紙。　(三)竹籤。　(四)燒杯組（5、2、1、0.5、0.1公升）。　(五)塑膠盆、杯（大、中、小）。　(六)空氣壓縮機組及噴槍、噴筆。　(七)玻璃棒。　(八)羊毫筆（大、中、小）、狼毫筆（大、中、小）、羊毫排筆（大、中、小）。　(九)水浴型恆溫鍋。　(十)美工刀（大、中、小）。(十一)無酸紙。　(十二)蒸餾水。　(十三)雕刻刀組。　(十四)南寶樹脂白膠（PVA）。　(十五)醫用手術刀（含各式刀片）。　(十六)固定用C形夾。　(十七)固定用橡皮筋及其他手工具。

五、工法與工序

一般對於糟朽、蟲蛀或斷裂之木質構件，可依下列情況進行保護加固的修復工作：

(一)崁補木構件的腐蝕孔與缺損裂縫的清潔保護、加固修復：

1.文物現況記錄與描述

記錄時文字的描述目的，主要在於簡介病確實的確定文物的身分與正確的基本資料傳達，包括方法與內容。

(1)觀察記錄首先以簡明的文字並作鑑定上的簡明說明，以方便日後的撰寫與修復的參考依據。例如：木雕構件的類別、名稱、年代、作者、來源（出處）、尺寸大小（縱×橫×厚）、裝飾、彩繪、型制等的描述記錄。

(2)按條列方式對文物結構、色澤、重量、材質等內容現況進行簡明扼要的記述，並附加圖片或手繪圖作為輔助。

(3)針對結構損壞部分（由外而內），如材質好壞、研討修復意見概述，以及蟲蝕菌害的跡象等加以檢視說明，並附照片或手繪圖稿加以說明。

(4)其次是表面保護膜、彩繪層以及各彩繪層之間的相互關係位置說明，可以附照片或手繪圖稿加以說明之。

(5)除以上的觀察檢視記錄工作之外，應研擬維修護的建議事項報告，以及修復的工法、工序等復原建議。最後，以電腦建立完整圖文檔案存查。

2.木質文物的腐朽、蟲菌的預防與處理方法

(1)木質文物因蟲菌而腐朽是木質文物損壞的主要因素，其主要蟲害是家白蟻和天牛幼蟲，其次是菌類的危害。

(2)蟲菌的預防可藉由環境的溫溼度控制來抑制消滅蟲菌的生長，蟲菌亦不盡然是有害的，有些僅僅能使木材變色，而蟲菌的危害可以藉由排泄物或糞便的檢視來分辨蟲菌類，進而達到預防與治療的效果。

(3)木質文物的蟲菌害處理方法，一般有「誘蟲法」、「隔離觀察法」、「燻蒸法」、「注射法」、「乾燥法」、「除氧劑法」等等......。本館即以燻蒸法（幫家淨）來處理大量的文物。

(4)木質文物因蟲菌而腐朽時得選用非極性的材料，現在一般皆以B72（丙烯酸＋甲苯）為填充材料，務使填充物不能膨脹或有收縮現象，目的是要讓木胎不再略質惡化以達到保存的效果。

(5)丙烯酸樹脂（acrylic resin）調製法：

A.將B72顆粒裝入絲襪中。

B.準備好甲苯用燒杯依比例定量裝好，與B72粒子的比例分別為15%、30%，配製成不同濃度的兩劑備用。

C.將裝入B72顆粒的絲襪套入燒杯中並密封，以搖晃的方式使其完全融合。

(6)加固時的注意事項：

A.先以低濃度的B72溶劑注入，在薄膠尚未完全固化前　再注入較高濃度的B72溶劑，作為填充材料。

B.至於縫隙太大的缺損部位，則再選以環氧樹脂或其他安全的填充材料替代。

C.加固時應注意劑量的控制，勿使溶劑溢出影響到表面的色層。

D.其他如嵌入同質地的木塊、木削甚至石粉、纖維素等填充材料。

(二)彩繪層的檢視與保護

1. 彩繪層在雕刻藝術中長久以來一直扮演非常重要的角色，尤其是台灣的民間早期建築中，彩繪是表現藝術的途徑和場所之一。彩繪層次一般第一層為木胎，其次為紙或布質材料，再其次為石灰泥等等，最後再上彩（上彩的次數和層次不定，顏料一般以傳統國畫顏料為基礎，配合以膠礬以及礦物性顏料，也有運用生漆為調和劑的）。

2. 彩繪層的損壞原因有：

(1)高溼度及水分是最直接影響彩繪層損壞的原因，如：水痕、雨水等....。木質材料因為吸收大量異常的水分，所以木質纖維不正常的膨脹收縮加速造成彩繪層的起甲、龜裂，甚至脫落。

(2)高溫度的變化異常，加速顏料老化。

(3)有害光，如：紫外線、紅外線、各種有色強光等....。

(4)蟲蛀及霉菌。

(5)空氣污染源，如：二氧化碳、硫化物、油煙燻、塵土等....。

(6)人為的破壞或不當的維護，如：重修、油漆等....。

(7)不可抗拒的天然災害（火災、水災、颱風、地震等）。

3.檢視各部位的色彩結構如何？色層結構如何？是否有新舊色層的覆蓋與重疊現象？是否有蟲害現象？等等....。

4.一般的觀察彩繪層的步驟有下列幾項：

(1)全面檢視作品後，圈定觀察部位、開始詳實記錄。

(2)敘述所見色層狀況、層次、位置、顏色、面積。

(3)新舊色層之比對分析。

(4)色彩是否安全、是否有老化現象等....分析。

(5)依記錄表逐層分析記錄及拍照。

(6)研擬修復建議書及步驟。

5.依修復建議書及步驟進行保護修復工作。

6.新舊色彩的保護、復原與加固（依顏料屬性進行復原與保護加固工作）。

（三）彩繪層的保存與修復

1.保存維護措施前，首先務必切記文物的歷史意義與價值，所有歷史文物皆會因為時間的因素和所在環境而改變，甚至老化破損。因此，保存維護、修復的意義並非在創造或發明，所以在對文物修復前必須先做好文物的檢查記錄工作，修復研究人員的修復建議書亦必多加觀察、思考；再做決定。

2.文物保存維護的材料與運用，必須是有可逆性的材料。一般使用的保存修復材料強度，除了要盡量接近修復文物本身材質外，更要考量勿使材料本身的強度勿大過於文物，否則日後文物的維修護便會產生新的問題。

3.彩繪層的保存，是以保存原貌為主。其消極的預防意義是儘量避免預防造成對文物可預知的傷害，如：溫度、溼度、強光....等。積極性的保存措

施，如：對於木質彩繪、顏料、加固材料等的處理，必須先了解各種處理方式的優略情況後再進行，以免造成日後的不良後果。

(四)彩繪層的復原與修復意義

1 清潔、除塵已顯現色彩，但是在清潔的過程可能傷及色層，或是在去除某一層後發現新的跡象或認知，如何藉由清潔、除塵來重現原作者的本意。因此，藉由間接破壞性的處理方式和過程是復原修復必須面臨的問題，尤其是去除厚厚的油漆與表層。

2 非破壞性的除去色層，除了可以顯現不同時期文物的外貌和顏色外，其決定的考慮因素如何？意義為何？如何做？有何困難？是否上色？等等....。都必須了解，如遇有不清楚或是開始臆測，就得停止。以免摹仿成贗品或創造成新品，甚至失去作品的原創性；也就是失真。

3 能夠表現出原作品的原創特色，使觀眾能夠透過修復以傳達文物的正確意義。也就是所有的處理應考慮整體的一致性，如此修復的進行才有意義。

二、瓷器

(一)保護與修復

瓷器的燒製溫度一般在1200~1500℃左右，在此溫度下，胎體中部份成分開始熔化分解，熔解分子填充到胎體的孔隙中，如高嶺土、石英、氧化鋁聚合後，形成緊密的網狀結構，所以質地堅硬、透氣性及吸水率低。因此，對於瓷器的保護較無特殊要求，只需要注意防止碰撞、擠壓或是人為操作上的疏失既可，至於破碎的瓷器修復一般使用環氧樹脂膠粘起來既可，目前國內外強調使用「可逆性」材料如：B72、B74等，以漸受修復界的普遍使用與肯定，值得推廣與應用。

至於破損較嚴重瓷器修復可依下列步驟工序進行修復復原的工作（進行修復時應請專業的修復師，進行修復工作）。

1.材料及工具

(1)手術用不銹鋼刀組件。

(2)3M膠帶。

(3)雕塑用木刀組件。

(4)瞬間膠（俗稱三秒膠）。

(5)B72乙醇或丙酮溶液（約5~10% 濃度）。

(6)丙酮溶液（清洗用溶劑）。

(7)其他粘合劑：

乙烯－醋酸乙烯共聚物（EVA）、三甲樹脂、聚醋酸乙烯脂、聚苯乙烯、環氧樹脂等......。

(8)陶瓷填充材料樹脂CIBA Araldite AW 106與Hardener HV 953U等量混合，並加入燒石膏、高嶺土等填充料。

(9)流質填充料可用CIBA Araldite GY 257與Hardener HY837，以三比一混合使用。

(10)補色顏料（水、油性礦物顏料或合成顏料、壓克力顏料等）

2.修復方法及步驟

(1)修復資料記錄

當我們接收到要需要修復的器物時，首先要將記錄檢驗觀察的結果，如：器物名稱、類別、編號、重量、尺寸、修復日期、修復前、中、後以及修復使用材料等的詳實記錄，並以影像或照相記錄；最後建檔登錄與器物及資料卡永久保存一起放置。

(2)破瓷的清潔與處理

破瓷修補前的處理，常依破損時的污染情況及程度分別選用適合的清潔劑或有機溶劑來加以處理，一般的強力膠可用雙氧水（Hydrogen Peroxide）浸泡劑可清潔除去，其他如灰塵、油污則使用丙酮（Acetone）或酒精【乙醇（Ethylalcohol）】溶劑輕輕擦拭刷洗既可滌淨，唯使用化學溶劑後必須以清水洗滌乾淨勿使其化學藥物殘留接著面，以免影響日後的粘接牢度及工作甚至避免日後遭受其侵蝕。

(3)破片的綴合與粘結

綴合的目的是在精準而確定瓷片的位置與粘接順序，以便粘接復原時得以順利的進行，並且得以使文物完整的、安全的「再現」，這是專業修復師的研究範疇和職權所在。一般的接合順序是由器底部或由器口緣開始抔湊綴合的工序，如遇有缺片、缺損則不于處理，直到全器可以完整的綴合為止，如此方得以再進行粘合的工作。完成了以上的綴合過程，然後開始正式的粘接工作，此工序通常是由器底部開始，將已綴合好的器物拆下來相鄰的一小部份陶瓷斷片，用以黏性較強的透明薄樹脂膠均勻而快速的塗抹於斷面上，並且小心的左右上下微微錯動使其完全接合以確保其沒有縫隙、氣泡或孔洞之現象產生，直到破片接合位置完全密合至自然平整既可，但如有必要增加膠粘強度厚度時，則可運用鑽石銼刀在膠合處陶瓷斷面之胎土上磨剉成凹槽狀，再將樹脂塗於凹槽部份如此既可增加樹脂強度、又不會因增加樹脂厚度而造成粘接面的縫隙以影響平整、甚至全器變形。

如此全器粘接完成後在樹脂還沒有完全固化粘結牢固前，必須暫時依賴3M膠帶來協助全器的固定工作。由於樹脂的固化時間較長經常需要長達數小時之久，因此每每粘合數片陶瓷片就必須運用3M膠帶來拉緊，否則容易滑動脫落影響粘接效果（此法僅限於高溫陶瓷器或有光滑間時釉面者，不適用於低溫陶與彩繪陶瓷）。陶瓷器的粘合原則以一次完成最為理想，若無特殊狀況或困難；如缺片等現象產生時，一次粘合可以減少破片及接口間的平整度與完整度，對於日後的修補、補彩釉色處理等，有重要的決定性影響，更是器物修復後是否完整呈現的關鍵所在。

(4)缺片的製作

缺片的製作一般來說有非常多的個案與形式，而各個情況也不盡相同，輕微的有釉面刮傷或磨損、有因碰撞後的小缺口、缺角和脫落等、嚴重的是碎裂缺片不完整或是碎片過於細小無法粘合。因此，缺片製作換補的難易繁簡程度也不一樣，方法亦難以一概全，應視其個案需求衡情取捨方得功效。

一般破損輕微的陶瓷器物可直接用高嶺土（Kolin）、二氧化鈦（Titaniwm Deoxide）、燒石膏等填充材料並加入適當比例的樹脂及硬化劑，調成補土補配在缺損的位置，等候尚未完全硬化前稍做修整（竹刀、小薄刀片等），待補土完全硬化後再以水磨細砂紙和水一起研磨（研磨時應該注意儘量不觸傷及其鄰近的釉面，並且要比原來的釉面表層還要低些，以利日後的補彩、補釉工序），研磨的時間亦不宜太久、太長，以免過頭而破壞了整體的美感而不自然。

至於缺片較多較大、複雜細碎的破片，甚至無法復原綴合的地方，則必須以「灌注製模」的方式來製作缺片，常用的製模方法有兩種：

第一、印模膠使用法(soft modeal maker)：持印模膠在火舌上方或以攝氏70℃熱水中川燙軟，陶瓷相關位置預先敷上離型劑(silion)或肥皂水（假肥皂），用手指將印膜膠緊壓於其相關位置，幾分鐘內印模膠固化後即可取下整理備用。將整理妥當後的模子移附於缺損部位，用加熱後的金屬工具，把印模膠模子黏附於器表，另將預先調製好的軟質填充混合顏料（使其填充混合材料與原器之色澤近似），再均勻地展舖在內模，小心壓擠不可留有空隙，另用手指沾水反覆撫平，必要時得以特殊手工具協助壓平壓光，特別注意破口與填充料之接觸必需平滑。此外填充料之厚薄將直接影響到透光度，這一點在半透明質的瓷器上，十分重要，故調配填充材料時即應多加斟酌（若加入較多的滑石粉透光度自然相形減小變差，而滑石粉一般可選用白度較佳的韓國滑石粉），調好後則需注意使其均勻和平滑。

第二、矽利光膠法(silicone)：用矽利光膠先在破口的相關位置內外兩側分別製取軟模，乾後取下移置於破損部分之內外側，先用石膏灌入，作成與破口類似

的石膏片，倘有小部分不合時，可於石膏片上整修，俟石膏片完全密合後取下，再以矽利光膠重翻製一模片，然後取出石膏片，改注入調成的流質填料（註二），乾後取出，用樹脂粘於破損部分即成。

(5)釉色的處理

陶瓷之修復過程從清洗、綴合、黏合、填補縫隙、整修、接縫表層、確定使用顏料與樹脂之種類等，最後一個階段即爲配色補彩，必要時甚至要做舊處理。因此，在使用顏料之前必須知道使用顏料的等級、特性以及使用的次序，檢視顏料面時必須確定其層次。顏料使用的層次有三：基本顏色、圖案、然後上釉；基色、上釉而後圖案；或爲基色、圖案、上釉而後打光。在這檢查過程中必須注意每一層顏料的變化。可輔助使用放大鏡檢查，以便注意色層是否與裸眼所看的一樣爲純白色、藍色或爲棕色，並盡可能注視圖案中的各種顏色變化，以比較其顏色是否符合自己的配置並決定採用何種配色方式、方法。

至於釉色是否顯明地純爲藍色、綠色或棕色，也是最爲重要的。大多數釉下彩飾的次序爲透明釉覆蓋之後，將會影響其全部的底色，它可借助日光透進底色層，然後確定是否改變色彩，亦或隱性色彩變淡了。至於在人工光線下的色彩，就更不易確定其原色的色彩，有些釉質細薄得無法用肉眼辨識出其顏色，但可在釉料重疊部位，如圈足、把手接縫、或其他器身凹陷部位等處看出色澤，從這些部位所發出釉料顏色種類編彙資料，作爲日後在修復過程中參考的重要依據與研究記錄。

至於調色的藝術，全由陶瓷修復師依色彩經驗檢視出一合適的顏色，並分析此顏色的組成色料成分，再進行調配；對於更複雜的組合瓷器皿其仿彩釉液的噴飾處理，亦由修復師自行配製以符合實際的需要。

分析色彩成分的步驟如下：光線對於調色佔有相當重要的地位，所以選擇在自然日光下（尤以北邊日光最佳）來進行調色，而不宜在一般的日光燈下調配色彩，除非該陶瓷器物將來將陳列於日光燈下展覽場所，如果不能確定該瓷器的展覽場所，則應該在日光與日光燈的混合光源下進行調彩與配色。至於調配底色時，不同紋樣下的不同色彩很容易從任何光線中由底部反射透出錯誤的色彩來，而導致視覺錯誤的調彩配色方式，這種問題在於進行高級品的修飾時最難克服，甚至於花紋上的色彩，如未反射呈現到釉層上或是它們隱藏存在內部的各色彩層，也足以讓修復師產生視差錯覺，爲解決這個誤差，可以以面罩膠裁製一個如郵票大小般的配色方塊，可使人集中一處而不至看到所需配色以外的任何干擾顏色。

開始彩繪上色修復陶瓷時，可以先利用透明玻璃的方便，以看出應該使用的正確顏色，之後可以運用比較法來比較顏色，然後從顏料或塗料中找出適宜的

色彩。爲了能準確運用這種技術，首先應取一小滴顏料置於配色方塊上，再以畫筆塗上一層薄薄的顏色（此色並不能代表整個器物的顏色），因此，往往使人誤解了該瓷上的原色，在彩飾過程中，應該全程採用配色程序的技術，在每一種顏色加上樹脂之後，然後再以配色方塊來作比較，並可判斷自己的配色方法是否可行。然後，就可知道這所配出來的顏色是否正確？

混合顏料應在一塊約十五公分平方的透明玻璃上操作，而透明玻璃的板面越厚越好。另一種方法則在一塊純白瓷磚上調和顏料，這兩種方法都可運用，以作爲調合顏料之需要，並需要用小型的攪拌竹片（自製手工竹刀）或調色刀（油畫用調色刀），用以調拌顏色與樹脂。此小小的一支扁平調色刀就可以決定測試與調拌結果的好壞，這些用在使用顏料與樹脂混合時是非常重要的。

其方法爲：取出一調色用玻璃板並先以丙酮溶劑清洗，待確定清除一切灰塵油污穢物以及舊有的殘留顏料物後，洗淨攪拌刀，取出所需的各色顏料置於攪拌玻璃上方，並將樹脂置玻璃下方，依其需要量取用足夠的份量。然後由放置於玻璃上緣的所需各色顏料，依調配範圍的大小以及用量的多寡，祇需要在每一小撮顏料中加入足量的樹脂，輕攪調勻成漿糊狀即可，並於每一次顏料攪勻之後，頻頻隨時清洗或更換攪拌竹刀或調色刀，除了英國色彩Cryla爲現成的調合顏料外，其他每一種顏料都需照上述的方法調製，最後從每一種已調勻的顏料中取出一部分所需的份量開始調配所需的顏色，並隨時以眼睛測試或使用配色方塊來進行比較配色。

配色步驟應該注意以下三點：一切的顏色調配首先應從淡色開始調配起，然後逐漸加重至適當的濃度、深度、彩度，如顏色必須加重加深時，切忌不要直接調用黑色，因爲直接調用黑色容易使顏色變得混濁、變得不透明，一般較高明的調色方式應該用深褐色或棕色系來

替代黑色以增加濃度。另一重要的調配色重點是，不同色系間的調色應該不得超過三種甚至三種以上，因爲所調色系太多太雜易犯色濁的毛病，尤其對於瓷器上的透明釉色有直接的影響。當樹脂顏料調和完成之後始可以加入適量的樹脂硬化劑，進行色料的硬化步驟（硬化劑的用量決定樹脂的硬化數度，因此硬化劑劑量應該配合補彩的速度與用量，切勿將全部已調好的樹脂顏料加入硬化劑，以形成浪費）。另外調配好的樹脂顏料又可依其補彩工法調和以合適的稀釋溶液，如利用於畫筆或噴槍、噴筆的濃淡配比亦不同（依修復師的工作經驗而定）。

第四章 工序與工法檢討

壹、善教堂拜亭屋頂拆吊工序工法檢討

經過二十餘天的工作，善教堂拜亭拆卸工作，如期在東勢鎮公所統一清運災後廢棄物截止日期之前完成。整體而言，善教堂的拆卸工作，最大的遺憾是無法完整保存拜亭屋頂的結構，原初，搶救小組所有精神均集中在完整拆卸屋頂之後，同時可以完整保存。因此，耗費最多的時間、人力和經費，在研議完整拆卸拜亭屋頂工法，但是，當拜亭屋頂完整吊離之後，依然必須作出局部取樣的決定，放棄完整保存的想法。歸究其原因，主要是搬運問題無法克服。善教堂拜亭屋頂高度約3公尺多，放置平台車之後，超過五公尺，寬度約四公尺，根本無法將平台車駛入任何道路[16]；即使要運出東勢鎮都不可能。因此，陸上運輸的想法完全被推翻。較可行的解決方案是使用直昇機從空中吊運，然而因物力經費等現實因素考量，致使拜亭屋頂運輸成為一個無解的問題。

12月20日拜亭屋頂吊離至廟埕安置時，所有在場的人都歡欣鼓舞，完成一件從未遭遇的神聖任務。不過，就在兩個小時之前，在45噸吊車吊離屋頂的準備時間裡，聚集在廟埕的鎮民和工作人員，都屏息以待，許多人鎮民操著客家話竊竊私語，提出不少這件任務可能失敗的警語[17]。屋頂吊離的任務成功，僅僅讓接著的木結構拆除工作得以順利進行，真正的困難，確是如何能夠將屋頂完整的運出東勢鎮，回到大園鄉的專案倉庫。搶救小組面臨這種困擾，必須作出明確的抉擇，否則會即刻遭遇幾天以後，東勢鎮公所清運廢棄物的截止時間[18]，工作更加困難。我們站在屋頂旁邊，左左右右地繞圈子，爬上爬下的反覆思索，如何解決保存完整屋頂的方法。我必須很忠實地記述當時的情況，因為，搶救小組有時間和經費上的壓力，無法充裕地朝更完善的範疇思考。事實上，以史博館的力量，根本無法協調軍警或民用直昇機參與這次專案計劃。

在路上運輸的計劃無法實施的現實前提上，必須從文物和研究的角度再深入思考，以善教堂建築的沿革歷史分析，善教堂曾經翻修過幾次，大約確定的最近一次時間，是民國74年拜亭整體曾經全部翻修，包括屋脊剪黏、屋瓦重建和木結構油漆粉刷，彩繪重繪等工程[19]。搶救小組認為，既然無法完整保存屋頂結構，而必須以局部取樣方式保存部分構件，若針對文物的歷史性價值思考的結

---

16 運輸屋頂用長40尺、寬2.5公尺平台車。

17 當許多人不斷質疑這件任務在技術上的適當性時，吊車已經將吊桿昇到屋頂的上方，工作人員正在以鋼索固定吊勾和屋頂，已經到了箭在弦上不得不發的地步。搶救小組面對著這些質疑的壓力干擾，幸賴當地的工程人員領班詹永清先生大聲喊著，「這件事讓真正在做的人去做，如果你們有能力，為什麼現在才說？如果把這些工作給你包，錢也給你，你會想出更好的方法嗎？」這些話真正起了莫大的作用，關心的鎮民頓時都停止議論，專心看著工作的進行，緩解我們許多壓力。

18 東勢鎮公所統一清運廢棄物截止日期在88年12月31日，鎮公所撥出經費和設備幫助受災戶清運廢棄物，時間過去，便要由受災戶自己負擔經費。善教堂管理委員會必須配合史博館，將保留的文物和構件包裝運輸之後，才能通知鎮公所來現場清運廢棄物。

果，我們放棄大部分在14年前新修造的部分，儘量以保留原初的建築構件為主，包括，屋頂橫樑、椽板和部份剪黏塑像成為保存目標。這個原則確立之後，善教堂拜亭屋頂在12月29日切割解體[20]。經研擬更具效果之局部取樣工法，可依照下列方法完成體積較大之局部取樣作業。

一、拜亭屋頂完整保存細工局部取樣步驟及工法：

(一)取樣位置拍照記錄及畫線。(取樣面積較大)

(二)由木工製作木箱(依取樣體積訂做)至少四~五面封板。

(三)施打水溶性粘膠及加固裂縫(預計須2個工作天)。

(四)於切割線以手工方法切割，固定空箱後於箱內灌注發泡填充劑，填滿空間，再封第六面板並拆卸、裝運。

(五)預定切割取樣20組，每組施工約須4~6小時，人員2~3人一組。全程約須20個工作天。

(六)所須材料為三夾板(3x6呎/ 30片、刷子2把、釘子(數包)、加固鐵絲、發泡劑80瓶)。

P.S. 以上工序取樣估計只能採集，拜亭頂約1/3之完整樣品。

二、小塊局部取樣方式步驟及工法

(一)取樣位置拍照記錄及畫線(取樣面積較小)。

(二)以純手工方式敲卸取樣，破壞力較多，只能保持局部完整(因內部為灰質黃土之故，並大都為內部裂傷，胎體沒有強度)。

(三)預計工作天數2~3天。

(四)以上均不含拜亭頂部木結構部份之拆除，預計拆除木構約時1天。鋼梁

---

19 根據88年12月8日善教堂工作日誌紀錄顯示，賴姓民眾提供善教資料，其父曾經參與善教堂修建工作，並表示屋頂曾於二十年前翻修，原有石灣陶遺失。由此判斷，善教堂在二十年之內，至少翻修過兩次。

20 切割拜亭屋頂時，仍然未放棄能夠保存大部分構件的想法，但是，鎗脊和上馬路等結構十分鬆散，只要稍微切割即行斷裂成碎塊。根據當天工作日誌紀錄，「依12月24日拆卸實況瞭解屋頂整體內部均屬鬆散結構，由黃土及瓦片組合外敷石灰(厚度約0.5~1公分)，一經切割即造成斷裂、崩散。原計劃保留屋脊全部之切割方式(12月23日郭長江、胡懿勳自本館傳真至豐原)因體積龐大，即使順利切割，於運輸時，亦恐震動導致斷裂。依敦本堂粉牆拆除工法進行，或為較周延施作方向，然需耗費更大人力、物力、時間。
屋頂磚瓦、塑像部份採小體積局部取樣，保持連續磚瓦之木結構完整，可節省最多時間與人力。並達到保留歷史建築之目的。(屋頂磚瓦曾於民國六十年代翻修，並非原件。)小體積局部取樣工法詳如頁二。

支撐切焊及木工支架隨時配合。木構全部保留完整。

三、氣候因素

根據88年12月台中氣象站測量資料顯示，全月最高雨量出現在11日到20日之間，正值搶救小組在東勢鎮善教堂進行屋頂吊離及木結構拆除工作(參見附圖一)。全月雨量集中三天，除影響工期及工程進度進行之外，更重要的影響在於，屋頂受雨之後，雨水滲透進入石灰層，使其乾濕度差異增加，更形脆弱。

貳、敦本堂彩繪牆拆卸保護層工法檢討

一、剝離玻璃纖維的工具與材料

原以裱貼宣紙二層及外加一層玻璃纖維保護彩繪牆面不受破壞並增加強度，以便吊離及運輸。事後，經與日本專家青木繁夫先生討論，玻璃纖維可以碳素纖維取代，碳素纖維較玻璃纖維質輕，強度亦高，應為更加防護材料。其次，宣紙層與玻璃纖維(或碳素纖維)之間可加入鉀肥皂作為隔離劑，方便玻璃纖維剝離工作。

彩繪牆表面先行以B72高分子材料保護後，再行裱貼宣紙。然雖已裱貼二層宣紙，然其厚度仍然有限，致使無法有效阻絕保麗膠滲透。經研商，可以較厚雙宣或熟紙至少三層，以有效阻隔保麗膠。

5月1日至15日首先進行松苞彩繪牆剝離作業時，使用塑膠針筒灌注丙酮，效果太過緩慢，後經過實際操作的修正，發現原本將丙酮澆注綿質毛巾，浸泡玻璃纖維使保麗膠溶解的時間緩慢，若以密度高、可吸收丙酮量大的衛生棉內高分子材料取代，則可減少丙酮用量和所短溶解時間。

敦本堂「竹茂」彩繪牆保護層撥離耗費材料最多為丙酮，共計耗費丙酮約30箱，每箱24罐，每罐350ml。其次，彩繪牆安裝陳列架時，背面與陳列架底板接觸面灌注發泡劑約11罐，每罐500ml。發泡劑因為廠牌不同，品質亦有差別，其中以操作方便性和發泡程度為主要影響關鍵，實際操作中，由於罐裝設計不良，無法順利灌注，易使材料耗損嚴重，增加成本。發泡效果以較細質的泡沫為佳。

二、玻璃纖維剝離作業修正工法

以下條列「竹茂牆」玻璃纖維剝離作業修正工法。

(一)以毛巾布覆蓋玻璃纖維之上，並以塑膠袋覆蓋毛巾減緩丙酮揮發速度(面積125×223公分)。等待丙銅滲透完全軟化纖維，再行剝離。玻璃纖維剝離初期作業，剝離完成66×30公分面積，約使用500cc丙銅二罐，時間耗費90分鐘。已經剝離以及覆蓋毛巾布等待滲透玻璃纖維，兩部分

共使用丙銅15罐。以修正後之工法所需丙銅量將增加較多；評估其效益
為節省時間，增加效率，材料耗費較大。

(二)調整工作方法，原先毛巾布覆蓋面積，125×223公分，毛巾布覆蓋面積
縮小為圓龕三分之一強(227×92公分)，以確實使玻璃纖維軟化。等待丙
銅滲透完全軟化纖維，再行剝離。前一日離開專案倉庫之前，於覆蓋毛
巾布之玻璃纖維部分，再加注丙銅2罐，軟化玻璃纖維。次日進倉庫後
隨即開始剝離，因經過隔夜浸泡，纖維軟化效果明顯，增加剝離速度。
經觀察，一個工作天(89.6.21)剝離完成面積50×52公分(圓龕)，123×
12.5公分(對聯龕)兩部分，約使用500cc丙銅10罐，時間耗費五小時。明
顯較松苞牆為快速，但丙酮耗費量大[21]。

第三次調整工法。原先毛巾布覆蓋面積，227×92公分，再行所縮小為一條
方巾面積35×37公分，以確實使玻璃纖維軟化後，即刻切割，效果較佳。等待丙
銅滲透完全軟化纖維，約30至180分鐘，平均剝離約10公分見方；端視玻璃纖維
硬度而定。

(三)試用新材料。試驗女用衛生棉取代毛巾布吸收丙銅軟化玻璃纖維。計時
約35分鐘，含水量及延緩丙銅揮發時間及效果均較毛巾布為佳。使用護
墊四片，每片面積約30×25公分覆蓋，大型護墊單獨使用，確實使玻璃
纖維軟化後，即刻切割，效果較佳。

經比較各類似功用材料，例如，保潔專用墊、成人尿墊巾、嬰兒尿布等，
上述材料均以棉花為主要原料，吸水性、含水量不如衛生護墊。經過比較結果，
選擇「產婦用褥墊」(實內14.5×35公分)，及「靠得住四號」(睡眠或特多流量時
使用實內25×7.5公分)兩者成分為，不織布表層、高分子吸收體、紙漿、PE防水
層。

更換新材料後，玻璃纖維剝離作業速度增加，丙酮使用量減少。以一個工
作天(89.6.22)計算，剝離完成面積85×12公分(圓龕外緣)；39×100公分(對聯
龕)；蝙蝠彩繪(高60底50公分三角形面積)，三部分，約使用500cc丙銅7罐，時間
耗費五小時。

(四)新狀況應變。玻璃纖維與彩繪牆面之間，尚有宣紙層，當玻璃纖維剝離
時，無法將宣紙層同時剝離，故需將附著於彩繪牆表面之宣紙層以丙酮
濕潤後，立即用竹片摩擦方可完全清除。若玻璃纖維與宣紙可分別剝
離，則應以分別剝離為優先考量，此法有助保護彩繪完整，切勿過度用
力拉扯。

---

21 竹茂牆玻璃纖維硬化劑較強，丙銅需長時間軟化，此為減緩剝離速度主因，換言
之，若竹茂牆與松苞牆玻璃纖維覆蓋條件相同時，竹茂牆速度將更加快速。

二、環境因素

敦本堂彩繪牆在剝離玻璃纖維時，遭遇最大困難，是保護層保麗膠滲透宣紙層，以丙酮溶解時間緩慢，並且黏性極高，無法順利剝離。經本館研究人員研議結果認為，環境與時間因素，為其關鍵。其一，時序入夏，氣溫升高，使玻璃纖維產生化學變化。根據氣象局資料顯示，88年11月日均溫加標準偏差質約在攝氏19到20度，12月在攝氏15至17度，僅有一至二度落差，溼度較小。而89年5月則在23度到27度，5月的相對溼度明顯增加，從去年11月較乾燥到今年5月潮濕的變化，也增加了壁畫本身的變數。壁畫包覆在玻璃纖維和保麗龍等防護材料之內的時間過久，讓壁畫無法調節溼度變化；尤其是跨越多夏季節，增加溼度相對落差。

其二，從去(88)年10月下旬進入專案倉庫至5月初開始進行剝離工作，間隔時間長達六個月餘，亦使表面保護層相互重力牽引，增加剝離時困難度。

因此，隨即剝離保護層應為講求最佳效果之做法，時間越長，越不利於保護層剝離工作。

參、維護與修復工序與工法

一、薰蒸作業藥劑使用評估

薰蒸作業曾經進行使用藥劑評估，過去薰蒸常使用溴化甲烷(Methy Bromide)作為除蟲主要用藥，其特性為，殺蟲力強、寒冷亦可使用，滲透力強、吸著力少，沒有引火及引爆危險、不腐蝕金屬等，其中滲透力強及吸著力少對木質與織物具有良好除蟲效果。因此，初步以溴化甲烷為優先考慮，然而，經查詢資料結果發現，根據行政院環境保護署八十七年九月五日公函明確規定，「本署已公告溴化甲烷為環境用藥禁止含有之成分，溴化甲烷禁止作文環境用藥用途」。行政院農業委員會八十七年九月九日公函，重申「溴化甲烷已經行政院環境保護署公告為環境用藥禁止含有之成分，禁用於環境用藥用途。」並明確訂定罰則。

行政院環保署說明，「溴化甲烷為無色之劇毒氣體，且為蒙特婁議定書中管制之物質，為避免溴化甲烷不當用於環境用藥燻蒸用途，造成人員及環境危害，本署已於八十七年四月二十日……公告溴化甲烷為環境用藥禁止含有之成分。」農委會則說明「另本會核准進口之『非屬檢疫及裝運前處理用』溴化甲烷僅供農業用途，不得使用於環境用藥之用途，如室內白蟻蟲害防治等……。」

溴化甲烷約在1940年起，即為歐美當作殺蟲殺菌用藥，日本則於1950年初，提供市場運用。其對木質、穀類、纖維及土壤殺蟲殺菌效果顯著。其成分分析如下。

(一)物理化學性質：化學名溴化甲烷(Methy Bromide)

　　1.蒸氣壓:2.0kg/cm²(20℃)

　　2.溶解度：(1)1.25/100ml H2O(20℃)

　　3.可溶於酒精、醚、碳化合物

　　4.外表：常溫常壓為氣體，液化後為無色液體

　　5.比重：液體1.730 氣體3.30(空氣＝1)

　　6.沸點:3.56℃ 燃點：537℃

　　(二)毒性：溴化甲烷對人畜的毒性極強，在17PPM以上濃度即有毒性，故加入2%之Chloropicrin警示氣體。氣體狀態能使人流眼淚，液體則使皮膚發炎。

　　基於對人體及環境會造成明顯直接傷害，燻蒸作業用藥轉向使用「幫家淨」，比較起來，幫家淨對人體及環境無害，但是，其滲透力及附著力不如溴化甲烷，其解決方法，延長施藥後密閉時間，並且嚴格處理空間密閉措施，例如，將門窗細縫封閉等。本館燻蒸施作時間選擇週休二日以隔開辦公人員，避免意外發生，亦為必要考量之因素。

二、彩繪雕件、糟朽木構件之處理工法、工序與檢討：

　　(一)依照觀察檢視記錄工作報告與因應研擬維修護的建議事項開始進行修工作。對於腐朽比較嚴重的木質材料，一般先進行燻蒸除蟲，然後開始清潔及滲透方式加固及填充材料的填充。

　　(二)木材上較大的裂縫、裂痕的處理，一般選擇以同樣的質材木料來砌塊填補（木材紋路、肌理都必須考量），膠黏劑選擇以水性的無酸樹脂膠為宜，如以PVAC樹脂調水（濃度視情況而定），在溫溼度一致的情況下進行（包含木料的含水度）。

　　(三)木材上較小的裂縫、裂痕的處理，一般選擇以樹脂調和以乾燥的纖維質，待固化後再刷上底材填料，但是日後仍會在交接處裂開兩條細小的裂縫。

　　(四)底材填料的種類與製作：

1.白堊（CaCo3）、石膏（CaSO4・2H2O/CaSO4・1/2H2O）、高領土（AlSi）等等。

2.底材填料的製作，將事先調好的薄動物膠（比例為100膠＋750ml水）加上1：1比例的白堊粉和石膏粉。注意攪拌以免產生氣泡並過濾雜質，底材濃度以略帶黏度呈稠絲狀為宜。

3.底材填料使用時必須加熱保溫，以保持柔軟度。另使用時不宜調製太多，以免固化形成浪費。

三、彩繪層的保存與修復工法、工序與檢討：

(一)清潔、除塵時應以有機溶劑清潔，如：乙醇、丙酮、蒸餾水等清潔除塵、溶融油污、油漆。對於油漆類的清除，可以用棉花沾丙酮輔助以竹刀或木刀輕輕剔除既可。

(二)如有底層的紙質、織質層老化脫落、翹起時應以澱粉質植物膠、PVCA加水稀釋，一般濃度約在15~20% 之間。

(三)色層老化脫落、翹起時的加固，色層可選用黏性較佳的動物膠，另又因其流動性好，可以做效果較好的滲透加固方式來加以保護，尤其對於老化嚴重的色彩更為良佳。

(四)一般做彩繪加固時的膠水配比為：3~5% 的動物膠（兔皮膠、鹿膠，配方a：35g膠＋500ml水、配方b：100g膠＋750ml水，用50℃隔水加熱的方法加熱溶解膠）。至於表面貼有金箔或貝殼粉之裝飾材料者，可以再補刷一層5~10% 濃度的B72膠快速塗刷均勻既可。

(五)植物膠、動物膠、合成膠之比較：

　1 黏著力情況：自然膠較弱，合成膠黏性較佳。

　2 老化情況：自然膠較好，合成膠容易變黃、變質或變色。

　3 流動情況：動物膠最好、合成膠次之、植物膠最弱。

　4 造成張力情況：合成膠較小，自然膠較大。

(六)各類膠著劑使用前都應該先評估與試用，選擇試片位置大小及劑量濃度的測試與記錄。一般簡單的測試方法是將調製好的黏膠平塗在木質表面上，待黏膠乾燥後，若是微微發亮，就表示黏度恰當。若是表面成糊狀，則表示太稀；若出現裂縫，則表示太濃稠，必須重新調配濃淡度。22

(七)彩繪層的保護加固工具以軟性的羊毛排筆為宜，並以平塗的方式朝同一方向平塗均勻既可，平塗時切記勿不規則的亂塗，以免增加用膠量及厚薄不平均，形成乾燥時繪畫層表面張力的不平均，產生繪畫表面翹起或變形的反效果。

---

22 使用後的剩餘黏膠，必須加封後，於容器外標明並寫上製作日期和合成比例濃度，再放入冰箱中保存，否則保存不當時黏膠容易發霉或變質。

附圖一　1999 年 12 月台中氣象站氣象測量資料

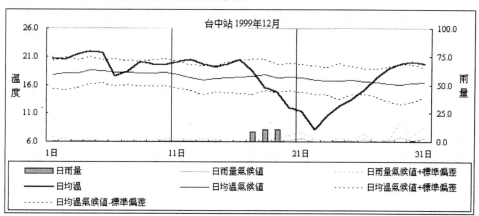

附圖二　1999 年 12 月及 2000 年 5 月台北氣象站氣象測量資料對照

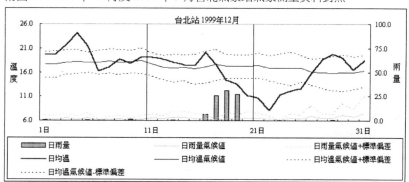

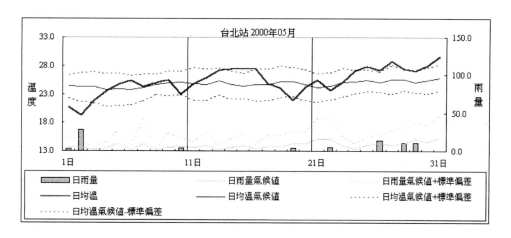

附表

88年12月至89年5月氣候比較表 　　　　　　　　　　　單位：攝氏度

項　　目	最高日均溫	最低日均溫	日均溫氣候質＋標準偏差質	備註
88年11月	24	18	19～20	
88年12月	25	7	15～17	
88年1月	22	7	13～18	
88年2月	22	12	12～20	
89年3月	24	14	13～20	
89年4月	25	17	15～22	
89年5月	29	19	23～27	

資料來源：交通部氣象局

第五章 結論

壹、搶救文物的時機

一、進入災區時機

　　遭遇像九二一大地震這樣重大的天然災害，全國上下均以搶救人命為優先考量，當此之時，對於文化歷史資產的保存，並非最首要解決的問題，畢竟人命關天，無論是在陷在鋼筋水泥建築物，或者傳統木造建築的災民，才是最優先搶救的目標。

　　當政府和民間的救難組織進入災區進行救難行動的初期，任何非關於對解除生命危險有即時效用的團體，均不應進入災區，從事任何活動，避免干擾救難行動。換句話說，即使如景薰樓、霧峰林家、這樣具有代表性的古蹟受地震影響坍塌，未確定受災居民生命安全之前，對文化資產的搶救，僅能站在嚴密觀察的立場。因此，文化資產受損情況通報系統的建立，比即刻進入災區，更加重要。

　　本館搶救小組在去年十月初開始在災區進行影像紀錄時，搶救生命的救援工作已經幾乎完成，災區居民開始收拾殘破家園，檢視受損家產，並受到政府的安頓。而本館搶救小組於十月中旬開始進行文物搶救工作時，可以說幾乎處在是迫在眉睫的緊急狀態之中。各災區地方政府與中央，在這段時間完成生命搶救工作，為避免二次災害的發生，保護災區的環境衛生和災民健康等因素，正準備清運已經坍塌的建築和設備；災民在生命無處之後，也紛紛開始自立自強地重建家園的工作。所以，這個時間裡，許多坍塌建築即將成為垃圾遭到清運移除。問題是，坍塌建築中，包含了文化資產範圍中，受重視的台灣傳統建築和歷史文物；

不同於鋼筋水泥的現代建築價值衡量，但是，卻同樣地是讓人心碎的殘破瓦礫。這個時機，如果沒有專業的團體或單位，提醒受災戶傳統建築的價值與意義，它們就真正成為瓦礫垃圾了。

時間是緊急而不等待的；沒有機動效率的行動力，只能事後扼腕。本館搶救小組透過報導人李奕興先生的訊息傳遞，臨危受命到達竹山鎮社寮「莊招貴公廳」展開實際搶救文物的行動，自此，影像紀錄的觀察階段結束，正式進入文物搶救的行動階段。

二、博物館的定位

最先要注意的關鍵在於，以史博館單一的力量，無法完成對文物完整的處理工作。例如，維護、保存以及如何回歸它們原本的建築屬性，進行台灣傳統建築案例研究。史博館就保存歷史文物的立場，即時地完成文物搶救工作，應僅是整體工作的初步階段。然而，史博館若未確立自身的立場，將蹈入模糊不清的負擔和泥淖之中。

確切地說，史博館目前能夠掌握的是文物的蒐集與初步的維護與保存，至於，這批文物將來的維護與保存並非史博館能夠完全負責的。因此，史博館積極地與國立傳統藝術中心籌備處接觸，希望他們能夠在保存歷史文物的基礎上，繼續對這批文物進行後續的工作。傳藝中心在清理維護文物和籌備展覽期間，陸續派員赴專案倉庫勘查文物的狀況並蒐集關資料，準備接管事宜，成為跨館所的合作模式。

貳、行政作業注意事項

一、適法性的爭議

適法性可以說是事後檢討的程序，基本上可以分為兩個層面討論。首先，在史博館自己的業務範圍，根據史博館的組織章程，並沒有明顯的條文，確立在文物搶救上的法源依據，然而，我們應當可以理解，立法上並未對這種突發事件加以規範，是有其突發性及不確定性因素，無法週延考量的結果。

然而，就搶救文物的即時性與迫切性而論，以「社會責任」為第一優先考量，應是支持史博館進行文物搶救行動的最大動力；今天不做，明天後悔，這一分鐘沒有行動，下一分鐘煙消雲散。如果，行政機關必須依法行事，則應從立即完成博物館法立法程序和增列「在天災人禍的危險狀況中，史博館負有解除文物即時性危難的社會責任」於史博館業務職掌之中，才是根本之道。

其次，就行政規範而言，教育部主管文物，文建會主管文化資產，內政部主管古蹟，史博館主管業務即在文物的保存與研究，因此，這批無法復原與重建的歷史文物，由博物館介入，亦應屬合法合理。就九二一地震之後，史博館搶救

文物專案受到各界關心的議題而論，史博館是否必要介入敦本堂及善教堂文物的搶救，以及這些文物該由史博館或地方文化機構保存，最令人關切。

就史博館立場，既無與地方文化機構爭奪保存文物權，反而，對這些文物將來回歸地方寄予厚望。史博館典藏文物具有一定的程序和法規，文物進入史博館典藏庫房必須經過審議委員認可通過。搶救回來這批文物，根本未進入史博館典藏程序，保存災區文物完成清理、維護的工作，並將部分文物做較有系統的整理，籌辦展覽，讓社會大眾理解保存與維護歷史文物的重要，方為現階段首要的目的。如果，地方政府或文化機構有足夠的技術和設備準備保存災區文物，史博館也樂意將文物就地保存。「就地保存」必須有條件和前提，保存和維護的技術對地方政府而言，尚存在許多難題需要解決，受災一年，百廢待舉，相信解決文物保存定非首要工作的。

因此，我們可以將史博館或傳藝中心等中央文化機關介入文物保存的工作，視為代管、暫管性質，地方政府無須過於急切地，在尚未準備妥適的時候，貿然處理災區文物。

二、備忘錄訂定之必要

備忘錄或某種合約式的書面文件，有必要在與捐贈人(單位)溝通時作準備。書面文件不僅是公務機關的行政程序，同時表現了博物館的誠意。史博館在東勢鎮與善教堂管理委員會的口頭協調之下，開始進行拜亭的拆卸工作，同時間，也在雙方充分的意見交換，與字面的修訂，確立了備忘錄的內容。建立備忘錄使得後續的工作更加順暢，下新里長劉發現先生，在善教堂臨時搭建的辦公室佈告欄內，張貼公告，將善教堂拜亭文物捐贈的訊息公佈讓當地民眾了解善教堂管理委員會處理坍塌建築的內容，以昭公信，也是一種良好的互動影響。

參、階段性持續進行工作的必要性

總體而言，史博館在執行搶救文物專案時，對定位問題已經做出明確的表示和確立了它的合理性和適法性。首先，針對坍塌建築無法復原、重建，也未列入內政部古蹟保護範圍的歷史建築進行文物蒐集工作，是合理的、合於法的原則。真正重要的，即時性的搶救過程，讓可能成為災區廢棄物，而遭到清運的歷史文物暫時留存下來之後，才有可能開始討論後續如，如何修復、保存、教育或者研究等等衍生的脈絡。換句話說，如果這些文物在當下沒有搶救下來，後續問題完全不存在，只留下惋惜、後悔和痛責而已。

搶救小組的研究人員期待這件專案不要在展覽結束之後，便也跟著結案。下一階段，應該持續完成後續文物的處理和保存、陳列等等要項。所有因為這個專案計劃所引發的爭議、討論、檢證、發現種種議題，應該持續受到重視；將這個專案當作一個典型案例列入學界、博物館界和文化機制中檢討有其必要性。

竹山鎮敦本堂彩繪牆地震後景象。

竹山鎮敦本堂「苞松」彩繪牆地震後景況。

噴灑B72高分子材料保護彩繪表面。

在彩繪牆面裱貼宣紙。

在宣紙表面敷製玻璃纖維。

宣紙表面敷製玻璃纖維保護牆面。

在玻璃纖維表面覆蓋面板。

在面板及玻璃纖維之間灌注發泡劑，強化加固效果。

開始拆除彩繪牆背面土埆磚。

彩繪牆安裝保護背板。

成功吊起彩繪牆。

彩繪牆裝車。

善教堂拜亭屋頂支撐鋼樑加固作業。

善教堂拜亭山牆加固作業。

以ㄇ型鋼、角鐵加固善教堂拜亭屋頂橫樑。

H型鋼、ㄇ型槽鐵、角鋼等加固。

善教堂拜亭屋頂吊起之前，工作人員參拜神明祈求賜福。

吊車及貨車在廟埕待命。

第一次安裝吊索，準備試吊。

第一次試吊，失敗。

第二次重新安裝吊索。

重新佈置吊索位置，並增加吊索數量。

40噸吊車起吊離開約50公分停止，檢查木結構狀況。

拜亭屋頂吊離。

檢視木結構無損傷後，屋頂順利吊離。

拜亭屋頂安放善教堂廟埕。

善教堂木結構拆除後，在石礎基底發現清代銅錢。

清代銅錢特寫。

拜亭屋脊剪黏加固情形。

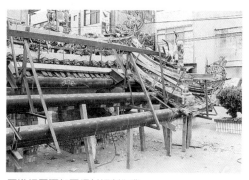

正進行屋頂加固鋼材切割作業。

切割拜亭屋頂加固鋼材。

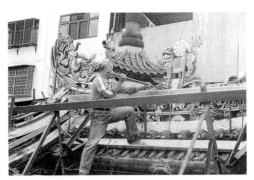

拆卸屋脊剪黏。

經拆卸之善教堂拜亭屋頂剪黏。

經成功拆除後善教堂拜亭位置。

文物薰蒸用「幫家淨」噴霧殺蟲劑鋼瓶。

薰蒸用器材及防護設備。

搶救文物專案倉庫進行文物薰蒸作業。

專案倉庫薰蒸現場。

薰蒸需達一定濃度標準。

本館義工協助進行文物清理工作。

善教堂雕刻飾板表面油漆清除工作。

彩繪牆地仗清理工作。

彩繪牆地仗以石膏加石灰溶劑加固，填損捕裂縫。

彩繪牆地仗加固材料。

彩繪牆地仗表面敷蓋麻布，並以樹脂加固。

麻布乾燥後，敷蓋玻璃纖維，並以保麗膠硬化。

以保麗龍填補彩繪牆背面凹陷處。

彩繪牆背面保護加固層表面噴灑發泡劑。

發泡劑均勻噴灑彩繪牆背面，準備安裝背板。

準備吊起彩繪牆。

彩繪牆安裝在陳列架上。

彩繪牆正面周邊脆弱部份以樹脂稀釋劑，進行加固作業。

敦本堂「竹茂」彩繪牆安裝陳列架後景象。

彩繪牆安裝陳列架上框架。

固定彩繪牆陳列架上框架工作。

彩繪牆表面玻璃纖維保護層剝離作業。

玻璃纖維表面以棉質毛巾及高吸收體高分子材料吸收丙酮後，覆蓋溶解玻璃纖維。

剝離經溶解之玻璃纖維。

玻璃纖維剝離工作正在進行之中。

「苞松」牆玻璃纖維剝離三分之一後，進行彩繪修補。

「竹茂」彩繪牆表面玻璃纖維完全剝離後景況。

以描圖紙描摹完整圖樣作為殘缺部份修補參考。

修補圓龕邊框草葉紋樣。

正在進行之草葉紋修補。

經修補之彩繪牆蝙蝠圖形。

同時進行彩繪修補工作。

彩繪牆書法修補。

經修補後彩繪
牆書法。

敦本堂彩瓷花瓶碎片接合作業。

以「自由樹脂」塑型。

彩瓷花瓶破片接合。

石膏修補花瓶破裂處。

經修補成形的
花瓶。

附錄

色層分析研究

江佩明 整理

摘要

壹、色層分析研究計劃

日期：民國89年7月31日

一、研究目的：

以九二一大地震災區搶救的文物中，作色層分析試驗，研究台灣地區傳統建築中彩繪的歷史，並且了解傳統礦物彩顏料使用的方法和效果，與轉變為現代油漆類顏料的過程；嘗試由使用彩繪材料的改變，發現對建築本身的影響；最重要的是，研究發現保存木質彩繪文物的方法，以期提供有利維護文物現況的適合環境。

二、適用範圍：

目前作色層分析研究的文物，主要是位於善教堂的木質雕刻彩繪，為九二一大地震災區搶救的文物；並可在未來比照其他台灣地區木質雕刻上彩的狀況，不包括地仗層的製作，調查礦物彩顏料及其他現代彩繪顏料的成分與製作方法。

三、研究方法：

1. 相關資料收集：由書籍或相關的研究報告調查收集資料，包括彩繪歷史演變、顏料的化學分析、礦物彩顏料製造方法、木雕彩繪保存的方法.......等。

2. 剝離非礦物彩顏料層實驗：以乙醇和丙酮溶液，剝離非礦物彩顏料層，了解維修次數與時間，嘗試觀察轉變為現代油漆類顏料的過程，和礦物彩顏料使用的方法及其特性，詳細紀錄實驗結果。

3. 製作礦物彩分析和收集礦物彩標本：以利作有系統的介紹。

四、預期進度：

配合本展覽時間表，自民國89年五月中旬開始作研究計劃和剝離非礦物彩顏料層實驗，七月十五日起至八月中作研究報告；九月十六日作公開展示。

五、預期達成的效果：

善教堂的木質雕刻彩繪，有計劃性分層剝離非礦物彩顏料層，作比較與紀錄的工作，並且配合國立歷史博物館【搶救文物 九二一大地震災區文物研究展】製作研究報告與展示工作。

貳、木雕彩繪色層分析報告

一、前言

由於九二一地震後，造成台灣各地尤其是中部地區，許多生命財產上的損

失，許多極有歷史意義日據時代以前的木構建築，半倒、全倒或已經夷為平地；除了惋惜之外，尚存一點慶幸能進行木構建築中雕刻的木雕彩繪的研究，進一步的對木雕彩繪進行分析報告工作與協助本次展覽的舉行，推廣一般民眾對於木雕彩繪與傳統木構建築的了解，將這些具有歷史意義的作品，以正確的方式保存下去。

二、建築彩繪歷史演變

關於中國木構建築彩繪歷史悠久，質多且精，以下舉實例證明：

『春秋─穀梁傳』有明確文字記載「楹，天子丹，諸侯黝堊，太夫蒼，士黃」規定楹柱的顏色：天子用朱色，諸侯用黑色，太夫用青色，士用黃色；皆不可僭越，作為社會秩序的規範，並可了解春秋時代使用色彩的豐富。

『論語─公冶長篇』提到山節藻梲，描述柱頭和斗拱雕為山峰，梁間短柱畫水草紋，顯示春秋時代建築的華麗。

『楚辭─招魂』中描述「紅壁沙版，玄玉之樑些；仰觀刻角，畫龍蛇些」說明戰國時代色彩的使用，與龍蛇等圖案的描繪。

敦煌石窟在南北朝431窟廊為現存最早最完整彩繪壁畫，有紅色底面圖青線條。南北朝時吸收佛教藝術而產生新的圖案，如捲草紋、蓮花紋、曲水紋、萬字紋，231窟北魏壁畫已有瀝粉貼金的方法[1]。

宋代李誡的『營造法式』第十四卷紀錄「彩畫作制度」，紀錄彩繪的類型，並有疊暈、襯地、剔填等彩繪技法介紹。並記錄桐油煉製的方法。[2]可發現與民國初年木構建築的使用材料、製作形式非常類近，在形式上已非常成熟。

『宋史─職官志』記載工部的文思院「掌金銀犀玉工巧及彩繪裝鈿」指出以使用金銀箔、犀角、玉片、螺鈿裝飾彩繪。

清代『工程做法則例』將彩繪分和璽、旋子、蘇氏三大類型彩繪[3]，但其分類著重於樑枋的繪製，而並不注重木雕上色的部分。

在台灣建築彩繪的形式，一般專家學者認為受到中原地區的影響，在清末引進唐山、泉州、漳州、潮州等地的彩繪與雕刻師傅參與建築的製作，與以蘇州風格為主流的「蘇氏彩繪」類近，具有書畫的特質與浪漫的色彩[4]，但在木雕上色方面，如瓜筒[5]、雀替[6]、員光[7]......等，有較多立體面的上色，與中原地區有無

---

1 見敦煌石窟研究論文集。
2 見本文彩繪顏料的種類介紹。
3 見樓慶西〈中國宮殿建築〉屬於樑枋彩繪形式的分類。
4 見李奕興〈台灣傳統彩繪〉中關於彩繪分類的說明。
5 瓜筒是通樑上層層相疊斗的底座，因形狀如瓜而得名。

區別，是值得探討的新課題。

三、傳統建築彩繪的功能

（一）、保護功能

爲了防止乾濕度、溫度、和照度對木材的傷害，維持木材含水率的平衡，因此需要在其表面施彩；另一方面爲了掩蓋木材表面的節疤、斑痕及紋理、色澤不勻等自然缺陷，施以適當的顏料塗飾，使表面光滑，但是對整個結構卻無任何功能。東海洪文雄老師舉例日本木造建築中[8]，不使用保護漆而將木構建築保存完好的實例，質疑木上彩保護的功能。

（二）、裝飾功能

台灣大型木構民居和廟宇中，受中原地區宮殿式建築色彩華麗的影響，喜歡使用五顏六色的顏料裝飾門面，並且多使用原色和化色[9]達到誇示及雕刻眞實化的效果。

三、木雕彩繪的特點

木雕彩繪指的是鑿花師傅所做的雕花建築構件、佛像、家具、扁額、裝飾藝品等，先雕鑿出具體的形象後，彩繪師傅依外型的凹凸和想像的外貌上彩。往往一件木雕彩繪是由數名師傅集合眾人巧思集體創作而來，一件作品的好壞從木雕稿的選用、打粗胚表現出作品的立體感、以細膩的雕工修飾出細節及作品的神韻、搭配合適能凸顯作品的彩繪，每一道功夫都馬虎不來，才能成爲一件出色的作品。

雕花建築構件通常很少或沒有實質支撐建築架構的功能，如斗座[10]、雀替、束楣[11]、......等，雕刻的內容多變，有龍鳳、博古[12]、四腳花鳥、水族和章回小說中截取的故事情節等，代表吉祥如意或忠孝結義的圖案。有時每單件雕刻各自有其代表的意義，與附近數塊大小一致的雕刻又可集合更圓滿的聯想，如四件瓶花分別排列於門板上，因爲諧音各自皆有平安的意義，集合起來便有四季平安的

---

6 雀替是通樑下的雕刻，有穩定結構的功能。

7 員光是步口通下的長型木構件，具穩定使通樑不變型的作用，常雕刻成各種題材。

8 洪文雄老師口述。

9 見內文上色的技巧。

10 斗座通樑上的雕刻，作用同瓜筒。

11 是束下雕刻木構件，具有支撐和裝飾功能，關於建築構件的名稱與功能可參考林會承〈台灣傳統建築手冊〉。

12 類似靜物的描寫，以具有古典色彩爲佳，多具有吉祥如意的內涵。

聯想。在用色上也延伸了這個觀念，喜歡用大紅大綠原色的使用和貼金，看起來較喜氣的顏色，在整體上則具有金碧輝煌的效果。

木質樑柱和牆面無雕刻的彩繪上最大的不同，依材質上而言木雕彩繪必須表現雕刻的細緻度，所以都沒有使用披麻捉灰[13]的做法；在形式上而言木質樑柱有箍頭[14]、枋心[15]、藻頭[16]等固定紋飾的種類，著重平面上圖案式的變化，在某些主題式的繪畫中強調水墨暈染的效果（參考圖二、圖三）；木雕彩繪隨型而賦彩，使其更突顯立體化的效果。

佛像雕刻常使用類似的手法製作木雕彩繪，並且常運用敷紙筋[17]作打底的工作，和瀝粉擠出佛像衣著上的各種不同的花紋，一般廟宇與家中神壇祭拜的媽祖、觀音、關公……等，都是如此製作。有時扁額、家具如神龕也適用木雕彩繪，但是使用彩繪的面積和數量較少，並且基本的圖案與製作方法也是一樣的。在中國文化影響下，台灣木雕彩繪量多且精，瞭解顏料的特性和如何塗繪的方式甚為重要，可助我們保存這些有民族色彩的藝術作品。

彩繪常於木雕整體上一層底色，底層的功能是在連接木雕與表層顏料，但隨著木質結構之不同，其吸色程度亦不同。底層的目的是使表面顏料更易塗繪以及上色更加均勻。通常所見會在上色前整體上一層朱漆，如善教堂雕刻即可發現底色的使用，為什麼選用朱漆是否有增加明度的效果，值得再加以研究。

四、彩繪材料與製造方法

台灣傳統建築彩繪最基本及常用的材料分別為油料、色粉、金箔、瀝粉、螺鈿…等。但是在木質雕刻上較少有地仗層[18]的製作，在此不做討論。

（一）、油漆

漆分為天然漆、及人造漆兩種。生漆Ursuhi的成分是漆酚，以空氣中的水分凝固，相對溼度80% 乾燥。有人因漆酚皮膚過敏，又因成本太高少用於建築構件[19]。人造漆分為不含顏料的清漆及含有顏料之有色油漆〈調合漆〉。而依其乾燥情形又分為氧化性調合漆〈藉氧化而乾燥的漆〉及揮發性調合漆〈藉溶劑揮發而

---

13 裱麻布和上灰泥，是建築彩繪的傳統工法。見李奕興〈台灣傳統彩繪〉

14 箍頭，通樑起始兩端的圖案。

15 枋心，通樑中心也是彩繪的焦點。

16 藻頭，通樑規律性的兩端的圖案。樑柱上的各彩繪位置，名稱見李奕興〈台灣傳統彩繪〉。

17 以棉紙或油紙服貼於木雕上，加強結構並以利於上彩更加的均勻。

18 在壁畫底層加固和整平以利彩繪，依台灣彩繪的工法，也就是披麻捉灰的工作。

19 見手工藝研究所漆器相關網站與出版刊物。

乾燥的漆〉。

　　油漆是各種油性漆，爲人造漆的一種；爲含有乾性油與顏料，或者是含有樹脂之類的漆料。氧化性調合漆是藉氧化而乾燥的漆，大都以乾性油脂製成，如由色粉、桐油、亞麻仁油、和稀釋劑混合而成的調合漆。藉溶劑揮發而乾燥的漆，大多以塑膠原料製成，待溶劑揮發乾燥後，即成漆膜[20]，所以極易使用乙醇、丙酮溶解。

（二）、油料

　　供製造油漆的乾性油的來源大都採自動、植、礦物三類，油的色澤的變更受到加熱的溫度高低、時間長短、及採用乾燥劑的多寡有關。由於油脂中含甘油基之不飽和脂酸，因此與空氣接觸後形成柔韌的顏料膜。[21]

1.桐油(tung oil)：

　　典型乾性油漆。塗在木材表面，乾燥後結硬形成一層堅韌的黏膜保護木材，也可作爲黏結劑。[22]

　　桐油品種很多，有三年桐、四年桐、罌桐等。桐油是油桐樹的子壓榨而成，油桐樹是落葉喬木，樹高二丈，葉子似梧桐，在九、十月間開淡紅色花，結的果實圓圓的很像瓶子。質量最佳爲三年桐及四年桐，色澤呈金黃色爲佳，台灣亦有生產。[23]

　　桐油的化學成份以桐油酸最多，桐油酸能由液體變成固體。日光有使桐油產生變化的可能性，儲存於玻璃瓶內的桐油，置於日光下，會變成黃色固體狀，而無法使用。

　　桐油的乾燥過快時，結成不透明的臘狀薄膜，乾燥時表面結膜面積會發生膨脹，並且有皺紋，非常不美觀。生桐油塗成薄層，十二小時後可乾，但結膜不均勻又缺乏彈力，且經過日曬後會變形，所以必須熬過的熟桐油才適用。桐油經過適當的煮煉，則可加快乾燥速度，並可形成透明平滑而有韌性的結膜。

　　榨油方法分爲冷榨，熟榨兩種。第一次冷榨可得30% 油，然後再將桐仁渣加熱進行熟榨可得10% 的油，經過煮煉後呈透明黏稠狀的液體。

　　土法煮煉桐油依時間及附加添加物的不同，分別可提煉出熟桐油(wrought tung oil)，大黏油及爐底油.....等。[24]

---

20 參考沈慈輝〈油漆塗料製造法〉。

21 參考劉拓〈油漆〉。

22 參考劉拓〈油漆〉及台灣傳統建築彩繪網站。

23 見台灣常見植物圖鑑。

24 調製金膠油的原料，鹿港施鎭洋老師口述。

＊熟桐油煉製方法

1. 用磚頭圍成一個土窯，起火燃燒。

2. 將水桶盛滿水置放於一旁，散熱時待用，再將七分滿的生桐油注入鍋中，不可太少，否則鍋子溫度上升時，油的顏色易變黑。開始時用武火燃燒，到炒鍋溫度升高時，再轉變成文火用杓子上下攪動以散熱，若鍋中冒煙表示溫度極高，此時上下攪動數次，將火勢減弱，否則使熟桐油會糾結如發糕狀，而無法使用。

3. 待桐油產生泡沫由大至小，隨著溫度的升高，桐油中的水分逐漸蒸發，到180℃，桐油起油花，約260℃時加約一湯匙半份量的黃丹（土參或密陀僧[25]），先在杓子和鍋中生桐油拌勻，再倒入鍋中。

4. 滴幾滴鍋中的桐油在鐵板上，吹涼後用手指將桐油往中間撥，再往上拉，若是能拉成長油絲表示油性稠黏，短油絲則表示油稀，視需要調整其稠黏度。

5. 最後將熟桐油倒入鋁製大水桶，待冷卻後，用牛皮紙剪成與大水桶口徑相當的圓形紙封口即可。[26]

爐底油、大黏油：熟桐油再煮之後產生大黏油，桐油煮煉到爐底，油性最黏稠，稱為爐底油；可用來調金膠油[27]，有時彩繪後塗上一層爐底油，可增加其亮度。

2. 亞麻仁油

亞麻仁油(linseed oil)，又稱胡麻油，含有多量的不飽和油酸，可直接取用或經煉製，供製漆用。繪畫上常使用亞麻仁油，使乾燥速度不至於過快，並且有自然的光澤。金膠油中如果加入亞麻仁油，可減緩乾燥速度。[28]

亞麻是亞麻科的一年草，莖可取麻，壓榨亞麻種子可得熟亞麻仁油[29]。亞麻仁油加熱至260℃時，經數小時，黏度漸密，可用來稀釋油漆的黏稠度。熟亞麻仁油色澤呈黃色，油性黏稠。目前市面上也有以人工合成的亞麻仁油。

3.催乾劑

若在油漆加上催乾劑(catalytic agent)，則乾燥速度增加，良好的催乾劑不會

---

25 一種含氧化鉛的固體催乾劑，入油能促進乾燥為我國漆藝中常用的材料，見中國工藝字典。

26 參考台灣傳統建築彩繪網站。

27 傳統貼金箔所使用的膠，用朱合漆(一種紅色的熟漆)加熱桐油、大粘油、爐底油、松節油調和而成。

28 見中國工藝字典。

29 見台灣常見植物圖鑑。

感覺顏色的差異。如亞麻仁油不添加催乾劑，要六至八天才會乾結成膜。爲最早使用的催乾劑爲黃丹（或稱密陀僧、陀僧），因此土法煮煉桐油時均加入黃丹使其乾燥加速；添加催乾劑後，約十二小時就會乾結成膜，而且油膜光滑。過多的催乾劑對於油膜有損無益，反而氧化過度而破裂。[30]

4.稀釋劑

乾性油加熱之後，黏度驟增，爲使其易於塗刷，藉揮發性而乾燥，須加以適當的溶液，稱爲稀釋劑(thinner)。稀釋劑種類繁多，平常添加於油漆中的有松節油、礦油溶液、煤油溶液、醇類溶液、酮類溶液、酯類溶液、氯化氫碳溶液等。[31]

松節油由松柏科植物油脂蒸餾而成，爲製造樹膠漆的原料。

礦油溶液俗稱松香水。在礦油提煉時，介於汽油與潤滑油間的分餾物。松香水是揮發性油，無色或呈淡黃色，爲一般樹膠漆的稀釋劑。

煤油溶液俗稱煤油（又稱火油、石油、或番仔油）。由礦中開採取得，無色，屬揮發性油。煤油經分餾後依其溶化性強弱，作爲不同用途。其溶化性強的，作爲除漆劑。有時傳統建築也會用煤油作驅蟲劑。

在人造樹脂塗料發明後，逐漸取代了傳統以桐油調配的油漆，製作彩繪。一般有聚乙烯類塗料、環氧樹脂類塗料、聚氨脂類塗料、無機矽酸鋅類塗料、聚酯塗料.....等。

（三）、色料

傳統建築彩繪的顏料係取自於有機的植物性顏料、動物性顏料、和無機的礦物質顏料。顏料的發展與應用顏色開始以礦物質顏料爲主，而以植物性顏料爲輔。

1.有機的植物性顏料：

抽取自植物的花、葉、根、種子……等等的汁液而製造成的顏料，此類的顏料耐候性差且易褪色。此類的顏料如紅花、茜草、胭脂、藤黃、花青等，因性質不穩定易受光而變化，較少用於木雕建築彩繪。

動物性顏料：則抽取自動物身上的汁液煉製而成，此類的顏料有西洋紅、紫卯等。

2.無機的礦物質顏料：

指具有一定化學特質的礦物質如礦石、土(FeO)，傳統礦物質顏料較爲穩定

---

30 參考劉拓〈油漆〉、鄒茂雄〈木材塗裝〉。
31 參考劉拓〈油漆〉、鄒茂雄〈木材塗裝〉。

性，最常用於建築彩繪。不溶水的礦物質顏料，其細微顆粒有很強的覆蓋力和隔絕性，乾後能形成薄的防護層。此類的顏料依色系不同來作介紹：

1.紅色

* 硃砂HgS (cinnabar)：即為辰砂、朱砂、丹砂，化學成分是硫化汞，漂製而成。

* 紅丹Pb3O4 (red lead)：又稱鉛丹，為氧化鉛的一種，創製極早，因氧化程度不同，色澤亦有差別，氧化愈高，則色澤愈紅，因此有紅丹與黃丹之別。紅丹若用來調配油漆，乾燥極速，故宜隨調隨用；上等紅丹則無弊。上等紅丹質細，色淡而吸油量高，宜用來調配油漆。

* 銀朱HgS(vermillion)：又稱紫粉霜。為中國古代最早發明的顏料。於西元前五百年以硃砂當防腐劑。漢朝劉安（西元前179~122年）煉丹，求不死之藥。呈朱色粉末狀顏料，吸油力小，遮蔽力大。是硫化汞性質的礦物質，汞（水銀）經攪拌加熱生成黑色的硫化汞，在經熱昇華而成紅色的硫化汞。銀硃原為中國人所發明，傳入阿拉伯後，再傳入歐洲（1930年考證）。

* 土朱Fe2O3：又稱赭石、礬紅，是赤鐵礦中的廣品，赤褐色粉末狀顏料，價廉。用手撫摸有滑膩感為上品，其化學成份為三氧化二鐵。山西府門一帶，古屬代郡有生產。

2.黃色

* 石黃As2O3（yellow ochre）：又稱黃金石，為正黃色，其化學成份為三硫化二砷。其外皮疏鬆，色暗，有臭味，棄之不用；剝去外皮裡面者為佳，多產於中國湖南省。

* 土黃Fe2O3，3H2O（mars yellow）：又稱黃土，為黃色土或石黃加以鍛燒製成，或經過風化後形成暗黃色。其化學成份為氧化鐵及氫氧化三價鐵，餘為陶土。

3.綠色

* 石綠(3)CuCo3Cu(OH)2（malachite）：又稱綠青、大綠。產於銅礦，有呈塊狀或成砂粒狀，有深淺綠色條紋很似孔雀翎毛的翠綠，所以稱為孔雀石。其化學成份為銅與地下水中的碳酸結合而成的（Cu OH）2 CO3。『本草綱目』金石部青綠條：「石綠，陰石也，生銅坑中之祖氣也」范成大桂海慮衡志：「石綠銅之苗也，出廣西右江有生銅處」說明石綠產於銅礦。後因成本高，採集銅器所生的銅鏽做石綠，但性質極為不穩定。

* 洋綠：早年有德國生產的雞牌綠及禪臣洋行出產的洋綠，因其價廉色豔且年久不褪色，所以在日據時代建築彩繪方面完全以洋綠代替昔日之礦物色。成分

不明。

4.青色

* 石青2CuCo3Cu(OH)2 (azurite)：又稱扁青、大青，常與石綠共生，為藍銅礦是銅的化合物，有呈塊狀或成砂粒狀。『本草綱目』金石部扁青條：「 繪畫家用之，其色清脆不渝，俗稱大青，楚屬楚處亦有。」石青的製法，研磨成細小顆粒經過掏淨，加水澱出第一層為頭青，第二層為二青。依次為三青、四青。

* 佛頭青SiO 50%, Al2O3　22%，Na2S 15%, H2O3 3%, S 10% (ultramarine blue or lapis lazuli; Na8-10Al6Si6O24S2-4)：又稱佛青、群青、伏青。為鋁鈉之矽酸複鹽，含硫化鈉。塊狀者偏紅，亦有呈顆粒狀稱為藏青 。馬可波羅自中國帶藍色顏料佛青回威尼斯，再傳遍歐洲，對西方有很大的影響。

5.黑色

* 石墨C(graphite, plumbago)：常產於變質岩是煤或石灰質岩石，沉積物受區域性變質作用或岩漿侵入作用的影響變成鐵黑至銅灰色。

* 煙煤C(bituminous coal)：黑而無光『青在堂花卉淺說』：「煙煤，為當鳥獸人物毛髮用之，將油燈上支碗虛覆半時，埃其煤頭薰結，掃下入膠研用。」說明煙煤製法。

6.白色

* 白堊CaCO3(chalk)：即白善土，主要成分是石膏，別錄白土粉，衍義稱畫粉。

* 蛤粉CaCO3(clam powder)：蔣驥『傳神秘要』：「然用蛤粉最妙，不變色有光澤。」蛤粉製法，先將殼上一層黑皮去淨，研極細用之。

* 骨白(bone white)：人工加工合成。

(Ca5(PO4)3OH)焚燒 ＋氧(O2)→黑色　－氧(O2)→白色　 (為打底用色)

以上的顏色為木雕彩繪較常使用到的基本原色，如有缺漏，容後補充資料，再行製作研究報告。[31]

色彩的調配方法大略分為大色的調配（指的是大紅大綠較原始的顏色），間色的調配（經過一個以上混色而產生的顏色），香色的調配等三種（將調配好的顏色加入少許的銀朱和佛青。若色調欲更古舊可再加一點黑色，如此色調就十分「古色古香」所以又稱香色）。調色方法為：礦物彩顏料＋熟桐油＋亞麻仁油各加一些，須於油熱時摻色隨摻隨用。傳統建築彩繪的各種礦物彩粉末要在砵中混和

---

31 以上參考資料見中國工藝字典、鄒茂雄〈木材塗裝〉戴濟〈 顏料及塗料〉 色、朱樹恭〈顏料〉 色、 蔡仁堅沈慈輝〈油漆塗料製造法〉 色、台灣傳統建築彩繪網站。

桐油來調配，經過極細的研搗，直到完成溶合在桐油中。再以亞麻仁油稀釋，到適合繪畫的濃度。加入熟桐油的作用，使顏色有光澤並且有催乾作用。測試桐油時可在白色木板上滴幾滴桐油來做顏色、乾燥時間和結果的比較。

調色的用途在：打底漆、做面漆、化色等等。調色時要了解漆、色料的耐候性及其特質，要注意那些顏色比較容易乾，（如調配銀朱、紅丹、佛青若在大面積化色時往往來不及化色顏色早已乾掉，而造成不易或無法化色。）以便調色時增減使用桐油催乾。色料買來後必須做測試，其過程如下，準備兩片木片而兩片均上色，然後一片木片置於室內而另一片木片用熱水煮過後置於室外日曬、風吹雨打，再經數月後比較兩片上色料的耐候性與顏色的變化。

人造樹脂塗料使用的方法較礦物彩顏料簡便許多，各色油漆開罐後即可使用，但顏料有強烈光澤，並且較難混色均勻，只適合薄塗，太厚容易產生皺折，與片狀剝離。最重要的一般是人工合成的樹脂類油漆呈酸性，會造成對木質的傷害，不能保護木料。

3.上彩的技巧--化色法

化色是指使色彩漸層暈染開的技法，又叫暈色、暈染、疊潤、退暈、潤色。化色的技巧可施作在木構件上，在未化色前應先將施作的部位處理好，如去漆、修補、打底、上底漆、面漆等。

基本上以兩種不同深淺或不同顏色表現暈染的效果，基本上化色以白色搭配其他彩色作退暈，主要是讓深色和白色交接部份經過暈染後會產生朦朧感。上色時一枝筆沾白色顏料，另外一枝筆沾深色顏料，第三枝筆〈稱為陰陽筆或媒介筆〉一邊沾白色另一邊沾深色但不能使筆沾過多顏料；此外白色部份不能佔整體面積1/2以上，保留較多的色彩，部位上淺色，其餘上暗色，介於深色和白色之間留0.5cm左右的空隙不上色，用媒介筆將兩邊顏色慢慢化開，反覆多次直到呈朦朧狀；每次一定要用布將媒介筆擦乾淨，不可用手混合顏料，宜平行擦拭後筆呈平扁狀。化色一般順著木構件化出來，但亦可在化色時化出鋸齒狀可做出另外一種效果。

4.金箔

金箔是用黃金捶成的薄片，常見於傳統木構建築，於善教堂亦有不少貼金構件，但真金箔多被油漆覆蓋。我國做金箔的歷史已久，河南安陽殷墟與三星堆文化已有金箔出土。

傳統打造金箔，是將金子店買來的金條融成長條形，一小塊一小塊剪開，用春筍製成的黑金紙包裹著用金片，再用牛皮紙裹住黑金紙[31]反覆多次錘成金

---

31 黑金紙的做法在中國工藝字典中說是由煤油薰煉而成。

箔。金箔依含金的多寡分為頂紅（又稱庫金），大赤金，二赤金三種。頂紅含金約為999，顏色發紅，質量最好適合用於室外的彩繪，經久不變顏色，較為少見；大赤金含金約為96%以上加上少許銀，顏色正黃，台灣生產的金箔多為大赤金；二赤金則含銀多於含金，顏色淺而發白，大陸生產的金箔多為二赤金。

金箔的使用分為乾金、濕金…等等。乾金即直接拿乾燥的金箔安金，用包金箔的毛邊紙持拿，準確的貼在作品上；濕金則要先經過托金箔，將一片一片金箔用米酒拖過，放入密封盒內冷藏，使用時再取出。使用時將作品要貼金箔的地方刷上金膠油，塗抹金膠油不均勻會起皺。揉擦金膠油使其產生黏性，再將金箔一片一片的依次覆蓋在黏貼處，並用髮筆或兔毛筆刷亮金箔的光澤，為貼金的步驟。

一般而言，講求木構件的變化和木雕色彩上的真實感就會使用部份化色；若是有貼金的部份，則先安金後化色。要是順序顛倒，則金箔會黏在已化色的部份。

5.螺鈿

在傳統建築彩繪裝飾中常使用的螺鈿，螺鈿又稱陷蚌、坎螺。其材料是貝殼，夜光螺，九孔等為原料，將其外殼粗糙部份磨到成白色平滑的薄片為止。一般有三種：

1. 較厚貝殼切片後依圖形剪成各種形狀鑲嵌在木板中，因成本較高較少使用在傳統建築上。

2. 經過加熱處理過程的貝殼碎片，可使用常吃的九孔，古法為將貝殼放入已經開窯還有餘溫的柴窯中，即可生產大量加工好的螺鈿。現代的方法據說可將九孔放置烤箱中烤一段時間，拿出來放入裝有冰塊的冷水桶中，再放置烤箱中烤，如此反覆施作直到剝離出貝殼碎片為止。

3. 依需要搗碎成大小不同的碎片，一般均分為大、中、小三種規格的碎片。其製作過程為取已去表殼磨成平滑的貝殼，搗碎成碎片，然後用粗細不同網目的網篩選，分類成大、中、小三種尺寸的碎片。

使用的方法為塗上底漆，灑上螺鈿後等乾，利用底漆的黏合力固定在彩繪上即可上彩；或使用鹿膠骨膠固定在彩繪上，使彩繪產生七彩的光澤。裝飾螺鈿時，欲裝飾部位塗上比較厚的油漆以便能使螺鈿附著上，而油漆一定要調入慢乾的純亞麻仁油，以免灑螺鈿還未灑好而油漆早已乾了，所以要趁顏料尚未乾燥前灑螺鈿，一手捧螺鈿另外一手持羽毛灑螺鈿。一個物件中若要以不同大小的碎螺鈿片裝飾時，不宜大小的碎螺鈿片混合灑，一次灑一種碎螺鈿片並且要預留空隙給其他大小的碎螺鈿片，如此整體才會均勻分布不過於紊亂。[32]

---

32 參考台灣傳統建築彩繪網站，與鹿港施鎮洋老師口述。

有時加上「安金化色」的作法，先安金後化色，最後再灑螺鈿裝飾。

6.瀝粉線

瀝粉又叫擠線，在平面中如要造成細線狀突起的花紋裝飾，即可使用瀝粉。常使用於木質平面的樑柱和佛像彩繪，但本次善教堂木雕彩繪並無瀝粉。

瀝粉線之前要事先準備好瀝粉器，瀝粉器分為瀝粉嘴，粉管兩部份。瀝粉嘴以馬口鐵製成圓錐狀，粉管在以前使用豬的膀胱，現在可以改剪一段腳踏車的內胎來代替。先將粉管的一端用棉線扎緊，再往裡捲，以便排出粉管內的空氣。將漏斗插在粉管的一端，灌入適量的粉漿，三分之二即可。最後裝上瀝粉嘴，用棉線將瀝粉嘴和粉管扎緊，壓擠出立體的線條。[33]

瀝粉的成分是糊狀膠、鉛粉和少量熟桐油、白麵、豆粉，防止線粉斷裂。畫出各式花草、龍鳳紋，等乾燥後就會固定在作品上瀝粉後再上色。

圖一：清潔木雕彩繪的現場，非常小心的去除非礦物彩顏料層

五、善教堂色層分析研究報告

1. 研究方法：以乙醇和丙酮溶液，剝離非礦物彩顏料層，

1. 研究目的：了解維修次數與時間，嘗試觀察轉變為現代油漆類顏料的過程，和礦物彩顏料使用的方法及其特性。

2. 研究過程：

＊除塵，落塵會和彩繪層混在一起，除塵時用刷子輕刷木雕彩繪的表面。

＊要先了解清潔的顏料，其特性為何？屬水溶性或脂溶性？先找一處不明顯的位置來實驗，沒問題才能放心使用。

＊清潔木雕彩繪的表面，非常小心的去除非礦物彩顏料層，並且詳加紀錄。

---

33 參考台灣傳統建築彩繪網站與中國工藝字典

3. 研究紀錄：請參考附件之文物紀錄及色層分析表。

4. 研究結果：

＊善教堂的彩繪部分經過三次的上色，第一次為礦物彩顏料，用色較細緻合理，如大葉草使用石綠與白色的暈染。第二次及第三次改用油漆重新上色，非常容易溶解於乙醇和丙酮溶液，並且上色手法較粗糙，化色時中間層次少。

＊根據找尋到相關資料顯示的建造與修復的時間，認定善教堂木雕彩繪礦物彩使用的時間約為二十世紀初，約日據時代大正年間，認定重新修復上彩的時間有兩次，與實際情況相輔。善教堂正殿楣上的門板清除一層彩繪後發現上面所繪的懷桔遺親（見圖二）所提為「民國六十七年元月作」，下方仍有礦物彩層，同樣是善教堂正殿楣上的門板上所繪的天官賜福（未做過清理的手續，見圖三），畫面題字「歲次壬申年夏月吉旦」，證明為民國81年，下方亦有彩繪層。根據以上資料顯示，木雕彩繪重修的時間，應與兩塊門板彩繪時間相差不遠。

＊在每次上彩前皆施一層朱漆作為底漆，其功能是在連接木雕與表層顏料，並且使表面顏料更易塗繪，以及上色更加的均勻。

＊礦物彩顏料顏色本身產生的變化極少，顏料層極厚，保有原來的顏色並可明顯看出運筆的痕跡。但是重修上色的原因應當是祭祀的香煙使彩繪薰黑，使其失去原有的光澤。

＊第二次改用油漆後，又被祭祀的煤煙使彩繪薰黑，並且部分出現黑點，顏料層非常薄，難以保留第二層彩繪的原貌。

＊第三層彩繪大部分改成金漆，但是因為多次的上色，使得顏料堆積，減低原有的立體感，也有被香煙薰黑，失去原有的光澤。

＊在塗第二層紅色底漆之前與礦物彩層之間有白粉層，其功能是在連接礦物彩層，與表層顏料使表面顏料更平滑易於塗繪。

＊在塗第三層油漆彩繪之前與紅色底漆之間有黃色底漆層，其功能是在讓金漆看起來更鮮黃均勻，有黃澄澄類似真金的效果。

5. 研究心得：

＊建造之初，雕刻與彩繪的形式看來，可明顯發現製作者的心思細密，並具樸拙的風韻，重修者的塗改，破壞原作品的雅致，值得做其他重修者的警惕。

＊不同的彩繪顯示出不同的畫層特性，而損壞的呈現形式也不一樣。損壞的呈現形式取決於底層的數量、顏色層的厚度以及顏料的選擇有關。目前善教堂彩繪層的損壞情況如下：

(1)顏料層發生脫落

(2)受外力而損傷

(3)彩繪層變色變質

(4)彩繪層表面有煙薰的痕跡

* 人工合成的樹脂類油漆具有的酸性，會造成對木質的傷害，許多人以為油漆粉刷能保護木料的觀念，須與以矯正。

* 建築構件中木雕彩繪的部分，包含我國民俗文化範圍極廣，但是有許多未見資料記載的部分，值得投入更多人力物力加以研究。

6. 未來研究建議：

* 分析顏料有助於瞭解作品的年代與顏料發展的科技，其方法有：1.瞭解傳統顏料使用方法 2.調查文獻資料瞭解顏料來源 3. 與各行業的專家合作分析產地4.自然科學檢驗，便可做更深入的探討。

* 彩繪層之分析，須先就其單一成分作思考，進行單一色彩的了解和研究。

* 利用顏料之切片來分析彩繪之層面，其製作方法如下：

(1)將彩繪殘片垂直放入塑膠軟管中央。

(2)以聚脂polyester resin灌入。

(3)全乾後割開軟管取出樣品，將單面磨平後可置於顯微鏡下觀察。[34]

* 增加其他地區木雕彩繪的清理工作並紀錄損壞情形。

圖二 門板彩繪--懷桔遺親

---

34 參考〈紙質與木質文物修復研討會〉紀錄

圖三 門板彩繪--天官賜福

六、彩繪層的清潔與木雕彩繪保存的方法

　　清洗彩繪層時，可考慮使用NH4OH。一般台灣的廟宇，還是應用中性的水或清潔劑來處理，或用酒精來擦。不論何種程序，最後一道手續一定得用水來清除剩餘殘留導劑。金箔之清洗原則可檢驗石油精test benzine (white spirit)酒精。水為頗強的溶劑，磨擦性亦強。彩繪的黏著力較強時，可用少許水來清潔，為避免木材特有的吸濕性，防止吸水過量，應避免用大量清水清洗。[35]

　　木雕彩繪良好的保存環境，氣溫維持20+2℃，顏料層對光線特別敏感，限制於150lux以下，相對溼度50-60%，避免大幅度波動，和防止蟲害及微生物的滋長。[36]

　　時常的有專人給予檢視登錄現況，是保存文物最佳的方法。期待各領域的人培養相關知識，推廣保存文物的工作，使有歷史價值、美感價值和學術價值的文物得以保存。

　　作者簡介：目前就讀於台南藝術學院古物維護所木質組

七、參考書目

1.〈古物保存.維護簡易手冊〉國立歷史博物館/民國85年5月

2. 李奕興〈台灣傳統彩繪〉藝術家出版社/民國84年6月

3.〈生活漆藝創作展專輯〉手工藝研究所/民國89年6月

4. 鄒茂雄〈木材塗裝〉淑馨出版社/民國74年4月

5.〈紙質與木質文物修復研討會〉台南藝術學院

6. 奚三彩〈文物保護技術與材料〉台南藝術學院

35 參考〈紙質與木質文物修復研討會〉紀錄
36 參考〈文物保護技術與材料〉和〈古物保存.維護簡易手冊〉

7. 林會承〈台灣傳統建築手冊〉 藝術家出版社 1995

8. 杜仙洲〈中國古建築修繕技術〉 明文書局 1984

9. 李乾朗〈台灣傳統建築彩繪之調查研究以台南民間彩畫師陳玉峰及其傳人之彩繪作品爲對象〉 行政院文化建設委員會 1992

10. 田自秉，楊伯達〈中國工藝美術史〉 文津出版社 1993，台北

11. 樓慶西〈中國宮殿建築〉 藝術家出版社 1994，台北

12. 戴濟〈顏料及塗料〉 臺灣商務印書館 1947，中國/上海

13. 朱樹恭〈顏料〉 臺灣商務印書館 1982，台北19 蔡仁堅

14. 〈天工開物〉 時報文化出版企業股份有限公司 1995，台北

15. 沈慈輝〈油漆塗料製造法〉 臺灣中華書局 1976，台北

16. 劉拓〈油漆〉 徐氏基金會 1966，台北

17. 徐明福，蕭瓊瑞等〈府城傳統畫師潘麗水作品的研究〉 成功大學

18. 劉奇俊〈中國古木雕藝術〉 藝術家出版社 1994，台北

19. 劉文三〈台灣神像藝術〉 藝術家出版社 1995，台北

20. 劉文三〈台灣早期民藝〉 雄獅圖書股份有限公司 1997

21. 施翠峰〈臺灣民間藝術〉 臺灣省政府新聞處 1977

22. 李乾朗〈台灣傳統建築〉 東華書局股份有限公司 1996

23. 林衡道〈台灣古蹟概覽〉幼獅文化事業公司 1994

24. 蕭瓊瑞〈府城民間傳統畫師專輯〉 台南市政府 1996

25. 莊伯和譯〈亞洲的圖像世界〉 雄獅圖書股份有限公司 1998

參、礦物彩明細表

日期：民國89年8月

	礦物彩名稱	色彩實驗	製 造 方 法	化學成分	備 註
1.	紅　　丹 Red Lead	因氧化程度不同，色澤亦有差別，氧化愈高，則色澤愈紅	礦石鉛丹氧化形成，研磨成細粉	氧 化 鉛（Pb_3O_4）	【紅色系】
2.	銀　　朱 Vermillion （紫粉霜）	朱色粉末狀顏料	是硫化汞性質的礦物質，汞（水銀）經攪拌加熱生成黑色的硫化汞，在經熱昇華而成紅色的硫化汞。	硫 化 汞（HgS）	【紅色系】

3.	土　　朱 （赭石、礬紅）	赤褐色粉末狀顏料	是赤鐵礦中的極品，赤褐色粉末狀顏料	三汞二鐵 Fe_2O_3	【紅色系】
4.	石　　黃 Yellow Ochre （黃金石）	形成暗黃色	礦物質顏料剝去外皮裡面者爲佳，多產於中國湖南省	氧化鐵及氫氧化三價鐵Fe_2O_3，$3H_2O$	【黃色系】
5.	土　　黃 Mars Yellow （土黃）	經過風化後形成暗黃色	礦物質顏料，爲黃金石最外表層部份製成	氧化鐵及氫氧化三價鐵Fe_2O_3，$3H_2O$	【黃色系】
6.	佛　頭　青 Ultrama-rine （佛青、群青、伏青）	青色粉末狀顏料	礦物質顏料，青金石研磨製成	鋁鈉之矽酸複鹽，含硫化鈉，其成份爲SiO 50%，Al_2O_3 22%，Na_2S 15%，H_2O_3 3%，S 10%	【藍色系】
7.	石　　青 Azurite	明度彩度較高偏綠色味粉末狀天藍色顏料	礦物質顏料，通常與石綠共生石青的製法，研磨成細小顆粒經過掏淨，加水澱出	銅的化合物	【藍色系】
8.	石　　綠 Malachite	明度彩度較高偏藍色味粉末狀青綠色顏料	礦物質顏料銅礦有深淺綠色條紋很似孔雀翎毛的翠綠所以稱爲孔雀石	銅與地下水中的碳酸結合而成的$(Cu\,OH)_2\,CO_3$。	【綠色系】
9.	石膏Cypsum	較白	石膏礦石研磨而成	石膏$CaSO_4$	【白色系】
10.	白　　堊 Chalk	較白	礦物質顏料石灰石研磨製成	石灰$CaCO_3$	【白色系】
11.	高　嶺　土 China Clay	較米灰	純度較高白粘土粉	$Al_2O_32SiO_2$-$2H_2O$	【白色系】
12.	貝殼粉	較米黃有光澤	牡蠣.蛤等貝殼研磨製成	$Ca(OH)_2$-$CaCO_3$	【白色系】
13.	金　　箔 Golden Left	金色	黑金紙包裹著用金片，反覆多次鎚成金箔。	金礦 Au	【金色系】需用金膠油黏貼
14.	石　　墨 Graphite，Plumbago	黑色	石墨加工而成	碳C	【黑色系】
15.	螺　　鈿	白色七彩反光	九孔.蛤等貝殼燒製成碎片	$Ca(OH)_2$-$CaCO_3$	【彩色系】需用骨膠或底漆黏貼

肆、色層分析文物樣品清單

記錄日期：89/7/31

編號	文物編號	文物名稱	尺　寸 (cm)	清　理　現　況	備　註
1.	A001a	博古（1）	39.5*17.9*2.5	分層剝離右半非礦物彩顏料	
2.	A001b	博古（2）	39.5*17.9*2.5	分層剝離右半非礦物彩顏料	
3.	A025	騰龍透雕（1）	45*8.8*1.8	分層剝離左半非礦物彩顏料	部分缺失 ☆
4.	A026	騰龍透雕（2）	54.8*8.8*1.8	分層剝離右半非礦物彩顏料	部分缺失
5.	A027	福祿壽三仙透雕	46*18.2*2.5	分層剝離左半非礦物彩顏料	☆
6.	A030	麒麟透雕（1）	27.7*19.7*2.5	分層剝離右半非礦物彩顏料	
7.	A037	麒麟透雕（2）	27.7*19.7*2.5	未剝除非礦物彩顏料	
8.	A032	博古（3）	39.5*17.9*2.5	分層剝離右半非礦物彩顏料	
9.	A033	麒麟與鳳凰透雕	33.5*18.8*2.5	分層剝離右半非礦物彩顏料	
10.	A409	大葉草螭虎束橢	49.8*19.5*4.8	分層剝離左半非礦物彩顏料	☆
11.	A050	大葉草及螭虎束橢	53.5*19.5*5	未剝除非礦物彩顏料	
12.	A051	大葉草束橢	53.5*19.5*5.2	分層剝離右半非礦物彩顏料	
13.	A002b	魚鳥透雕	46*18.2*2.5	分層剝離右半非礦物彩顏料	
14.	A003a	花鳥透雕（1）	46*18.2*2.5	分層剝離上半非礦物彩顏料	
15.	S003b	花鳥透雕（2）	46*18.2*2.5	部分分層剝離非礦物彩顏料	
16.	A0029	螭虎爐（1）	34.9*18.2*2.5	部分分層剝離非礦物彩顏料	
17.	A031	螭虎爐（2）	34.9*18.2*2.5	分層剝離右半非礦物彩顏料	

☆後附文物記錄與色層分析表。

伍、文物記錄及色層分析表

編號：10　　　　　　　　　　　　　　　　　　　記錄日期：89/7/15

文物名稱：大葉草及螭虎束橢				文物編號：A050	
功能：木構建築疊斗之間彎月型雕花板					
材質：疑似扁柏、木上彩（水泥漆、油漆、礦物彩）					
尺寸：53.5*19.5*5.2CM					
出處：東勢善教堂					
年代：二十世紀初，約日據時代大正年間					
現藏地：國立歷史博物館					
清除工作者：江佩明					
檢視者：江佩明					
檢視儀器	●目測	●放大鏡	●顯微鏡	○紅外線	○紫外線
	○X光照射	○其他			
文物狀況：木料現況完整，表面多層顏料覆蓋，部分顏料有剝落的現象。					
顯微鏡分析：礦物彩層略有反光，無裂紋，筆刷痕跡清晰，有筆刷的毛黏貼桐油漆上，已清除。					
記錄	●描繪	●攝影		●數位影像	○其它

內容及意涵			顏料層分析	
1. 大葉草（又名唐草、卷草等）：象徵繁榮、豐饒、生命力 2. 如意：吉祥、如意 3. 螭龍紋：瑞獸、吉祥、力量 4. 雲氣紋：流動、延續的空間、天空	表層顏料	水泥漆層	大葉草：藍色與白色暈染 束帶：紅色 如意外框：粉紫色 下凹的如意：無（顯現紅色的油漆） 螭龍紋：草綠色與白色暈染。鼻子部分為紅色 雲氣紋：草綠色與白色暈染	
圖像分析 　　左右對稱外形為彎月型的淺浮雕，中央以成束的大葉草裝飾組成，下方以下凹約1.5公分的如意圖案襯托，四周以一對螭龍及雲氣紋環繞浮刻於彎月型的底面。	中層底漆一	油漆層	底面：紫色 大葉草、束帶、如意、螭龍紋、雲氣紋、底面全部皆為紅色偏橘的油漆。	

清理方式 1. 以棉花棒沾丙酮、乙醇溶液溶解油漆表層,用木棒及小刀刮除油漆。 2. 先處理右下方一角（螭龍身體部分）為實驗區,了解下方共有幾層不同種類的顏料,利用礦物彩較不易溶於丙酮溶液但溶於水的特性,剝離其他非礦物彩顏料。 3. 剝離出右半邊礦物彩顏料,做新舊層色彩的比較。 4. 以盡量不傷害礦物彩顏料為原則,完全清除非礦物彩顏料。	中層底漆二	水泥漆層	大葉草：藍色與白色暈染 束帶：金色 如意外框：草綠色 下凹的如意：無（顯現紅色的油漆） 螭龍紋：草綠色與白色暈染。鼻子部分為白色 雲氣紋：草綠色與白色暈染 環繞四周小片的大葉草：金色 底面：無（顯現紅色的油漆）
	中層底漆三	油漆層	大葉草、如意、螭龍紋、雲氣紋、底面全部皆為紅色油漆。
清理材料 丙酮、乙醇4：1溶液 棉花棒、木刀、小筆刀 **結論** 1. 水泥漆層上色較粗糙且不合理,暈染的中間變化少,而且因為煙灰及時間久,轉變暗濁的顏色,適合剝離,顯露較精製的礦物彩顏料。 2. 重新上色時,匠師習慣使用朱漆將整面浮雕覆蓋,早期使用桐油漆；後來使用油漆。 3. 積灰過厚的顏料層,有顏料剝離的現象,露出底部木料,顯示灰塵對顏料的傷害。	底層顏料	礦物彩層	大葉草：石綠色與白色暈染 如意外框：金色 下凹的如意：無（顯現朱色底漆） 螭龍紋：佛頭青色與白色暈染。鼻子部分為紅色與白色暈染 螭龍身體外框：金色 雲氣紋：佛頭青色與白色暈染 底面：無（顯現朱色底漆）
	底層底漆	桐油漆	朱色底漆,偏橘色
檢視紀錄：江佩明			木料
備註：			

＊清理前

＊清理後

編號：5　　　　　　　　　　　　　　　　　　　記錄日期：89/7/27

文物名稱：福祿壽三仙透雕	文物編號：A027

功能：格扇中與楗枋接角處落地花罩中的裝飾壁板

材質：木上彩（水泥漆、油漆、礦物彩）螺鈿

尺寸：46 *18.2*2.5CM

出處：東勢善教堂

年代：二十世紀初，約日據時代大正年間

現藏地：國立歷史博物館

清除工作者：余國華、王傑元

檢視者：江佩明

檢視儀器	●目測	●放大鏡	●顯微鏡	○紅外線	○紫外線
	○X光照射	○其他			

文物狀況:木料現況大致完整，外框上方有一道斷裂，並有鐵丁釘孔，表面多層顏料覆蓋，部分顏料有剝落的現象。

顯微鏡分析：顏料層無龜裂

記錄	●描繪	●攝影		●數位影像	○其它

內容及意涵			顏料層分析
1. 福祿壽三仙：象徵福祿壽 2. 如意：吉祥、如意 3. 壽桃：長壽 4. 童子：服侍者，代表三仙地位尊崇 5. 旌節：官位 6. 燈：添丁、光明 7. 門扉：象徵屋舍、宮殿或樓閣 8. 竹子：廉潔、長青 9. 松樹：長壽 10. 岩石：地面	表層顏料	金漆、油漆層	福祿壽三仙、童子、配件、門扉、竹子、松樹皆上金漆，部分下凹處沒有上金，露出下朱漆。 壽石：綠色與白色暈染 內框：無（露出下方朱漆的部分） 外框：綠色
圖像分析 由右至左人物排列依序是拿旌節的童子；福仙左手扶腰帶，右手拈髯；祿仙左手拈髯，右手持如意；壽仙左手持仙桃右手持杖，拿燈的童子，共五人。中央福祿壽三仙背後有屋簷斗拱及四支柱子組成的門扉，左旁生長竹子，右旁長松樹及不知名的闊葉植物	中層底漆一	黃色底漆層	福祿壽三仙、童子、配件、門扉、竹子、松樹全部皆為黃色的底漆。 內框：無（露出下方朱漆的部分） 外框：無（露出下方朱漆的部分） 壽石：無

清理方式 1. 以棉花棒沾丙酮、乙醇溶液溶解油漆表層,用木棒及小刀刮除油漆。 2. 剝離出左半及左半邊框礦物彩顏料,做新舊層色彩的比較。 3. 以盡量不傷害礦物彩顏料為原則,部分分層清除非礦物彩顏料。	中層底漆二	油漆層	福祿壽三仙、童子、配件、門扉、竹子、松樹、壽石、內框、外框全部皆為紅色的油漆。
	中層底漆三	白粉層	福祿壽三仙、童子、配件、門扉、竹子、松樹、壽石、內框、外框全部皆為白粉層。
清理材料 丙酮、乙醇4：1溶液 棉花棒、木刀、小筆刀	底層顏料	礦物彩層	福祿壽三仙：不知
			童子：不知
結論 1. 壽石及外框上的顏料有強烈反光應為油漆層 2. 黃色底漆成分不明。 3. 白粉層成分不明,應做成分分析。 4. 如有時間,應完全剝除非礦物彩層。			配件：不知
			門扉：不知
			竹子：不知
			松樹：不知
			壽石：不知
			內框：貼金箔
			外框：無(露出下方朱漆的部分)
	底層底漆	桐油漆	外框：朱色底漆,偏橘色,並貼有細碎的螺鈿 其他部分應也塗有朱色底漆。
檢視紀錄：江佩明			木料
備註：			

* 清理前

* 清理後

總序號：

編號：3	記錄日期：89/8/3

文物名稱：騰龍透雕（1）（與A026為左右相對之同一圖稿）	文物編號：A025

功能：格扇中與樑枋接角處落地花罩中的裝飾壁板

材質：木上彩（水泥漆、油漆、礦物彩）

尺寸：45*8.8*1.8CM（不含已缺失部分）

出處：東勢善教堂

年代：二十世紀初，約日據時代大正年間

現藏地：國立歷史博物館

清除工作者：高道錚

檢視者：江佩明

檢視儀器	●目測	●放大鏡	●顯微鏡	○紅外線	○紫外線
	○X光照射	○其他			

文物狀況:木料右方缺失，表面多層顏料覆蓋，部分顏料有剝落的現象。

顯微鏡分析：顏料層無龜裂

記錄	●描繪	●攝影	●數位影像	○其它

內容及意涵			顏料層分析
1. 騰龍：中國的王權、力量、尊貴、可呼風喚雨的神獸、祥瑞。 2. 雲氣紋：流動、延續的空間、天空	表層顏料	金漆、油漆層	騰龍皆上金漆，部分下凹處沒有上金漆，露出下方朱漆的部分。 雲氣紋：藍色或綠色與白色暈染
圖像分析 　　長條型的鏤空騰龍透雕；中央以一隻延續的S型的騰龍為主要架構，龍頭朝左，凸眼、長鼻、張口露齒，只有兩爪，一爪朝上方、另一爪朝下方；以雲氣紋補充空白，使鏤空處分布均勻有韻律感，利於透光與支持結構。左方太陽和波浪紋與一小塊卡榫已缺失。	中層底漆一	黃色底漆層	騰龍皆為黃色的底漆。 雲氣紋：無（露出下方朱漆的部分）
清理方式 1. 以棉花棒沾丙酮、乙醇溶液溶解油漆表層,用木棒及小刀刮除油漆。 2. 剝離出左半礦物彩顏料，做新舊層色彩的比較。	中層底漆二	油漆層	騰龍、雲氣紋全部皆為紅色的油漆。

3. 以盡量不傷害礦物彩顏料為原則，部分分層清除非礦物彩顏料。	中層底漆三	白粉層	騰龍、雲氣紋全部皆為白粉層。
清理材料 丙酮、乙醇4：1溶液 棉花棒、木刀、小筆刀 **結論** 1. 缺失處可比照A026了解原貌。 2. 黃色底漆成分不明。 3. 傳統施工法則應有金膠油作為金箔黏著劑，應做成分分析。 4. 白粉層成分不明，應做成分分析。 5. 如有時間，可清除全部非礦物彩層。	底層顏料	礦物彩層	騰龍：頭部藍色與白色暈染，下顎有白色斑點，眼珠點黑，鬍鬚與警後鬃毛為綠色與白色暈染；龍身應有貼金，背鰭為綠色與白色暈染；尾鰭不知。 雲氣紋：貼金
	底層底漆	桐油漆	除龍身、雲氣紋應也塗有朱色底漆。
檢視紀錄：江佩明			木料
備註：屬於礦物彩層的貼金，應想辦法與以保留。			

＊清理前　　　　　　　　　＊清理後（下方）

　　　　　　　　　　　　　＊清理後

國家圖書館預行編目資料

搶救文物：九二一大地震災區文物研究報告 /
國立歷史博物館研究組編輯. -- 臺北市：史
博館, 民89
面； 公分

ISBN 957-02-6622-8（平裝）

1. 古蹟 - 保存與修復 2. 臺灣 - 古蹟 - 調查

790.73232　　　　　　　　89012883

搶救文物-九二一大地震災區文物研究報告

發 行 人　黃光男
出 版 者　國立歷史博物館
　　　　　台北市南海路四十九號
　　　　　TEL：02-2361-0270
　　　　　FAX：02-2361-0171
編　　輯　國立歷史博物館研究組
編輯委員　國立歷史博物館編輯委員會
主　　編　陳永源
執行編輯　胡懿勳　李季育
助理編輯　許美雲
校　　對　李季育　呂宜蒨　陳媖如
翻　　譯　韓智泉
版面構成　胡懿勳　李季育
攝　　影　張萍鳳　羅煥光　吳國淳　郭祐麟
　　　　　胡懿勳　張承宗　郭長江
印　　製　四海印刷有限公司
出版日期　中華民國八十九年九月
統一編號　006304890373
Ｉ Ｓ Ｂ Ｎ　957-02-6622-8（平裝）
定　　價　新台幣肆佰伍拾元整

行政院新聞局出版事業登記證
局版北市業字第24號